Amusez-vous en pensant à moi

Åsa Hellberg

Amusez-vous en pensant à moi

Roman

Traduit du suédois
par Laurence Mennerich

ÉDITIONS FRANCE LOISIRS

Titre original : *Sonjas Sista Vilja*
L'édition originale de cet ouvrage a paru chez Bra Böcker, Malmö, en 2012.

Édition du Club France Loisirs,
avec l'autorisation des Presses de la Cité

Éditions France Loisirs,
123, boulevard de Grenelle, Paris.
www.franceloisirs.com

ISBN : 978-2-298-10755-3

Pour Jonathan

1

Voir une femme succomber devant l'entrée du grand magasin Åhléns était plutôt inhabituel, mais Sonja Gustavsson n'avait jamais rien fait comme tout le monde.

Elle n'avait pas prévu d'expirer au milieu du Farsta Centrum, mais si on l'en avait avisée, elle n'aurait rien eu contre.

Sonja vivait depuis des années avec l'éventualité de sa mort. Son médecin l'avait prévenue dès 1983, mais ne plus pouvoir ni fumer, ni boire, ni se régaler de plats délicieux revenait à s'éteindre à petit feu. Ce qui aurait été bien pire que d'être emportée par une crise cardiaque foudroyante dans un centre commercial.

Avant de rendre son dernier soupir, elle eut juste le temps de se féliciter d'avoir encore une fois modifié son testament.

La nouvelle version était tellement plus drôle.

2

En examinant ses ongles, en route pour l'aéroport d'Arlanda, Susanne s'aperçut qu'en dépit de la base protectrice et du fixateur son vernis s'était légèrement écaillé. Et merde. Elle n'avait plus le temps d'en remettre une couche. Elle était déjà en retard en montant dans le bus de six heures trente. Tout l'équipage serait au briefing dans une heure, et elle serait obligée de courir si elle voulait être ponctuelle.

Seigneur, faites qu'il ne soit pas là aujourd'hui, pria-t-elle en silence tandis que le bus vrombissait le long de la E4. Et pourtant, combien de fois, sur cette même route, n'avait-elle pas souhaité le contraire ? songea-t-elle en souriant. Espéré qu'Anders serait là, qu'il se tiendrait en stand-by s'il n'effectuait pas de vol.

Cela faisait plus de trois mois qu'elle avait mis fin à leur relation, mais elle demandait toujours à être dispensée de vol en sa compagnie. Elle savait à quel point elle était vulnérable face à son insistance qui pouvait se faire presque agressive si la rotation imposait une nuit à l'hôtel. Le programme de la journée la conduirait à Oslo et il était d'une importance vitale que le commandant de bord Anders Schultz se trouve ailleurs que dans la pièce où elle était attendue.

Dieu n'exauçait pas toujours les prières ! La belle voix grave d'Anders se fit entendre derrière la porte quand Susanne arriva. Elle remercia néanmoins le ciel de l'avoir avertie de sa présence et entra en arborant une expression toute professionnelle malgré son estomac noué.

— Bonjour, tout le monde ! Ça fait plaisir de vous voir ! Comment ça va ? dit-elle en entrant, tandis que ses collègues se levaient et venaient à sa rencontre.

— Susanne, que c'est bon de te revoir après tout ce temps ! La dernière fois doit remonter à notre halte à Helsinki, il y a plusieurs mois. Comment vas-tu ? Tu as pris des congés ? Mon Dieu ! que tu es bronzée, et tu as l'air en forme, comment fais-tu pour avoir autant d'énergie ? J'arrive à peine à ouvrir les yeux si tôt le matin.

Le babillage de ses camarades n'exigeait pas de réponse et, tout en faisant semblant d'écouter, Susanne observa Anders du coin de l'œil. Celui-ci affichait une mine satisfaite. Difficile de déterminer si cela tenait à son caractère suffisant ou au fait qu'elle était entrée dans la pièce. Susanne opta pour la suffisance. C'était une bonne façon de se remémorer pourquoi c'était une erreur d'entretenir une liaison avec lui. Et puis il est marié, ajouta-t-elle intérieurement, comme si ce statut était un détail. Ce qui n'était pas le cas. Au contraire, il avait été crucial.

Evidemment, le mariage d'Anders était un échec ; il l'avait répété si souvent que Susanne se demandait s'il ne souffrait pas d'amnésie sélective. Pour Susanne, si une union n'était plus nourrie par l'amour ou le sexe, on y mettait fin. Mais Anders trouvait des centaines de raisons de prolonger la sienne : la maison, les voitures, les enfants, les beaux-parents. Le pauvre chou ! Oui, bien sûr, il allait quitter sa femme, mais pas maintenant. Il avait beau dire qu'il ne pouvait pas vivre sans Susanne, elle ne le croyait pas une seconde.

— Content de te voir, Susanne. Comment vas-tu ? demanda le commandant avec un clin d'œil quand il la rattrapa sur le tarmac.

— Très bien, merci. Et toi ? Comment se porte ta famille ? Les vacances ont été belles ? répondit-elle avec un rictus censé évoquer un sourire.

— Tout à fait. Les vacances se sont déroulées comme d'habitude. J'ai passé beaucoup de temps avec les enfants. Je te raconterai la suite plus tard. Puisque nous restons une nuit à Oslo, nous pourrions profiter du soleil pour prendre un verre à Aker Brygge… Tu m'as manqué, Susanne, murmura-t-il en lui touchant le bras.

Elle frémit.

— Non, je n'irai pas à Aker Brygge et je regrette, mais tu ne m'as pas manqué, rétorqua-t-elle en repoussant sa main.

C'était un mensonge. Les relations sexuelles lui manquaient. Mais c'était tout. Elle ne voulait plus rien avoir à faire avec lui, quelles que soient les circonstances ; elle était déterminée, même si à cet instant son corps clamait le contraire. C'est maintenant que la ménopause me serait utile, pensa-t-elle tandis qu'elle s'avançait dans la dernière section de la passerelle. Les histoires de ses amies plus âgées à propos de leur baisse de libido lui paraissaient soudain très sexy.

Lorsque les instructions « PNC aux portes, désarmement des toboggans » retentirent, Susanne s'exécuta avec soulagement. Elle avait hâte d'arriver à l'hôtel. Elle officiait à l'arrière de la cabine et avait eu très peu de contacts avec le cockpit, ce qui lui convenait parfaitement. C'était déjà bien suffisant que son corps lui envoie des signaux à chaque fois qu'elle entendait la voix virile d'Anders. Il faisait partie de ces pilotes qui aiment utiliser les haut-parleurs. Susanne avait essayé de se concentrer sur les passagers et leurs besoins en eau, café, thé ou vin. Elle recevrait une autre invitation de sa part à la fin du vol, elle le savait. Autant ignorer le commandant de bord le plus longtemps possible.

Susanne était lasse des histoires qui ne menaient nulle part, elle avait passé sa vie à les collectionner. Elle avait compris qu'elle décidait en connaissance de cause de s'engager dans ces relations absurdes. Cette prise de conscience lui permettrait désormais de les éviter. Susanne soupçonnait qu'elle cherchait l'amour, mais savait qu'elle ne l'avait jamais connu. Deux échecs de vie commune lui avaient coupé l'envie de s'y risquer à nouveau et la pensée d'emménager avec Anders la rebutait tout simplement.

Susanne réussit à esquiver ses tentatives d'approche sur le chemin de l'hôtel et, une fois dans sa chambre, elle put se détendre. Elle accrocha son uniforme bleu marine dans la penderie et prit dans son bagage un chemisier repassé qu'elle suspendit sur un cintre dans la salle de bains. La vapeur d'eau le défroisserait. Elle ôta ses collants et ses sous-vêtements en soie qu'elle fourra dans son sac de sport, puis elle s'étendit nue sur le lit. Une omelette et un jus de fruits apportés par le room service, et elle n'aurait pas à ressortir. Elle n'aurait aucune difficulté à se changer les idées jusqu'au petit déjeuner le lendemain. Une douche, un en-cas et un peu de distraction fournie par la télévision suffisaient amplement. Et elle s'occuperait elle-même des fourmillements qu'elle avait dans le bas-ventre depuis qu'elle avait revu Anders.

Lorsqu'on frappa discrètement à la porte une heure plus tard, elle était absorbée par ses propres caresses. Quand un deuxième coup se fit entendre, elle jouit et l'orgasme puissant et familier déferla dans son corps, pulsation après pulsation.

Merci, mon Dieu, pour le timing, pensa-t-elle quand elle comprit qu'Anders avait renoncé. Merci, mon Dieu.

3

Cinq ans, plus que cinq ans, s'encouragea Rebecka en se garant devant le bureau. Elle ne s'attendait pas à se voir offrir un départ à la retraite à cinquante-cinq ans, mais elle était convaincue que ses employeurs ne voudraient plus d'elle passé soixante ans. Elle ignorait ce qu'elle ferait alors de son temps libre, mais cela importait peu. Elle souhaitait en finir avec le stress.

Son attitude détachée ne laissait pourtant rien deviner de son trouble, elle paraissait toujours étonnamment pondérée. Ses cheveux, qui lui effleuraient les épaules, soigneusement teints en brun pour masquer les nombreux fils gris, étaient relevés en chignon sur la nuque, et ses vêtements irréprochables, une veste et une jupe mi-longue, étaient presque ringards.

— Bonjour, lança Rebecka en franchissant les portes battantes.

La réceptionniste la salua de la main en faisant signe qu'elle devait répondre au téléphone. Au lieu de s'attarder pour bavarder, Rebecka inspira profondément, se répéta qu'elle avait raison de se montrer positive et prit l'ascenseur jusqu'aux quartiers de la direction au deuxième étage.

— Rebecka, tu tombes à pic. Il faut vraiment que je te parle.

Son assistante, Lena, trépignait sur place, le rouge aux joues.

— Accorde-moi d'abord cinq minutes, j'ai besoin d'une tasse de café, répondit Rebecka en ôtant sa veste.

La kitchenette, encore paisible à cette heure-ci, était l'une des nombreuses bonnes raisons pour arriver tôt. Tandis que la cafetière se remplissait du liquide noir, Rebecka caressa l'idée de prendre une pâtisserie, mais décida d'éviter le grignotage. Elle voulait entrer dans ses vêtements cinq ans de plus. Ensuite, elle se mettrait à manger.

— Ce n'est pas possible. Je n'ai pas reçu les documents dont j'ai besoin pour rédiger le rapport trimestriel.

Lena venait de présenter les premières doléances de la journée. Plusieurs autres suivraient et Rebecka n'écouta que d'une oreille distraite. Si un grief se démarquait des précédents, il la ferait tressaillir. A la place, elle pensa au meeting avec l'équipe directoriale, qui aurait lieu plus tard. Elle savait que le directeur financier, qui comprenait ce qu'elle avait en tête, soutiendrait sa proposition. La responsable du marketing, une véritable rabat-joie, s'y opposerait certainement, mais elle objectait à tout, alors Rebecka y était préparée. Les chefs des départements des ressources humaines et de la logistique, fidèles à leur habitude, ne prononceraient pas un mot et n'étaient de toute façon inclus dans l'équipe que pour la forme. En revanche, Rebecka n'arrivait pas à identifier la position du chef d'usine, et le nouveau directeur des ventes ferait sans doute profil bas, ce pour quoi elle éprouvait aujourd'hui une grande reconnaissance.

— Merci de m'avoir écoutée, je me sens beaucoup mieux maintenant, fit Lena en essuyant quelques larmes. Ah là là, je suis vraiment dans un sale état. Mais je vais tenir bon, comme tu me le conseilles. Tu as entièrement raison, bien sûr.

Rebecka, qui ne s'aventurerait jamais à prononcer de telles paroles, dévisagea son assistante avec surprise. Sans protester, elle lui adressa un sourire qu'elle espérait encourageant.

Le rapport trimestriel était un outil démodé, mais utile aux commerciaux qui se réunissaient quatre fois par an. Au siège de l'entreprise, on regardait rarement les chiffres, aussi, quand Lena déposa le dossier sur le bureau de Rebecka deux heures plus tard, cette dernière le renvoya-t-elle tout de suite au département des ventes. La tradition qui voulait qu'on apporte le bilan en premier au directeur général avait survécu à l'ère de son prédécesseur. Beaucoup d'habitudes subsistaient, mais lorsqu'elle avait accédé à ses fonctions, huit ans plus tôt, Rebecka avait dû se concentrer sur les changements les plus urgents, qui n'étaient pas peu nombreux. L'ancien dirigeant avait occupé ce poste bien trop longtemps et perdu son discernement. Au fil des ans, les concurrents avaient appris de leurs erreurs tandis que JH Foods piétinait sur les sentiers battus. En conséquence, la position de leader du marché à laquelle l'entreprise s'était maintenue pendant vingt ans n'était plus qu'un lointain souvenir quand Rebecka avait repris les rênes.

A présent que la compagnie pouvait de nouveau se féliciter de ses résultats, elle se moquait que tant de choses n'aient pas changé. Cela donnait aux employés un sentiment de sécurité et elle s'en était accommodée.

— Plus que cinq ans, murmura-t-elle en se dirigeant vers la salle de conférences, un étage plus haut, tout en rêvant de présenter sa démission le jour même.

Elle aspirait depuis longtemps à mener une autre vie, mais avait réprimé très habilement ce désir. Que ferait-elle le reste de ses jours, elle, célibataire de cinquante-cinq ans sans enfants ni petits-enfants, si elle ne travaillait pas ? Coudre ? Tricoter ? Jouer au golf ? Elle n'en avait pas la moindre idée. Vouloir s'affranchir était terriblement plus douloureux que vouloir acquérir et elle devrait trouver un but à son existence au cours des cinq années suivantes.

— Bonjour à tous. Vous n'avez pas reçu le programme pour la réunion extraordinaire d'aujourd'hui, mais vous allez comprendre pourquoi dès que nous aurons commencé. Lena, tu peux le distribuer maintenant ?

4

— Regarde, mamie ! Regarde comme je vais haut !

Maggan n'avait en réalité aucune envie de regarder de nouveau, mais s'exécuta, puisqu'une grand-mère doit répondre présent quand son petit-fils réclame son attention. Même toutes les deux minutes.

— Bravo, Alexander. Oh, tu y arrives bien.

Sa fille lui avait répété maintes fois de ne plus déclarer qu'Alexander était doué et de faire plutôt remarquer qu'il semblait bien s'amuser, mais Maggan s'en fichait. Le garçon voulait s'entendre dire qu'il était fort et elle comblait ses désirs. Bientôt, il serait trop grand pour avoir envie de jouer sur la balançoire et, d'ici là, elle avait l'intention de le complimenter.

— Dis donc, mon trésor, si on rentrait goûter en attendant que maman vienne te chercher ? suggéra Maggan en se levant de son banc dans l'aire de jeux.

— Si tu promets, répondit Alex.

— Si je promets quoi ?

— Que je peux avoir de la glace.

— Bien sûr que tu peux avoir de la glace.

Satisfait, le garçon aux yeux bruns et aux cheveux blond pâle prit sa grand-mère par la main et, ensemble, ils retournèrent vers le lotissement de Maggan.

— Mamie ?

— Oui ?

— T'es vieille ?

— Non, pas tellement. Pourquoi tu me demandes ça ?

— T'as l'air vieille.

— Ah bon, tu trouves ? Pourquoi ?

— Parce que t'as les cheveux tout gris. Et plein de rides. Et quand on est vieux, on meurt.

— Oui, c'est vrai. Mais je suis en très bonne santé, et peut-être pas aussi vieille que tu le crois.

Alex se tut et oublia la conversation dès qu'il aperçut la grille de la maison. Lâchant la main de sa grand-mère, il se mit à courir.

— Dépêche-toi, mamie ! Dépêche-toi, sinon la glace va fondre !

— Ta fripouille de fils dit que j'ai l'air vieille, annonça Maggan à l'arrivée de sa fille.

La remarque du polisson lui trotta dans la tête longtemps après leur départ. Maggan estimait le qualificatif exagéré, mais ne pouvait s'empêcher de se demander si, les années passant, elle avait perdu de son allant.

Alex avait raison à propos de ses cheveux. La dernière coloration remontait à trois ans et elle s'était habituée aux mèches grises. Elle trouvait ça plutôt joli. En revanche, ses sourcils hirsutes la gênaient. Même quand elle essayait d'éclaircir les broussailles, la jungle refusait de se laisser dompter.

Le salon de beauté qui venait d'ouvrir en bas de la rue proposait tous les soins imaginables ayant trait aux cheveux ou aux poils, y compris au-dessus des yeux. Maggan décida de les consulter à tout prix. Le pauvre Alex ne pouvait tout de même pas trimballer une grand-mère qui avait l'air vieille.

Dans l'espoir d'être encouragée dans ses réflexions pilaires, elle téléphona à Sonja, qui devait être rentrée du centre commercial de Farsta. Cette dernière ne décrocha pas et Maggan lui laissa un message, avant de s'emparer d'un seau. Après toute une journée avec Alex à la maison, un coup de serpillière s'avérait nécessaire. Trois heures plus tard, elle appela de nouveau Sonja et, celle-ci ne répondant pas, elle essaya chez Rebecka, puis Susanne. Elle ne put en joindre aucune.

— Espèces d'accros au travail, marmonna-t-elle pour elle-même. Je n'ai plus qu'à faire une grille de mots croisés au lieu de parler à mes meilleures amies.

5

Le jeudi 14 mai 2009, à huit heures et quart, Susanne, Rebecka et Maggan ignoraient encore que le dernier membre de leur quatuor était décédé.

Me Andréasson et deux de ses assistants les contactèrent exactement au même instant, conformément aux consignes de leur cliente de longue date, Sonja Gustavsson. Le notaire leur apprit simplement que Sonja venait de mourir et avait exprimé le vœu que ses trois amies organisent une fête grandiose pour ses funérailles ; elles seraient ensuite convoquées à l'étude, où elles recevraient de plus amples informations.

Chacune prit l'appel à huit heures trente. A neuf heures et demie, deux taxis étaient garés devant chez Maggan.

— Une soirée d'enterrement ? Où as-tu pêché une idée pareille, Sonja ? J'ai bien l'intention de pleurer tout le long, que ça te plaise ou non, décréta une Susanne en larmes, les yeux tournés vers le plafond, comme si Sonja les observait d'en haut.

Rebecka, assise à côté d'elle sur le canapé, n'avait pas émis le moindre son depuis qu'elle avait franchi le seuil, une heure plus tôt.

— Susanne, si elle voulait une fête, elle l'aura, lâcha-t-elle quand elle desserra enfin les lèvres. Il faut respecter les dernières volontés des défunts, ajouta-t-elle comme pour elle-même.

— Vraiment ? Ne célèbre-t-on pas les obsèques pour ceux qui survivent ? Je sais bien que Sonja aimait les fêtes, mais cette requête est purement et simplement macabre.

— Le notaire a vraiment dit « grandiose » ? fit Maggan.

— Oui, répondirent Rebecka et Susanne à l'unisson.

— Alors, nous n'avons pas le choix. Je suis de l'avis de Rebecka. C'est bien pour cette raison que la tâche nous a été confiée.

— A qui aurait-elle pu demander ça, sinon nous ? A un parent éloigné à l'autre bout du pays ? Mais d'accord, je me rends. Deux contre une.

Trois semaines plus tard, ce furent près de trois cents personnes qui assistèrent à la messe d'enterrement et deux cent vingt-six qui participèrent à la fête, à la terrasse de l'Opéra. Au fil des ans, Sonja avait tissé de nombreux liens affectifs et fait encore plus de connaissances. Elles avaient beau en avoir conscience, ses trois meilleures amies furent stupéfiées par l'affluence. Heureuses, aussi, en dépit du profond chagrin et du vide que laissait la défunte. A la fin de la soirée, riant à l'évocation de vieilles histoires, elles furent surprises de constater que Sonja avait eu raison. Une fête somptueuse était la seule façon de lui faire leurs adieux.

Le lendemain, elles devaient se rendre à l'étude de Me Andréasson, mais ignoraient pourquoi. Les obsèques étaient terminées, les cendres de Sonja seraient dispersées dans le jardin du souvenir au cimetière Skogskyrkogården et on viderait son appartement la semaine suivante. Elles ne savaient pas encore ce qu'elles feraient de toutes ses affaires, mais peut-être était-ce l'objet de la convocation.

Elles patientèrent dans l'antichambre, à court de mots. La fête avait tourné la page d'une ère qui avait duré plus de trente ans.

— Me Andréasson peut vous recevoir, annonça la secrétaire.

Main dans la main, elles entrèrent dans le bureau, une grande pièce sombre décorée de larges tableaux montrant des hommes à l'air grave. Le notaire gloussa quand elles regardèrent tout autour d'elles.

— L'étude de ma fille ne ressemble pas du tout à la mienne, mais j'ai un faible pour mes vieux fauteuils club, les portraits de mes prédécesseurs et l'odeur du cuir. Asseyez-vous, asseyez-vous, dit-il en désignant trois sièges placés face à l'antique bureau.

Les trois amies refusèrent poliment le vin qu'il leur offrait, mais acceptèrent d'une même voix l'eau gazeuse.

— Permettez-moi de vous souhaiter la bienvenue. Tout d'abord, je vous remercie pour la fête d'hier. Sonja l'aurait énormément appréciée, bien sûr.

Il se racla la gorge.

— Comme vous le savez peut-être, j'ai commencé à gérer le patrimoine de Sonja à la disparition de ses parents, alors qu'elle venait d'avoir dix-huit ans. J'ai passé plus de trente-cinq ans à son service, ce qui a été un immense plaisir, voudrais-je ajouter. Elle était l'un de mes derniers clients, étant donné que j'ai confié la plupart des autres à ma fille, qui a repris pour l'essentiel la direction de l'étude. Sonja et moi avions décidé de poursuivre notre collaboration et, comme je vous l'ai dit, il n'y a eu que de bons moments. Au fil du temps, elle a modifié plusieurs fois son testament et la version que vous allez découvrir a été écrite il y a seulement trois mois. Sonja n'a pas d'héritiers directs, ni d'autres ayants droit qui puissent prétendre à la succession. Voilà pourquoi je n'ai convoqué que vous trois, qui êtes nommées dans le testament. Est-ce que vous êtes d'accord jusqu'ici ?

Susanne, Maggan et Rebecka se consultèrent du regard, puis acquiescèrent d'un signe de tête.

— Parfait. Dans ce cas, je vais vous le lire. Je répondrai ensuite aux questions éventuelles.

Andréasson prit une liasse de documents dans une chemise posée devant lui, chaussa une paire de lunettes et s'éclaircit la voix. Les trois amies furent presque aussi choquées qu'à l'annonce de la mort de Sonja.

6

Mes chères, chères, très chères amies,

Vous êtes toutes les trois ma famille, et ce depuis que j'ai perdu la mienne.

Aujourd'hui, je sais tout de l'affection, car vous m'en avez témoigné.

Aujourd'hui, je sais tout de l'amour, car vous m'en avez donné.

Aujourd'hui, je sais tout de ma propre valeur, car vous me l'avez enseignée.

Nous avons tant ri et pleuré.

Nous avons tant aimé et haï.

Nous avons tout partagé.

Ou presque.

Je me suis abstenue de parler de mon cœur défaillant tout en étant consciente depuis des années que la maladie finirait par m'emporter. Vous qui me connaissez bien le comprendrez, je préfère tomber raide morte plutôt que de m'étioler lentement, sans pouvoir réellement profiter de l'existence. Les médecins ne peuvent pas garantir qu'une transplantation se déroulerait bien, aussi ai-je décidé de ne pas m'en préoccuper et de mener ma vie comme je l'entends.

C'était le premier point.

Le second est mon argent.

J'en ai des masses, des montagnes, pour être précise. La somme exacte à l'instant où vous découvrez mon testament est sous l'entière responsabilité de Me Andréasson.

Ne m'en veuillez pas de n'avoir rien dit plus tôt. Je n'y attachais pas beaucoup d'importance et je n'ai jamais dépensé plus d'argent que vous. Cette fortune m'est simplement revenue après la mort de mes parents, j'ai vécu moi-même uniquement de la vente de mes gribouillages.

Mais puisque j'aime me mêler de vos affaires et que cela est ma dernière occasion, j'ai l'intention de mettre les bouchées doubles. Bien entendu, vous êtes parfaitement libres d'ignorer ce qui suit.

Maggan, ma chère Maggan,

Tu dois absolument arrêter de tout sacrifier à ta famille. Ta fille est adulte, mariée, et ton petit-fils peut parfaitement rester chez ses grands-parents paternels pour changer. Il est temps que tu t'épanouisses, que tu te fasses belle et te sentes séduisante. Pas pour appâter un homme, mais simplement pour apprécier ton reflet dans le miroir.

Rebecka, ma chère Rebecka,

N'as-tu pas accompli déjà suffisamment ? Je sais que tu vas tous les jours à ton travail, ô combien important, mais que t'a-t-il apporté en dehors des migraines et des hémorroïdes ? Pas de vie sexuelle, en tout cas, et c'est précisément ce dont tu as besoin.

Une sensualité intense et désinhibée, sans te soucier de tes vêtements froissés ni de tes rendez-vous manqués.

Susanne, ma chère Susanne,

Le monde regorge d'hommes merveilleux. Des hommes bons avec qui tu n'es pas obligée de coucher, dont il te suffit de faire la connaissance et peut-être de devenir l'amie. Il y a une vie en dehors des avions. Découvre-la. Découvre-toi. Ne t'embête pas à actualiser ton statut Facebook quand tu es libre, rencontre tes proches, dans la vraie vie, de préférence.

Toutes les trois, vous devez prendre votre poids en main.

Rebecka et Susanne, vous êtes beaucoup trop minces et avez de toute évidence oublié comment manger de façon à resplendir de santé et de beauté. Vous avez toutes deux environ cinquante ans et vous seriez éblouissantes avec un peu plus de chair sur les os. Maggan, tu as le problème inverse. Tu dois arrêter de te cacher derrière tes kilos. J'aime ta beauté toute en rondeurs. Ton poids est un abri qui te rend toujours plus anonyme.

Les filles, je vous promets que vous ne devrez jamais vous en faire à propos de vos retraites. Pour devenir riches comme Crésus, vous n'avez qu'à réaliser mes dernières volontés, que je rédige sous forme de liste pour éviter tout malentendu.

Afin de recevoir mon héritage à parts égales, il vous suffit de remplir les conditions suivantes :

• Dans un délai de trois mois, vous devez soit prendre, soit perdre cinq kilos. Maggan, tu vas arrêter de manger des viennoiseries ; Rebecka et Susanne, vous allez vous y mettre.

• Dans un délai de trois mois, vous devrez quitter ou interrompre vos missions actuelles. Cela signifie que Rebecka démissionnera de son poste de directeur général, que Susanne abandonnera son métier d'hôtesse de l'air et que Maggan ne s'occupera plus de son petit-fils deux jours par semaine.

• Dans trois mois et un jour, vous recevrez une nouvelle lettre expliquant en détail ce que vous ferez au cours de l'année à venir. Ce document vous sera également lu par Mᵉ Andréasson. Si cela tombe un samedi ou un dimanche, vous viendrez à l'étude le lundi suivant à quatorze heures. C'est très important, car l'inventaire de succession doit être signé dans le délai légal, puis traité au plus vite.

• Vous mettrez donc, à partir de cette date, un an, trois mois et un jour à percevoir ma fortune dans son intégralité. A aucune condition vous n'êtes autorisées à parler de cet accord à qui que ce soit. Si vous acceptez les clauses, vous pourrez révéler certains points, mais en aucun cas vous ne mentionnerez l'ensemble de l'héritage. Vous recevrez aujourd'hui même cinq cent mille couronnes (500 000 SEK[1]) sur vos comptes respectifs, et c'est tout ce que vous toucherez si vous

1. Approximativement 54 000 €.

refusez mes termes. La somme totale atteint grosso modo *trois milliards, peut-être quatre. Ai-je déjà dit que vous devez être d'accord toutes les trois ? Si l'une d'entre vous décline la proposition, les deux autres devront se contenter des cinq cent mille couronnes qui vous seront versées aujourd'hui.*

Je vous aime,

Sonja

P-S : Si vous ne venez pas au rendez-vous dans trois mois et un jour, mon notaire saura à quoi s'en tenir et l'offre sera annulée.

Le silence s'abattit sur la pièce. Seul le grincement d'un siège se fit entendre quand Me Andréasson s'appuya au dossier. Ce fut lui qui parla le premier :

— Voilà, vous savez tout. Je dois admettre qu'elle était spéciale, Sonja Gustavsson.

Il émit un petit rire et secoua la tête avant de poursuivre :

— Le total s'élève à ce jour à trois milliards cinq cents millions trois cent soixante-quinze mille couronnes. Qu'en dites-vous ? Vous avez des questions ?

— J'ai besoin d'air. Tout de suite.

Rebecka se leva vivement.

— J'espère que je peux vous recontacter par téléphone si je le souhaite ? demanda-t-elle en se tournant vers le notaire.

Celui-ci hocha la tête.

— Oui, ça ne devrait pas poser de problème. Avant de partir, je vous prie simplement de signer quelques documents afin de vous faire parvenir aujourd'hui l'argent qui vous revient. Naturellement, c'est valable pour vous trois.

7

— On aurait dit qu'elle voulait mourir. Pourquoi ne s'est-elle pas occupée de ses problèmes, au nom du ciel ? Avec de tels moyens, elle aurait pu consulter tous les médecins du monde. Je n'y comprends rien, je n'y comprends vraiment rien. Et pourquoi ne nous a-t-elle jamais révélé qu'elle allait si mal ? Moi, je lui ai tout raconté. Tout.

— Nous aussi, Susanne.

Rebecka essayait de suivre le rythme rapide de son amie, ce qui n'était pas aisé quand Susanne marchait à grandes enjambées sur ses talons hauts.

— Tu peux ralentir ? On n'arrive pas à discuter quand tu vas si vite.

Maggan les laissa prendre de l'avance. Elle se sentait vidée par la conversation chez Andréasson, le notaire. Elle n'avait jamais possédé autant d'argent et ne trouvait pas ce sentiment aussi agréable qu'elle l'aurait cru. Au contraire. Elle avait l'impression d'avoir volé cette fortune et en ressentait de la honte, même si elle savait que cet embarras était injustifié. Elle n'avait pas demandé à recevoir la charité et ne voyait pas comment elle pourrait dépenser la moindre couronne. Elle accéléra pour rattraper ses amies.

— J'ai besoin de faire le point tranquillement. Ça vous va si on s'appelle demain ?

Rebecka et Susanne se regardèrent.

— Bien sûr, répondit Rebecka. Rentre chez toi. Moi, en revanche, je boirais bien un café. Je n'ai pas très envie d'être seule. Qu'en dis-tu, Susanne ?

— Je suis partante. Mais je préférerais un ou deux verres de vin chez Mosebacke.

Après avoir embrassé Maggan devant la station de métro Slussen, elles continuèrent leur chemin en silence. Toutes deux s'étaient vu conseiller de démissionner – une décision terriblement lourde pour Susanne. Elle avait certes déclaré maintes fois que voler ne l'amusait plus autant qu'auparavant, mais, face à l'idée de quitter son travail, elle avait le sentiment qu'il ne lui avait jamais procuré plus de plaisir.

— Tu crois que la vie a un sens ? demanda Rebecka. Je veux dire, qu'il y a un chemin déjà tracé, une destinée ?

— Non, pas du tout. Et toi ?

— Je ne sais pas. J'ai maîtrisé mon existence pendant tant d'années et voilà qu'une de mes meilleures amies meurt. Ensuite, on m'offre soudain la possibilité de lâcher prise et de me laisser porter un moment par le courant. Sonja a raison d'affirmer que je suis une maniaque de l'organisation, même si je vois ça plutôt comme une manière de garder ma vie *sous* contrôle. Que se passera-t-il si je cède les commandes, quelle est la pire chose qui puisse arriver ? Quel sens ma vie a-t-elle aujourd'hui ?

Il restait de la place sur la terrasse du Mosebacke. Le groupe était en train de s'installer et, dans quelques heures, l'endroit grouillerait de flâneurs voulant profiter de cette belle soirée de début d'été. Les quatre amies s'étaient retrouvées là de nombreuses fois et le serveur s'approcha de leur table avec un large sourire.

— Vous n'êtes que deux aujourd'hui ? Qu'est-ce que ça sera ?

Maggan regretta sa décision à l'instant où elle monta dans la rame. Que ferait-elle toute seule chez elle ? Elle redescendit à Medborgarplatsen et se dirigea aussi vite que le lui permettaient les douleurs dans ses jambes vers Mosebacke et les deux femmes qui partageaient son trouble. Elle soupçonnait fortement Sonja de rire en l'observant depuis un nuage.

Elle arriva à l'instant où Susanne se voyait apporter un deuxième verre de vin.

— Un autre pour moi ! lança-t-elle au serveur avant de se laisser tomber, essoufflée, sur le siège à côté de Rebecka. Ces deux journées à m'occuper d'Alexander toutes les semaines n'ont pas vraiment l'air d'améliorer ma forme, dit-elle en s'essuyant le front avec une serviette en papier. De quoi parliez-vous ?

Quand elles partirent, le jour avait commencé à baisser. La quatrième chaise autour de la table avait renvoyé toute la soirée des échos vides et, comme pour combler l'absence, la conversation avait principalement tourné autour de souvenirs lointains. Elles n'avaient pas évoqué l'avenir. Ce ne fut qu'au moment de s'en aller que Rebecka annonça son intention de démissionner de son travail. Sur-le-champ. Elle prétexterait qu'elle avait trouvé une place chez un concurrent. La meilleure manière pour que JH Foods ne veuille plus jamais la voir s'approcher des bureaux.

— Tu es sûre de ce que tu fais ?

Susanne paraissait choquée.

— Absolument. Je pense que je vais accepter. Et vous ? Maggan, tu n'as rien à perdre. Tu hésites encore ?

— Rien à perdre ? Je crois au contraire que je cours un gros risque que ma fille s'éloigne de moi. Nous sommes convenues que je m'occuperai d'Alexander jusqu'à ce qu'il entre en primaire en août, et ensuite un jour sur deux après l'école. Moi, je vois ça comme une perte.

— Mais tu as trois mois devant toi pour trouver une baby-sitter et parler à Anneli. Je connais ta fille depuis sa naissance, alors, crois-moi, elle ne veut que ton bien. Et personne n'a dit que tu ne le reverrais jamais. Qu'en penses-tu, Susanne ?

— Pour Anneli et Alex ? Tout ira bien.

— Non, pas ça. De ta propre situation. Que ressens-tu à l'idée d'arrêter de voler ?

— J'en ai mal au ventre. La trouille. Pas qu'un peu. Voilà en bref ce que je ressens. Ça te suffit ?

Rebecka pouffa.

— Oui, ça me suffit. Pour le moment.

Bras dessus, bras dessous, les trois amies entamèrent en silence le chemin du retour et se séparèrent à Slussen.

Ses talons hauts claquaient sur le trottoir tandis qu'elle regagnait à grandes enjambées son appartement adoré rue Folkungagatan. Susanne était impatiente d'arriver et de prendre une douche. Il ne faisait pas si chaud que ça, mais elle se sentait sale et poisseuse. Un peu comme quand elle passait la nuit avec Anders et qu'il ne voulait pas s'attarder au lit.

Elle n'avait pas pensé à lui de la journée, ce qui, au regard des derniers événements, était plutôt positif. Il n'était pas l'homme qu'il lui fallait et, abstraction faite de ce que Sonja avait écrit dans son testament, Susanne n'avait aucune intention de continuer à se faire du mal. Elle n'avait pas vu Anders depuis près d'un mois et, pour être honnête, il ne lui manquait absolument pas.

D'ordinaire, elle empruntait la rue Fjällgatan pour contempler Stockholm, qui s'étalait en contrebas, mais cette fois elle rentra directement chez elle sans prêter attention à la circulation, aux alcooliques ou aux touristes. La blonde aux jambes interminables qui se hâtait ainsi le long de Katarinavägen attira comme à l'accoutumée des regards admirateurs, et plus d'une femme remarqua avec une pointe de jalousie l'expression hébétée de son mari. Au fil des années, Susanne était passée maître dans l'art de mettre en avant son meilleur attribut extérieur et, à quarante-huit ans, elle était toujours aussi séduisante.

Ses amies voyaient au-delà de son physique depuis longtemps. Pour elles, Susanne était la copine au grand cœur, celle qui avait le plus de tempérament et qui n'hésitait jamais à faire savoir quand quelque chose lui déplaisait. Elle était également celle qui prodiguait aux autres le plus de marques d'affection.

— Merde, merde, merde.

Comme d'habitude, la serrure de la porte commune résista et Susanne jura en constatant que personne ne l'avait réparée en dépit des demandes répétées à la copropriété ; elle finirait par casser sa clé sans pouvoir ouvrir. Remerciant le ciel que ça ne soit pas arrivé aujourd'hui, elle jeta son sac sur la chaise dans le couloir et se dirigea vers la salle de bains en laissant choir ses vêtements sur le sol un à un.

Une fois sa douche prise, elle décida de faire ce qu'elle ne s'autorisait jamais à moins d'être vraiment patraque. Elle allait se mettre pendant une semaine en congé maladie.

Sa résolution eut un effet libérateur et, pour la première fois depuis la mort de Sonja, elle put de nouveau respirer sans entraves. Elle ouvrit ses fenêtres sur la rue Folkungagatan, et l'air et le vacarme s'engouffrèrent dans l'appartement. Elle prit dans le placard à provisions un des sachets de pralines qu'elle avait toujours d'avance, au cas où elle recevrait une invitation inopinée chez des amis et n'aurait pas le temps d'acheter des fleurs. Elle s'installa sur son canapé rouge, couvrit ses jambes élancées d'un plaid et commença à grignoter.

Assise à son bureau à quelques kilomètres de là, dans son appartement à Gärdet, Rebecka réfléchissait à la façon de rédiger sa lettre de démission. Si elle se montrait franche, elle devrait effectuer ses six mois de préavis, alors qu'elle ne voulait pas retourner au travail. L'intensité de ce sentiment la surprenait, mais l'idée qui semblait d'abord fantaisiste quand elle avait quitté la terrasse était à présent très sérieuse. Elle ne remettrait jamais les pieds chez JH Foods. Les seules affaires personnelles qu'elle y avait laissées étaient une paire de chaussures que Lena pourrait récupérer si elle en avait envie.

Rebecka avait toujours apprécié le président du conseil d'administration et c'est à lui qu'elle adressa son courrier. Elle savait que son adjoint ferait un excellent remplaçant jusqu'à ce qu'un nouveau chef soit désigné, aussi n'avait-elle pas à s'inquiéter le moins du monde pour le futur de l'entreprise. Seule l'idée de mentir lui répugnait, mais la perspective de travailler quelques mois de plus lui donnait la nausée. C'est sur ces considérations qu'elle commença sa lettre.

Maggan n'était occupée ni à manger ni à écrire. Assise face à son ordinateur, elle regardait fixement le montant qu'affichait son compte bancaire. 515 365 couronnes. Une somme étourdissante. Si elle s'achetait le chemisier repéré chez KappAhl, le total varierait à peine. Elle n'avait jamais eu autant d'argent et, pendant les années où elle avait subvenu seule à ses besoins et à ceux d'Anneli, elle avait souvent connu des fins de mois difficiles.

Dieu merci, Anneli était adulte quand une voiture avait coupé la priorité à Maggan et défoncé le moteur de sa Peugeot. A peine dans l'ambulance, on lui avait dit que son ange gardien veillait sur elle, qu'en dépit de ses deux jambes apparemment cassées elle avait eu de la chance. Si elle s'était engagée un demi-mètre plus avant dans le croisement, ses blessures auraient été bien plus graves. Six ans plus tard, elle avait toujours du mal à penser aux circonstances qui avaient changé sa vie.

Elle aimait son travail de maîtresse d'école maternelle, faire de petites excursions en voiture et se promener tous les dimanches autour du lac Magelungen. L'accident avait rendu tout cela impossible. Ne plus pouvoir exercer son métier était sans conteste le pire. Jusqu'à ce que sa fille lui demande si elle pouvait s'occuper d'Alexander quelques jours par semaine, elle s'était sentie diminuée, mais sa nouvelle vie de grand-mère active l'avait sauvée. Elle était de nouveau utile, ce qui surpassait tous les médicaments du monde.

Maggan n'avait jamais désiré l'argent qu'elle ne possédait pas et ne ressentait pas la moindre envie quand ses amies parlaient de leurs achats en solde dans les grands magasins NK. Au contraire, Maggan se réjouissait chaque fois qu'elles lui montraient leurs dernières trouvailles. Elle savait qu'elle ne pourrait jamais rivaliser avec leur allure, mais ce n'était pas ça qui comptait : à l'intérieur, elles étaient pareilles. C'était ce qui les avait soudées tant d'années.

Maggan veillait en outre sur un trésor qui valait mieux que tous les soldes du monde. Elle avait un enfant. Une fille qui bénéficiait avec Susanne, Rebecka et Sonja d'autant de tantes d'adoption.

Anneli avait été aussi affligée que Maggan par la mort de Sonja et avait pleuré à l'enterrement et à la réception.

« Je ne comprends pas en quoi une fête est nécessaire », avait-elle dit.

Maggan n'avait pas tenté d'expliquer à Anneli comment sa tante adorée raisonnait. Sonja avait mené une existence incroyablement heureuse, et en raison de sa faim de vivre elle n'avait jamais refusé ce qui pouvait lui procurer plaisir ou satisfaction. Pour Anneli, la vie même comptait avant tout. Sonja pensait autrement.

Maggan éteignit son ordinateur. Demain, elle s'occuperait de ses sourcils broussailleux.

8

Rebecka s'attendait à devoir batailler, mais JH Foods la laissa partir immédiatement en lui versant six mois de salaire, comme si elle avait été en congé maladie et pas embauchée par un concurrent. Elle risquait des poursuites judiciaires si elle retirait sa démission, mais elle n'en avait aucune intention. Elle n'accepterait plus jamais un poste avec autant de responsabilités que celui de directeur général d'une grosse entreprise agroalimentaire.

Elle trouvait complètement anormal de manger une pâtisserie pour accompagner le premier café de la journée, mais c'est ce qu'elle fit. Elle avait passé la matinée à faire le tri dans sa penderie et projetait d'apporter ses vêtements, tous en parfait état, à l'Armée du Salut, où elle était certaine que sa contribution serait la bienvenue. Elle avait peu d'habits décontractés, seulement deux jeans et quelques polos, constata-t-elle face à son armoire béante. Quatre robes étaient suspendues tout au fond, dont deux sans manches. Trois étaient noires, la dernière grise, arrivant toutes jusqu'aux genoux, en 38.

Elle pensait aux kilos que Sonja exigeait qu'elle prenne et se demanda combien de tailles cela représentait. Rebecka était très mince pour son âge, ce qu'elle avait toujours jugé capital. Pourquoi, elle l'ignorait, d'autant plus qu'elle trouvait les femmes avec des rondeurs nettement plus jolies. D'un autre côté, elle n'avait jamais cherché à être belle et voulait se distinguer par ses capacités intellectuelles. Pourtant, elle n'était pas certaine que l'un excluait forcément l'autre. Nombre de ses amies étaient aussi séduisantes que douées, mais Rebecka ne s'était jamais demandé si elle pouvait leur ressembler.

Sans s'en apercevoir, elle avait dévoré sa deuxième viennoiserie et en avait déjà une troisième à la main. Il faut que je recherche les correspondances entre poids et taille sur Google, se dit-elle avant d'engloutir le gâteau.

Comme Rebecka s'y attendait, la boutique de l'Armée du Salut accepta avec joie les beaux vêtements sans le moindre accroc. Finalement, elle avait même apporté ses robes tristes, y compris celle qu'elle avait mise à la fête d'enterrement de Sonja. S'il lui arrivait de se rendre à nouveau à des soirées, elle porterait d'autres couleurs que du gris ou du noir.

Après sa course, elle enferma sa Ford dans le garage et alla se balader dans le centre-ville. Elle se félicitait de ne pas avoir demandé de véhicule professionnel, surtout après sa démission sans préavis. Sa voiture n'était certes plus toute neuve, mais en parfait état d'après le mécanicien qui l'avait inspectée en dernier.

Rebecka déambula sur la place Östermalmstorg puis retourna vers la rue Hamngatan. Elle allait sans autre but qu'apprécier cette occasion de flâner en ville en milieu de journée au lieu de travailler. Elle pouffa de rire en imaginant ses anciens collègues en train de se débattre avec le projet qu'elle avait approuvé une semaine plus tôt. Elle fut si ragaillardie à cette pensée qu'elle décida de s'acheter une glace à l'italienne très calorique. Avec du sirop. Elle n'avait encore jamais fait ça.

Elle s'installa sur le seul banc libre de la rue Nybrogatan pour ne pas tacher ses vêtements et observa avec curiosité les promeneurs qui contemplaient les devantures, en se demandant si c'étaient des touristes. Difficile à dire sans appareils photo en bandoulière.

L'homme en costume qui arrivait du bout de la rue n'en était certainement pas un. Il avait le regard décidé, et Rebecka fut très surprise de le voir s'arrêter devant son banc.

— Ça ne vous ennuie pas si je m'assieds ici ?

— Pas du tout, mais vous devriez rester à distance raisonnable si vous ne voulez pas que je mette de la crème glacée sur vos beaux habits.

Rebecka sourit. Chose peu commune, elle se sentait d'humeur radieuse, malgré la perte récente d'une de ses meilleures amies, suivie de celle de son travail.

— Dans ce cas, je vais m'installer au bout du banc. Elle a l'air bonne, cette glace. Où est-ce que vous l'avez achetée ?

— En haut de la rue, près du marché couvert. Mais vous avez vraiment le temps d'en manger une ? Vous me semblez pressé.

— Ah bon ? Vous y voyez quelque chose avec des lunettes aussi foncées ? demanda-t-il, amusé.

— Plus que vous le croyez. J'essaye de deviner ce que tout ce monde fait ici un jour de semaine. J'arrive à la conclusion que ce sont des touristes.

— Hum.

L'homme regarda autour d'eux.

— Je ne me suis encore jamais posé la question, avoua-t-il.

— C'est parce que vous êtes pressé, expliqua Rebecka, la bouche barbouillée de glace.

— Et vous ne l'êtes pas ?

Sa voix était intriguée et sympathique.

— Nan, plus maintenant. J'ai rendu mon tablier hier.

— Et combien de temps ce sourire détendu va-t-il durer, à votre avis ? Quand est-ce que vous retournez au travail ?

— Jamais.

Et à l'instant où elle prononçait ce mot, elle s'aperçut qu'elle disait la vérité. Elle ne serait plus jamais pressée. Ce sentiment l'enivrait tant qu'elle aurait pu hurler de joie.

— Jamais, répéta-t-elle avec énergie.

— Enlevez vos lunettes de soleil, je voudrais voir votre regard quand vous me répondez ça, fit l'homme en riant.

Rebecka s'exécuta. Elle braqua sur lui des yeux bleus vierges de maquillage.

— Jamais, affirma-t-elle pour la troisième fois.

— Vous avez de la glace au coin des lèvres, vous êtes incroyablement jolie et vous avez raison, je dois me dépêcher. Je vous souhaite de bonnes vacances.

Il s'inclina légèrement et disparut.

Jolie. Il y avait un début à tout. Elle s'était déjà entendu qualifier de capable. Ou encore de brillante. Un homme qui voulait plus qu'une simple danse avait déclaré qu'elle était éblouissante. Mais jolie ? Enchantée par le compliment, elle courut à demi vers les galeries NK. L'adjectif exigeait des vêtements chics. Lorsqu'elle se ressaisit, elle avait dépensé vingt-sept mille cinq cents couronnes dans les petites boutiques. Extrêmement satisfaite et les pieds endoloris, elle prit un taxi, qui la ramena à Gärdet avec ses emplettes.

— Tu vois bien, ma chérie, je t'ai toujours dit que tu es jolie, répondit Susanne quand Rebecka l'appela pour lui raconter sa journée. Tu lui as demandé son numéro ?

— Tu plaisantes ? Tu crois que je suis devenue complètement folle juste parce que je n'ai plus de travail ? répliqua Rebecka avec un sourire perceptible à l'autre bout de la ligne.

— Euh, non, seulement un peu farfelue. Je suis désolée, Rebecka, mais je ne peux pas parler longtemps. Tu me crois si je te dis que je me suis acheté une série télé ?

— J'ai du mal. Qu'est-ce que c'est ?

— *Orgueil et Préjugés.* Apparemment, Sonja pouvait la regarder en boucle quand elle avait un de ses jours divan et chocolat. Je l'ai trouvée à quatre-vingt-dix-neuf couronnes chez Åhléns. Je voulais d'abord assister à un événement promotionnel à la parfumerie

Grand, mais je suis en congé maladie et je compte passer la semaine à la maison.

— Malade ? Toi ? Qu'est-ce qui t'arrive, tu es enrhumée ?

Rebecka savait que le personnel de bord restait à terre en cas de rhume, parce que la pression dans la cabine provoquait souvent des douleurs dans les oreilles et les sinus.

— C'est ce que j'ai prétendu. Je suis en parfaite santé, mais fatiguée.

— Fais comme moi, démissionne, conseilla Rebecka, qui, en un jour de congé, avait relégué son ancienne vie dans le passé.

— Et que ferais-je de mon temps ? J'ai quarante-huit ans et je peux voler près d'une décennie de plus. Pour toi, ce n'est pas pareil. Tu as un fonds de pension bien rempli et tu aurais continué à mettre de l'argent de côté encore quelques années.

— C'est vrai. Je ne sais pas non plus ce que je vais faire de mes journées, mais en ce moment je m'en moque. Et je me moque de la fortune de Sonja. Ce n'est pas pour cette raison que j'ai quitté mon travail. En revanche, son décès m'a forcée à me demander si je tiens à exercer un métier qui ne m'amuse pas jusqu'à mon dernier souffle. Sonja est morte heureuse. Elle aimait sa vie, son alcool, ses petits plats, ses cigarillos. Elle n'était absolument pas complexée par son poids, ce n'était pas ainsi qu'elle se voyait. Tu comprends ce que je veux dire ?

Rebecka se leva et commença à déambuler dans son appartement.

— Quand je regarde autour de moi, je ne trouve que perfection. Et je crains d'être trop parfaite. Ne te méprends pas, j'ai mes défauts comme tout le monde. Mais en surface, tout est immaculé. Si Maggan me rendait visite avec Alex, j'aurais trop peur qu'il renverse quelque chose pour apprécier la compagnie d'un enfant de cinq ans.

Elle redressa un tableau légèrement de guingois, puis se ressaisit et repoussa le cadre dans sa position originale.

— Je crois que je suis fatiguée de la femme que je suis devenue. Avant, il m'arrivait de faire des folies de temps en temps, non ?

— Je ne t'ai jamais vue en faire. Mais je t'ai connue plus heureuse, sans le moindre doute. Depuis que Robert t'a quittée, il n'y a plus cette étincelle que tu avais autrefois dans les yeux.

— Vraiment ?

Susanne avait peut-être raison. Ce qui signifierait que Rebecka ne resplendissait plus depuis sept ans.

— Je n'ai pas l'intention de verser dans les excès, mais je veux retrouver celle que j'étais à vingt-cinq ans, quand je me demandais encore avec curiosité ce que la vie me réservait. Je suis devenue une autre personne.

— Il te manque toujours ?

— Je me réveille tous les matins parce que je ne l'entends pas respirer. Je dois me remémorer chaque jour de ne pas faire les courses pour deux. Il m'a fallu deux ans pour arrêter d'acheter deux biftecks. Tu sais, juste au cas où.

Elle se tut. Parler de la trahison de Robert lui était aussi pénible qu'au premier jour, et en dépit des nombreuses tentatives de ses amies, cette porte était verrouillée.

— Tu n'as qu'à passer, proposa Susanne. Apporte tes beaux vêtements, et ensuite nous regarderons la série ensemble. J'ai suffisamment de provisions et de vin pour nous deux. Viens. S'il te plaît.

— Je peux mettre un tee-shirt et des pantoufles ?

— Tu peux mettre ce que tu veux.

9

La dernière tonte du gazon devant le pavillon à Farsta remontait à une semaine, et trois nuits pluvieuses avaient relancé la croissance de la végétation. Maggan s'en occuperait dès qu'elle aurait bu son café. Elle salua d'un signe la factrice, qui jetait toujours un coup d'œil vers la fenêtre de la cuisine quand elle apportait du courrier. Il était onze heures tapantes. Maggan ne connaissait pas plus ponctuel que cette femme. Elle ferait mieux de s'atteler à la tâche.

Un jour normal, Maggan aurait gardé Alex, mais Anneli étant en vacances, elle allait pouvoir se consacrer à ses cheveux et à ses sourcils. Le salon de beauté avait tant de succès qu'elle avait dû attendre trois semaines pour obtenir un rendez-vous. Elle avait hâte de voir sa métamorphose. Quand elle serait plus courageuse, elle se ferait aussi épiler les jambes. Elle était fatiguée de les raser sans arrêt et trichait parfois avec un rasoir électrique. Après tout, il n'y avait personne pour caresser ses mollets velus. La veille, elle avait négligé la zone de la cheville et découvrit quelques poils noirs en laçant ses chaussures. Elle les enleva à la pince, mais pouvoir tout arracher d'un seul coup aurait été sans conteste bien plus pratique. Si seulement c'était moins douloureux.

Maggan pouvait soulager tous les maux psychiques connus et en avait eu plus que son content, mais la souffrance physique l'effrayait. Que sa gorge gratte un peu et elle était persuadée de couver une angine, voire un nouveau genre d'abcès. Un léger tiraillement au ventre était toujours le signe d'un cancer et des maux de tête menaient souvent à une conversation avec le centre d'information médicale. Ses affaires de sport étaient rangées depuis six ans dans son sac bleu marine derrière la porte de la chambre à coucher : depuis son accident. Elle avait alors été vraiment malade et avait terriblement souffert. Dans la mesure où des jambes réduites en morceaux sont une maladie. C'était ce qu'affirmait Maggan.

Elle devait remercier le ciel de pouvoir encore marcher, lui avaient dit les médecins, et elle était réellement reconnaissante. Même si elle ne serait jamais tout à fait comme autrefois, ni entièrement épargnée par la douleur, peu de gens l'entendirent se plaindre. A présent, elle arrivait la plupart du temps à suivre l'allure de ses camarades lors de brèves promenades. S'asseoir par terre ou se relever quand elle jouait avec Alex était plus difficile. Sa claudication était presque imperceptible, mais elle n'avait pas pu reprendre son travail à la maternelle, et la préretraite s'était imposée dès 2003.

Depuis, le sac de sport restait intouché. Trois slips, un soutien-gorge, trois paires de chaussettes, une brosse à dents, du dentifrice et une édition de poche des *Hauts de Hurlevent* d'Emily Brontë. Elle avait eu l'intention de reprendre le livre, mais au fil du temps, le sac inutilisé s'était mué en une sorte de bon présage. Le roman avait déjà cent soixante ans. Quelques années de plus ne changeraient pas grand-chose à la lecture.

— Nous pourrions masquer le gris avec un peu de blond cendré, qu'en dites-vous ? Vos cheveux ne sont pas encore complètement gris.

La coiffeuse semblait savoir de quoi elle parlait et Maggan avait décidé de suivre ses recommandations. Elle n'avait aucune connaissance en matière de coloration, en dehors des teintures à appliquer chez soi sur des mèches dépassant d'un bonnet à trous, aussi préféra-t-elle ne pas choisir elle-même.

— Allez-y, je m'en remets à vous. Et vous pouvez les raccourcir comme vous voulez, déclara-t-elle en souriant.

— C'est vrai ? Oh, génial, merci ! Je vais vous rendre super-belle, promis.

Maggan s'étonnait d'avoir oublié combien il était agréable de confier ses cheveux à une autre personne. Elle soupirait d'aise tandis que la coiffeuse les lavait, les coupait puis les séchait. Elle avait décidé de garder les yeux fermés jusqu'à la fin.

— Vous pouvez regarder, maintenant.

La coiffeuse tourna autour du siège en tenant un miroir pour que Maggan puisse admirer le résultat.

— Mon Dieu, ce sont vraiment mes cheveux ? demanda celle-ci, ébahie.

Le carré arrivant aux épaules avait été remplacé par une coupe plus courte. La frange caressait doucement son front au-dessus de l'œil droit et le gris avait cédé la place à cette même nuance de blond cendré qu'elle avait dans sa jeunesse. Elle secoua légèrement la tête, passa les doigts dans sa frange et sourit, satisfaite.

— On s'occupe des sourcils, maintenant ? Et vous pouvez me teindre aussi les cils ?

Quand elle sortit du salon, elle prit une photo, qu'elle envoya à Anneli. « Montre ça à Alex », écrivit-elle dans son message.

10

— Comment a-t-elle réussi à nous cacher qu'elle possédait l'immeuble complet ? s'étonna Susanne en déverrouillant la porte dans la ruelle Torsgränd.

Des prospectus s'accumulaient sur le paillasson. Le notaire était pourtant passé prendre le courrier l'avant-veille.

— Excellente question. Je suppose que nous n'avons jamais demandé, argua Rebecka en déposant les enveloppes sur le petit tabouret dans l'entrée.

— Evidemment que nous n'avons pas demandé. Tu connais beaucoup de gens qui ont tout un immeuble dans un quartier résidentiel aussi populaire que Vasastan et se contentent d'un trois-pièces au rez-de-chaussée ? rétorqua Maggan.

Elle ouvrit les portes-fenêtres de la salle de séjour. L'appartement n'avait pas été aéré correctement depuis quelques semaines. Elle cria à Rebecka de faire de même dans la cuisine.

— Il ne devrait plus arriver d'autres factures, n'est-ce pas ? lança Susanne depuis la troisième pièce, qui servait d'atelier à Sonja.

Rebecka la rejoignit.

— Probablement pas. Me Andréasson s'en sera occupé.

Elle s'accroupit devant l'un des tableaux appuyés contre le mur et effleura doucement la toile.

— Je n'ai pas une once de talent artistique, mais cette peinture est splendide, tu ne trouves pas ? demanda-t-elle à Susanne, qui avait entrepris d'examiner un vieux bureau.

— Oui, aussi splendide que ces tiroirs sont remplis. Il y a des liasses de lettres, certaines encore cachetées. Qu'allons-nous en faire ?

Elle étudia avec curiosité les enveloppes blanches pour constater qu'elles avaient été postées à Londres ou à Paris. Elle les montra à Maggan et remarqua au même instant la coiffure dynamique de son amie.

— Mais, Maggan, qu'est-ce que tu as fait ? Regarde, Rebecka ! Nous avons une nouvelle parmi nous. Comme tu es jolie. Oh, cette coupe te va vraiment bien. Où sont passés tes cheveux gris ?

Rebecka ne dit rien. Elle observa Maggan d'abord d'un côté, puis de dos, et après l'avoir examinée sous tous les angles, elle l'attira dans ses bras.

— Maggan, tu es belle à tomber, murmura-t-elle.

Maggan se dégagea, embarrassée, et saisit un carton de déménagement.

— Mets le courrier là-dedans pour l'instant. J'ai déjà déplié trois cartons pour les lettres et les papiers.

— Pas bête. On voit que tu es une spécialiste de l'organisation. Et une jolie, en plus, fit Susanne avec un sourire.

— C'est le résultat de nombreuses années à la maternelle et du travail d'une coiffeuse de génie, répondit Maggan, amusée. Nous avons besoin d'une stratégie pour procéder. Le déménageur vient après-demain et, d'ici là, nous devons avoir fait le tri entre ce que nous allons jeter, donner ou garder. Je propose d'assembler d'abord les autres cartons.

L'atelier comportant peu de meubles, elles décidèrent de vider en premier cette pièce pour y entreposer ensuite les paquets fermés.

Elles s'attelèrent fébrilement à leur tâche et remplirent carton après carton de clichés, lettres, esquisses, et tout ce qui éveillait leur curiosité et qu'elles voulaient étudier tranquillement plus tard.

— Si l'appartement n'est pas mis en location, nous pourrions laisser les cartons ici, non ?

Susanne découvrit un album photo datant des années 1980. Elle aurait adoré se plonger dans les vieux souvenirs, mais devait se concentrer sur le tri afin que le camion de déménagement puisse emporter tout ce bric-à-brac au parc de recyclage. Elle reposa l'album. Ce n'était que partie remise.

— Comment sais-tu qu'il ne sera pas loué ? Ça a déjà été décidé ? demanda Rebecka.

Elle tenait une statuette en porcelaine des plus indécentes représentant un homme au pénis en érection et une femme aux cuisses écartées. Elle plaça la composition dans un sac-poubelle en frissonnant.

— Ça ne sera clarifié qu'après l'inventaire, répondit Susanne, qui avait posé la question au notaire.

L'inventaire de succession. Aucune d'elles ne l'avait évoqué depuis que les volontés de Sonja leur avaient été communiquées, mais elles avaient toutes trois accompli des démarches indiquant qu'elles acceptaient les conditions.

Rebecka avait dû déboutonner son vieux jean et Maggan avait refusé les brioches lorsqu'elles avaient fait une pause.

Des trois, Susanne semblait avoir le moins changé, mais l'idée de démissionner la rendait fébrile. Grossir était peu de chose comparé à la pensée de ne plus jamais résider dans un hôtel à Dubaï. Elle ne songea pas un instant qu'elle pouvait s'y installer définitivement si elle acceptait l'offre de Sonja. Il lui était tout simplement impossible d'imaginer une autre existence, même en s'y efforçant. Elle avait encore deux mois pour réfléchir avant le rendez-vous avec le notaire et savait que Rebecka et Maggan ne tarderaient pas à lui demander son opinion.

— Dans ce cas, laissons-les ici. J'aimerais bien retenir une soirée complète pour examiner plus en détail ce que nous gardons. Et surtout, ces lettres piquent ma curiosité. Certaines ne sont pas ouvertes. Pourquoi Sonja les a-t-elle conservées si elle n'avait pas l'intention de les lire ? s'interrogea Maggan.

— Je me suis posé la même question, mais Sonja nous a surprises tant de fois depuis sa mort que je ne serais pas étonnée d'y découvrir d'autres secrets, dit Susanne avec un petit rire. Peut-être possède-t-elle plusieurs palais aux quatre coins du continent, et son intendant lui écrit-il des rapports à propos de vitraux brisés ?

Ses amies surenchérirent et, à la fin de la journée, elles avaient attribué à Sonja, en plus des châteaux, un amant dans chaque pays. Elles déclarèrent qu'une femme avec l'appétit de Sonja ne se serait jamais contentée de Karl Anderson, qui, elles le savaient, était l'un des hommes qu'elle rencontrait régulièrement.

Il ne leur avait pas été présenté – Sonja n'emmenait jamais de compagnon aux soirées –, mais à l'en croire il était un partenaire fantastique, très tendre, qui révérait ses courbes.

— Pour revenir à la réalité, il faut dire que Sonja se déplaçait peu. Quelques séjours en France, un voyage terrible à Chypre, où il avait fait tellement chaud qu'elle était restée enfermée la plus grande partie du temps, c'est tout ce que je sais, poursuivit Maggan.

Elle-même avait déjà effectué deux expéditions en charter. Et une avec InterRail. A cette occasion, elle était tombée amoureuse.

— A notre connaissance, en tout cas. Du reste, je ne crois pas que nous ayons le droit d'ouvrir les lettres. Elles ne nous appartiennent pas.

— Si. Tout ce qu'il y a dans l'appartement est à nous. Cela doit sans doute inclure la correspondance ?

Rebecka parlait avec conviction, mais pour plus de sûreté elle appellerait le notaire de Sonja.

— Alors, qu'en dites-vous ? On se retrouve ici un soir la semaine prochaine, pour ouvrir le courrier ?

— Oui, pas de problème de mon côté. Susanne, ça te va aussi ?

Cette dernière ne réagit pas. Elle venait de recevoir un SMS d'Anders. Il avait quitté sa femme.

11

Maggan se demandait, tout en préparant une salade, ce que voulait sa fille. Cette dernière semblait grave au téléphone quand elle avait proposé ce rendez-vous, et Maggan éprouvait à présent son inquiétude familière pour Anneli et sa famille.

Son vœu le plus cher était qu'Anneli mène une vie sans nuages, et les dix-huit premières années s'étaient bien déroulées, en dépit de l'absence de père. A présent, sa fille était adulte et tout à fait capable de se débrouiller, ce que Maggan acceptait mal. Voilà pourquoi elle continuait à se mêler de choses qui ne la regardaient plus. Quand sa sollicitude maternelle se faisait trop pesante, Anneli devait souvent pousser des rugissements avant que Maggan ne comprenne que la jeune femme se tirait parfaitement d'affaire. Anneli lui avait suggéré plus d'une fois d'aller à la rencontre de la gent masculine, puisqu'elle avait tellement besoin de se montrer prévenante, mais Maggan refusait avec véhémence. Elle se portait mieux toute seule.

Quand sa fille était petite, Maggan avait fréquenté deux hommes qui s'étaient révélés d'une compagnie agréable, mais elle s'était lassée au bout de quelques mois. Depuis sa décision, terriblement douloureuse, de ne pas revoir l'unique homme qu'elle ait aimé, elle n'avait jamais ressenti le désir d'entretenir une relation plus profonde.

Ces dernières années, elle s'était consacrée à son rôle de grand-mère, qui consistait par exemple à confectionner des escargots à la cannelle ou à résoudre des mots croisés. Elle disait destiner les pâtisseries à Alex, mais en vérité, elle en mangeait elle-même la plus grande partie. Sonja avait raison lorsqu'elle affirmait que Maggan se cachait derrière ses kilos, mais cela appartenait maintenant au passé. La nouvelle coiffure serait bientôt assortie d'un corps plus mince. Le vélo d'appartement qu'elle avait acheté après son accident était resté inutilisé bien trop longtemps ; depuis la convocation chez le notaire, elle s'en servait chaque jour. Elle avait déjà perdu les cinq kilos qu'exigeait Sonja, mais pouvait sûrement en éliminer dix de plus. Elle ne comptait pas suivre un régime, mais l'ennui ne serait plus un prétexte au grignotage.

— Maman, nous allons déménager.

— Mais c'est magnifique. Vous avez enfin trouvé une maison ? demanda Maggan joyeusement en s'imaginant en train d'aider sa fille à entretenir le jardin ou à coudre des rideaux.

— Oui. Une très belle. A côté d'Östersund.

— Où ça ?

— Östersund.

— Pas à Stockholm ?

— Non, maman. Dans le Jämtland.

Maggan se leva si brusquement que sa jambe droite la lança. Elle boita jusqu'à l'évier et ouvrit le robinet.

Elle tendit le doigt sous le filet d'eau pour s'assurer de sa fraîcheur et se servit un grand verre qu'elle vida d'une traite.

— Tu en veux ?

— Non, merci.

Maggan posa le verre dans l'évier, puis se retourna.

— Et moi alors ?

— De quoi tu parles, maman ?

— Qu'est-ce que je vais faire ? Tu ne peux pas m'enlever Alex comme ça. On se voit presque tous les jours. Tu as pensé à ton fils, à sa réaction si, tout à coup, il ne peut plus rendre visite à sa grand-mère ?

— Oui, j'ai pensé à lui. Et à toi. Bien sûr que vous vous verrez, et nous aussi. Mais moins souvent. J'aurai toujours besoin de toi, maman. Mais je dois donner la priorité à ma famille. Surtout maintenant qu'elle va s'agrandir.

Anneli sourit, les yeux embués.

— Comment ça ?

— Tu vas être grand-mère pour la deuxième fois. En mars. Ma grossesse n'est pas encore très avancée.

Elle se tut pour observer la réaction de sa mère.

— Ah, bien, fit Maggan. Je suis contente pour vous.

— Pour nous ? Et pas pour toi ?

— Je ne verrai jamais le bébé, de toute façon.

Maggan avait pris sa voix de martyre, celle qu'elle adoptait quand la décision ne lui appartenait pas. Quand elle était de cette humeur, toute tentative de discussion était vouée à l'échec, Anneli ne l'ignorait pas. Si Maggan avait su à quel point elle ressemblait à sa propre mère en essayant de manipuler sa fille, elle y aurait peut-être réfléchi à deux fois. Mais elle avait refoulé les petites choses qui la rendaient folle lorsqu'elle avait donné le jour à Anneli.

A l'époque, elle avait tout enduré. Quand Maggan, alors âgée de dix-neuf ans, avait annoncé qu'elle était enceinte, sa mère n'avait pas sauté de joie, même si elle avait elle aussi mis un enfant au monde sans que le père soit auprès d'elle.

« J'avais trente ans et j'étais prête, mais tu es encore une adolescente. Comment vas-tu élever un bébé toute seule ? » avait-elle demandé.

Maggan n'avait rien répondu, car elle n'en avait aucune idée. En revanche, elle se savait incapable d'avorter. Elle ignorait ce qu'en pensait le père de l'enfant, puisqu'elle avait décidé de ne plus jamais le contacter.

Son amour et son instinct de protection étaient aussi intenses que trente ans plus tôt.

— Pas le bébé, maman. Les bébés. Quand tu auras fini de t'apitoyer sur ton sort, ce serait super de ta part de me rappeler pour que je puisse tout te raconter sur la maison et sur les jumeaux que j'attends.

12

Il la pénétra lentement après plusieurs incitations silencieuses et elle poussa un profond gémissement.

— Embrasse-moi, souffla-t-il.

Leurs langues s'emmêlèrent tandis que leurs corps ondulaient au même rythme. Elle se serra fort contre lui pour l'aiguillonner et provoquer une éjaculation. Ses mains caressèrent son dos. Quand elles s'arrêtèrent sur ses fesses, elle sentit les muscles qui le plaquaient contre elle. Il n'avait jamais été si résolu, ni son sexe aussi dur, et cela suffisait à la galvaniser. Il maintint ses poignets au-dessus de sa tête et se retira presque entièrement sans se soucier de ses désirs. Elle avait envie qu'il la prenne brutalement, fermement, et quand elle parvint à dégager ses mains de son étreinte, elle le renversa sur le lit et s'assit sur lui à califourchon. Elle voulait son orgasme et elle le voulait maintenant.

— Tu es plus belle que jamais, murmura Anders après avoir repris son souffle.

Il était étendu à côté d'elle, une main posée sur le ventre de Susanne.

— Qu'est-ce que tu as fait à tes nichons, on dirait qu'ils sont plus gros, poursuivit-il tandis que sa main remontait le long du nombril pour s'arrêter sur un sein.

Il pinça son mamelon entre le pouce et l'index.

— Regarde ce que j'arrive à faire, fit-il en souriant quand le téton durcit.

Susanne ne pouvait pas le nier, il avait du doigté. Il savait exactement comment l'éperonner.

Elle repoussa la couverture et détailla le corps nu, du visage viril, au-dessus du superbe torse poilu, jusqu'aux jambes puissantes. Elle avait connu des hommes qui se rasaient entièrement et elle ne trouvait pas ça beau du tout. Anders était sublime. Ses doigts lui malaxaient toujours un mamelon tandis que sa bouche se posait sur l'autre.

— Regarde comme j'ai envie de toi, murmura-t-il en guidant la main de Susanne vers son bas-ventre. Je veux te faire l'amour toute la nuit, je veux sentir tes nouvelles formes, je veux te donner tout ce que tu désires, continua-t-il en posant les lèvres sur sa nuque chatouilleuse.

Il la tourna sur le côté pour se lover contre elle, repoussa ses cheveux et embrassa encore son cou. Sa langue taquina légèrement son oreille et Susanne gémit tandis qu'elle changeait de position pour qu'il la prenne de nouveau.

Elle était tout à fait stimulée, et n'avait pas prononcé un seul mot depuis qu'il avait franchi le seuil, une heure plus tôt.

Elle n'avait répondu à son SMS qu'une fois chez elle, après la journée passée à trier les affaires de Sonja, et lui avait proposé de venir le soir même. La réponse ne s'était pas fait attendre : « Je suis là dans deux heures. »

Susanne savait exactement ce qu'elle voulait. Elle ne l'invitait pas pour discuter.

Lorsqu'il sonna, elle lui ouvrit vêtue d'un long peignoir en soie blanche. Elle lui lança un regard éloquent et se dirigea vers la chambre à coucher. Elle ne pouvait dire s'il avait été surpris qu'elle retire le déshabillé tout en montant les marches. Néanmoins, quand il la plaqua contre le mur à mi-hauteur de l'escalier et qu'elle sentit son sexe durci, elle présuma qu'il voulait la même chose qu'elle.

Susanne avait toujours été parfaitement à l'aise avec son corps. Quand ses amies évoquaient leurs complexes, elle ne se reconnaissait pas dans leurs histoires. Elle n'avait jamais ressenti de timidité, ni redouté de prendre l'initiative, et si elle désirait un homme elle faisait en sorte de le conquérir, ne serait-ce que pour une nuit.

Maggan et Rebecka gardaient le silence quand Sonja et Susanne parlaient de sexe pendant des heures sans la moindre pudeur.

« Stop, je ne veux pas en entendre plus », disait parfois Rebecka en frissonnant.

Mais elle protestait surtout pour préserver son image.

Susanne maîtrisait parfaitement l'art de distinguer coucheries et amour, ainsi que toutes les astuces permettant d'obtenir les premières. Le second était une autre affaire. Plusieurs fois, elle avait cru avoir trouvé les deux, pour se rendre compte après quelque temps qu'elle s'était trompée.

Comme avec Anders. Elle n'avait aucune idée de son statut d'homme marié avant de l'apprendre de la bouche d'un de ses collègues, un mois après leur premier rendez-vous. Susanne avait été furieuse, mais pas au point de rompre avec lui. Toutefois, elle avait mis un terme aux petits mots doux qu'elle lui envoyait souvent quand elle croyait être amoureuse de lui. De même, elle cessa d'être disponible quand cela convenait à Anders et ne le rencontra plus que lorsqu'elle le désirait. Elle avait finalement rompu avec lui parce qu'elle ne voulait plus être la maîtresse d'un homme marié. En revanche, maintenant qu'il était séparé, elle pouvait le prendre pour amant. Si elle avait répondu à son SMS, c'était pour le sexe, et rien d'autre.

Sous la douche, tandis qu'Anders rinçait soigneusement le savon qui la recouvrait, elle jouit, peut-être pour la dixième fois en trois heures, et se sentit satisfaite.

Il était temps qu'il parte, et elle prononça ces mots tout haut, d'une voix claire et ferme.

13

Sa nouvelle liberté commençait à peser à Rebecka. Elle devrait trouver un passe-temps raisonnable si elle voulait survivre. Quelque chose d'intéressant et qui l'occuperait suffisamment. Bien sûr, les possibilités étaient innombrables quand on habitait dans une ville telle que Stockholm, mais elle avait si peu coutume de profiter de ce que la capitale avait à offrir qu'au lieu de se sentir dynamique elle fut bientôt paralysée.

Il n'était pas plus de neuf heures, mais Rebecka était déjà habillée. Elle n'avait plus qu'à enfiler des chaussures pour aller se promener. Aujourd'hui, elle avait opté pour une robe lacée sous la poitrine. Elle avait renoncé aux modèles plus moulants repérés lors de sa virée chez NK : ils n'étaient plus confortables maintenant qu'elle avait pris quelques kilos, mais celui-ci lui allait comme un gant. Les robes, en particulier celles de style plus romantique, étaient encore une nouveauté pour elle, mais elle s'était immédiatement sentie à l'aise. Ses cheveux bruns coupés en un carré classique contrastaient joliment avec la tenue charmante et, pour une fois, elle se trouva vraiment belle, bien que désœuvrée.

Dans la rue, elle hésita sur la direction à prendre. La veille, comme plusieurs fois les jours précédents, elle s'était promenée sur l'île de Djurgården, qu'elle connaissait maintenant comme sa poche. Faute d'une meilleure idée, elle opta pour la place Östermalmstorg. Elle pouvait toujours faire du lèche-vitrine avant de rentrer regarder l'émission d'Oprah Winfrey. Elle était devenue accro. Alors que tout le monde parlait d'Oprah, Rebecka n'en avait vu que des photos. A présent qu'elle avait du temps libre, elle la regardait presque chaque jour. Elle aimait particulièrement les épisodes qui traitaient du chagrin et du pardon.

Rebecka savait qu'elle avait enfoui profondément sa peine au fond d'elle-même quand Robert l'avait quittée, et elle n'avait jamais envisagé de lui pardonner. Elle avait été très remuée quand Oprah avait expliqué que l'on pardonnait aux autres pour soi-même, afin de se libérer et de reprendre le cours de sa vie.

Tandis qu'elle se dirigeait vers le salon Robert's Coffee, elle songeait à quel point elle connaissait mal la psyché, tout du moins la sienne.

Le *latte* était aussi exquis qu'à l'accoutumée, et elle avait entrepris de couper son escargot à la cannelle en petits morceaux quand une voix lança :

— On dirait que nous sommes destinés à nous croiser à chaque fois que vous avez de la crème au coin de la bouche.

Elle leva les yeux. L'homme qui se tenait devant elle lui adressait un sourire joyeux, mais, malgré ses efforts, elle ne parvint absolument pas à le situer.

— Je suis désolée, mais je ne me souviens malheureusement pas de vous. Est-ce que je vous connais ? demanda-t-elle poliment.

Le nouveau venu semblait sympathique, remarqua-t-elle au passage. Très sympathique. Son short bleu marine et son polo d'un blanc éclatant lui allaient bien, et Rebecka discerna sur le visage bronzé des lignes fines qui lui apprirent que l'inconnu avait son âge, ou du moins n'était pas beaucoup plus jeune.

— Eh bien, pas tout à fait. Nous avons échangé quelques mots sur un banc rue Nybrogatan il y a environ un mois, alors que vous étiez barbouillée de glace.

— Ah oui, monsieur Pressé. Je ne vous ai pas reconnu dans vos vêtements de tous les jours.

— Ça ne m'étonne pas.

Toujours souriant, il se pencha vers elle.

— Je vous trouve peut-être encore plus jolie aujourd'hui, souffla-t-il.

— Merci, répondit-elle dans un murmure.

Il se redressa.

— Je suis sûr que nous nous reverrons, fit-il avant de se remettre en chemin.

Cette fois, Rebecka rougit jusqu'aux oreilles, troublée. Sa façon de s'approcher pour chuchoter avait créé une impression d'intimité, pas du tout comme lors de leur rencontre précédente, alors qu'ils étaient assis à un bon mètre l'un de l'autre.

Quel homme singulier, pensa Rebecka, sans pouvoir détacher son regard des larges épaules de l'étranger. Lui portait-il de l'intérêt ou passait-il ses journées à flatter les femmes qui avaient de la glace sur les lèvres ? S'il en avait dit plus, elle aurait compris ses intentions, mais à présent elle était simplement déroutée.

Elle sourit en songeant à ce qu'aurait fait Susanne à sa place. Cette dernière l'aurait sans doute invité à s'asseoir, ou lui aurait donné son numéro de téléphone. Rebecka aurait aimé avoir une once de son courage. Au lieu de cela, elle laissa s'éloigner l'homme qui, par ailleurs, ressemblait fortement à Colin Firth. Bah ! Cela lui ferait une anecdote amusante à raconter à ses amies quand elles se reverraient pour parcourir les lettres et les photos de Sonja.

Rebecka attendait avec impatience cette soirée avec Maggan et Susanne. Les précédentes rencontres avaient été empreintes de tristesse. Elles avaient bien besoin de rire de nouveau toutes les trois. Peut-être les albums de Sonja leur permettraient-ils de retrouver la joie qu'elles avaient partagée tant d'années.

Elle avala le dernier morceau de brioche et se leva. Il était temps de rentrer. Avec un peu de chance, Oprah avait de bons conseils sur les hommes énigmatiques. Elle passait devant Åhléns quand son téléphone sonna, et au bout du fil résonna une voix qu'elle n'avait pas entendue depuis sept ans.

— Bonjour, Rebecka, c'est Robert.

14

Elles auraient bien eu besoin de tickets d'attente lorsqu'elles se retrouvèrent le jeudi soir, mais, Rebecka étant en pleurs, les deux autres la laissèrent parler en premier.

— Je ne comprends pas ce que tu racontes, ma chérie. Prends une grande inspiration, dit Maggan en tendant à Rebecka un mouchoir en papier.

— Donne-moi plutôt le paquet complet. J'ai sept ans de chagrin à évacuer.

Rebecka essaya sans succès de sourire. Elle avait retenu ses larmes pendant trois jours, mais la vue de ses amies dans la rue avait suffi à la faire craquer.

Elles s'étaient assises sur des chaises à barreaux dans la cuisine de Sonja, mais il n'était pas question de café. Susanne avait apporté une fontaine de vin blanc, qui serait certainement vide avant la fin de la soirée.

— Comment ose-t-il penser qu'il peut revenir dans ta vie aussi simplement ? Ne comprend-il pas à quel point il t'a blessée ? s'emporta Susanne.

Elle n'avait jamais éprouvé beaucoup de sympathie pour l'ex-mari de Rebecka. Elle le trouvait pompeux, arrogant et en même temps trop policé en apparence. Elle n'avait pas été très surprise lorsqu'il s'était avéré un mufle, mais elle ne l'aurait jamais cru assez culotté pour se manifester sept ans plus tard.

— Non, sans doute pas. Il dit qu'il a pensé à moi sans arrêt et qu'il a fait la plus grosse erreur de sa vie en me quittant.

— Il est divorcé ?

— Non, mais de toute évidence leur mariage ne fonctionne pas du tout. Elle consacre beaucoup de temps à leur enfant et lui se retrouve isolé, expliqua Rebecka en soufflant dans un deuxième mouchoir.

— Rebecka, je t'en prie, tu ne vas tout de même pas avaler ces bobards ? fit Susanne d'un ton furieux.

— Si, un peu, répondit Rebecka avec un petit sourire. Peut-être parce que ça m'arrange de le croire.

Maggan, qui avait laissé la parole à Susanne jusqu'ici, ne put se contenir plus longtemps.

— Rebecka, ce type est un abcès que tu dois crever si tu veux qu'il guérisse.

Rebecka et Susanne la dévisagèrent avec surprise, tant la réplique paraissait peu naturelle. Crever l'abcès était loin d'être le fort de Maggan. Elle tendait plutôt à cacher la poussière sous le tapis.

— Bien dit, Maggan, approuva Susanne. Il faut se débarrasser de l'abcès. Mais comment ?

— Je n'en sais rien. Peut-être en le rencontrant ce samedi ?

Rebecka se ratatina légèrement sur sa chaise, prête à affronter une salve de protestations.

— Bonne idée, répondit Susanne. Couche avec lui et ensuite oublie-le.

— Coucher avec lui ?

Rebecka se mit à rire et ses amies se joignirent à elle. Il allait de soi que Rebecka ne coucherait pas avec Robert, tout comme il était manifeste que c'était exactement ce qu'aurait fait Susanne.

— Où est-ce que vous avez rendez-vous ? s'enquit Maggan, curieuse.

— Au Sturehof. Il a proposé le Diana, mais j'ai refusé. Nous avons trop de souvenirs là-bas.

— Donc, il a l'audace de t'inviter dans un endroit fréquenté alors qu'il est toujours marié ? Quelle ordure ! s'exclama Susanne.

Elle espérait sincèrement que Robert ne veuille pas reconquérir Rebecka, mais garda cette pensée pour elle. A la place, elle souhaita à voix haute que Robert ait perdu ses cheveux, ses dents et tout discernement.

— A la santé d'un Robert édenté. Puisse-t-il brûler en enfer ! déclama-t-elle en levant son verre avec un sourire joyeux. Il pourra faire la connaissance du commandant Anders, qui vient juste d'y être envoyé.

L'entrain de Susanne perdura tandis qu'elle racontait qu'ils avaient passé quelques heures agréables dans son appartement, mais qu'elle avait décidé que, séparé, l'homme ne l'intéressait pas.

— Il est toujours divin au lit, mais j'en ai fini avec lui une bonne fois pour toutes.

Elle semblait si heureuse que ses amies la crurent.

Maggan n'avait jamais de problèmes sentimentaux, étant donné qu'elle évitait la gent masculine. Sa fille l'avait occupée ces trente-trois dernières années. Anneli n'avait pas quitté la maison avant d'avoir vingt-six ans et un diplôme en poche. Elle avait vite rencontré Peter et, deux ans plus tard, Alex était arrivé.

Depuis l'annonce de l'installation à Östersund, qui lui était tombée dessus comme la foudre, Maggan n'avait parlé que deux fois à Anneli. La seconde, elle lui avait présenté des excuses peu enthousiastes et avait voulu tout savoir sur les jumeaux qu'elle attendait.

— Ils partent le 18 septembre, ce qui est tout de même assez drôle, déclara Maggan.

— Pourquoi ça ? demanda Rebecka, avant de se rappeler qu'elles avaient ce jour-là un nouveau rendez-vous pour parler du testament de Sonja. Ah oui, en effet. Dans ce cas, tu n'auras peut-être pas le temps de les aider. Que penses-tu de ce déménagement ?

— Eh bien, j'ai en permanence un paquet de mouchoirs sur moi, ce qui en dit long. Je trouve que c'est triste, ils vont laisser un grand vide derrière eux. Et je ne pourrai pas les soutenir quand les jumeaux seront là.

Le pire était qu'Anneli devrait dorénavant se débrouiller sans elle. Comment s'en sortirait-elle avec deux nourrissons et un garçon remuant de bientôt six ans ?

— Mais tu iras les voir plusieurs jours de suite de temps à autre. Ils ont acheté une grande maison, non ? demanda Susanne en tendant un autre verre à Maggan.

— Oui, sans doute, à condition qu'ils veuillent de moi. Je ne me suis pas invitée. Anneli me le proposera quand elle en aura envie.

Susanne se mit à rire.

— N'en fais pas trop, Maggan, tu joues mal les martyres. Tu n'as qu'à dire à Anneli que tu viendras dès qu'elle en aura besoin. Ne te complique pas les choses.

— Je ne joue absolument pas les martyres. Il y a forcément une raison à ce départ. Anneli en a peut-être simplement assez d'habiter si près de moi.

— Arrête ça. Tu as expliqué que Peter a obtenu une place chez SkiStar, à la station d'Åre, et qu'ils sont heureux de se rapprocher de la nature. Ne te fais pas du mal en t'imaginant que c'est à cause de toi.

— Susanne a entièrement raison, Maggan. Anneli ne peut pas rester pour toi, mais ça ne signifie pas non plus qu'elle cherche à s'éloigner de toi. Elle doit donner la priorité à sa famille, tu ne le vois pas ? renchérit Rebecka en se levant pour se dégourdir les jambes. Et tu n'es pas la seule à qui ils manqueront. Je viens de comprendre que je dois salir un peu mon appartement et je me réjouissais de revoir Alex. Tu vas devoir t'en charger à sa place. Je n'aurais rien contre un peu de désordre dimanche, le lendemain de mon rendez-vous avec Robert. Vous voulez dîner chez moi ?

Les trois femmes mirent de côté leurs soucis et s'attaquèrent au premier carton, qui contenait des albums de photos. Bientôt, installées par terre dans la cuisine, elles hurlaient de rire en redécouvrant de vieux clichés et de beaux souvenirs.

— Regarde-toi, Rebecka, s'esclaffa Susanne. Tu es complètement déchaînée. Mon Dieu, c'est trop drôle. Comment as-tu fait pour devenir si sérieuse ?

— Je n'étais peut-être pas aussi déchaînée que j'en ai l'air, je le crains. Et toi, alors ? Regarde ça.

Elle montra à son amie une photo prise dans une discothèque. Susanne, assise entre deux inconnus, paraissait tout sauf de bonne humeur.

Susanne pouffa de rire.

— C'est après ma rencontre avec ces deux-là que je suis devenue une mangeuse d'hommes chevronnée. Ils sont moins embêtants comme ça.

Maggan les laissa se chamailler. Elle avait trouvé l'album rempli à l'occasion de leur voyage avec InterRail et le feuilletait promptement, avec crainte et agitation mêlées.

Quand Sonja avait fait développer les photos, presque trente-quatre ans plus tôt, Maggan n'avait pas voulu les voir. Elle avait trop peur de ses sentiments. En se focalisant sur son ventre qui grossissait de jour en jour, elle n'avait pas besoin de se souvenir qu'elle avait été profondément amoureuse.

Cela lui fit l'effet d'un coup de poignard dans le cœur. Elle avait tout oublié, tout refoulé. La caresse merveilleuse de ses mains douces. La fois où il avait essayé de dire « Je t'aime » en suédois. Leurs nombreuses promesses de se revoir, le destin qui les avait rapprochés. Elle avait tout enterré. Jusqu'à cet instant où la mémoire lui revint en force. Elle laissa ses larmes couler et les sentiments resurgir. Elle se remémora ses baisers, les rires et leurs adieux en pleurs à Paris. Ils avaient eu la certitude de se retrouver, mais quand Maggan s'était aperçue qu'elle était enceinte, elle avait compris que c'était impossible. Le bébé et la vie qui les attendait étaient plus importants.

Paul ne voulait pas d'enfant dans les jambes. Il rêvait de travailler dans un kibboutz, de faire de la plongée sur la grande barrière de corail et de la randonnée dans les Pyrénées. A l'époque, elle avait cru qu'elle en avait également envie, mais tout avait changé seulement quelques semaines après la fin du voyage.

Quand Maggan avait annoncé sa grossesse à ses proches, plus personne n'avait essayé de la convaincre de retourner à Paris. Ils comprenaient que Paul serait effondré à la vue de son ventre. Renoncer à son grand amour était terriblement douloureux, mais quel choix avait-elle ?

Ses amis n'avaient jamais rencontré celui dont elle était tombée enceinte, juste après son retour en Suède, et ne l'avaient jamais incitée à le contacter. Ils avaient tous assimilé son nouveau statut de mère célibataire.

Tous, sauf Sonja. Elle avait répété longuement qu'Anneli devrait joindre Paul, qu'il accepterait sans difficulté le fait que Maggan ait eu un enfant d'un autre, mais cette dernière avait refusé. Sonja avait fini par abandonner le sujet et tous avaient oublié Paul.

Rebecka et Susanne n'avaient pas remarqué la distraction de Maggan. Elles étaient entièrement absorbées par les clichés de tous les festivals, voyages et fêtes auxquels elles avaient participé à la fin des années 1970 et riaient sans retenue de l'autre ou d'elles-mêmes.

Assise à côté d'elles, Maggan contemplait les photos prises alors que sa grossesse arrivait à terme. Elle paraissait si jeune. Comment, à peine sortie de l'adolescence, avait-elle pu choisir d'avoir un enfant sans le père auprès d'elle ?

Ce que d'autres considéraient comme une pure folie n'était pas si étrange pour Maggan. Elle-même ignorait tout de la contribution que pouvait apporter une figure paternelle. Quand elle avait eu besoin d'aide, sa mère l'avait soutenue, non sans essayer de la contrôler.

Dire qu'elle se plaignait parce que sa fille de trente-trois ans déménageait avec son mari et son fils. Elle sourit en s'apercevant qu'en réalité elle était heureuse qu'Anneli ait trouvé une personne avec qui partager sa vie. Et que cette personne ne soit pas sa mère.

15

Son déjeuner léger se rebellait dans son estomac. A seulement quelques heures de son rendez-vous avec Robert, Rebecka était terrifiée. Dîner avec l'homme qui l'avait abandonnée sept ans plus tôt avec tant de désinvolture était évidemment une très mauvaise idée. Son souvenir de cette fameuse soirée, longtemps nébuleux, était à nouveau limpide, et elle pouvait visualiser avec précision les instants de la séparation, le 30 juin 2002. Elle se la remémorait dans les moindres détails.

Robert ruisselait de pluie quand il avait franchi le seuil. Il avait appuyé son parapluie à côté de la porte au lieu de le laisser sur le paillasson, sans se soucier de faire des taches sur le parquet huilé. Rebecka avait soupiré légèrement et posé le parapluie sur un support qui craignait moins l'humidité.

« Merde. Mes chaussures sont complètement trempées, avait-il juré en essayant de les retirer sans se baisser.

— Merci, j'espère que toi aussi, tu as passé une bonne journée, avait lancé sèchement Rebecka en observant la manœuvre.

— Qu'est-ce qui te prend ? Ce n'est pas toi qui étais dehors sous la pluie, avait rétorqué Robert d'un ton renfrogné en ôtant sa veste.

— Si. Je ne suis rentrée que depuis un quart d'heure et il pleuvait déjà autant. Tu veux boire un verre ? » avait-elle proposé en se dirigeant vers la cuisine.

Elle avait examiné le choix de vins et opté pour un rioja. Entre l'instant où elle avait saisi un tire-bouchon et celui où elle l'avait piqué dans le liège, il l'avait suivie et avait annoncé qu'il partait. Le soir même. Elle s'appelait Anna.

La bouteille lui avait échappé des mains.

« Qu'est-ce que tu veux dire ?

— Je te quitte. On ne fonctionne plus, toi et moi. Ça fait une éternité que nous n'avons pas passé un bon moment ensemble. »

Il avait attendu une réaction, en vain. Il avait poursuivi :

« Avec Anna, c'est différent. Elle m'aime vraiment. »

Rebecka s'était contentée de fixer son mari qui parlait d'un ton parfaitement calme. Avec détachement. Il la piétinait sans ressentir le moindre trouble.

« Anna ?

— Oui, Anna. Je suis désolé d'avoir vu quelqu'un dans ton dos, mais bien sûr, je n'aurais jamais fait cela si je n'y avais pas été forcé. Elle me donne ce que j'ai espéré toute ma vie et, si j'ose dire, elle bénit le sol sur lequel je marche. »

Rebecka avait attrapé une balayette tandis que la voix de Robert se faisait distante. Les taches de vin rouge étaient une plaie. Le parquet serait fichu si elle ne passait pas immédiatement la serpillière. Quelle malchance que le verre se brise aussi facilement. Elle n'en finirait pas de retrouver des éclats.

« Est-ce que tu fais seulement attention à ce que je dis ? avait soudain crié Robert. C'est exactement ce que j'essaie de t'expliquer. Tu m'ignores. Quand je parle avec Anna, elle m'écoute en me regardant dans les yeux. Je t'annonce que je te quitte, et toi, tu balaies un foutu parquet ? »

Rebecka s'était demandé si elle devrait s'absenter quelques jours. Elle arriverait peut-être à convaincre Sonja de l'accompagner à Paris. Mais elle avait secoué la tête. Non, ce n'était sans doute pas une bonne idée. La ville serait bondée la semaine suivante ; en cette saison, le village de Sandhamn serait certainement plus sympathique. Elle n'y était pas retournée depuis la rénovation de l'hôtel.

Elle était revenue à la réalité quand la porte en ferronnerie avait claqué de nouveau.

Elle avait trouvé un message sur le lit conjugal : elle pouvait garder tous les meubles, car il voulait en acheter de nouveaux avec Anna, et cela lui rendrait service si Rebecka calculait leur valeur – et celle de l'appartement – pour lui reverser sa part. Il lui serait également reconnaissant de remplir aussi vite que possible la demande de divorce qu'il avait laissée à côté de son mot. Il préférait rompre leur union de façon civilisée.

Ils ne s'étaient pas recontactés depuis et, sept ans plus tard, elle n'y comprenait toujours rien. L'homme qui l'avait quittée n'était pas celui dont elle était tombée amoureuse.

Ses amis l'avaient interrogée, mais Rebecka ignorait elle-même ce qui s'était passé et n'avait pu que répéter les mots de Robert : elle était une mauvaise épouse, il mettait fin à leur relation pour en commencer une autre avec Anna. Quand ils lui demandèrent comment elle allait, elle fut incapable de répondre, car elle ne ressentait rien du tout. A sa connaissance, le vide glaçant n'était pas un sentiment. Le temps avait estompé la torpeur, mais n'avait pas comblé l'abîme. Elle ne savait pas s'il lui manquait. Peut-être regrettait-elle la relation. Les bras rassurants. La personne à qui parler avant de s'endormir.

Toujours nauséeuse, elle alla prendre une douche.

16

Le Sturehof était complet. La soirée promettait d'être radieuse et il fallait s'y prendre tôt pour obtenir une table à l'extérieur. Ils s'étaient donné rendez-vous devant l'établissement, mais Rebecka attendit à quelque distance pour ne pas avoir l'air bête si Robert ne se montrait pas.

Elle le vit arriver de loin. Il traversa la rue Birger Jarlsgatan à grands pas et quand il passa le chapeau de béton du Svampen, elle inspira profondément et quitta sa cachette derrière la terrasse d'Utecompagniet. Elle vit Robert parler à quelqu'un à l'entrée du restaurant avant de disparaître à l'intérieur, et quand elle l'y suivit, il s'était déjà installé à côté des fenêtres donnant sur la rue.

— Rebecka ! s'écria-t-il en se relevant.

Elle ignora ses bras grands ouverts.

— Bonjour, Robert, dit-elle d'une voix beaucoup plus ferme qu'elle n'avait osé l'espérer. Ça fait longtemps qu'on ne s'est pas vus, poursuivit-elle en tirant une chaise.

Si Robert remarqua la petite pique de la part de son ex-femme, il n'en laissa rien paraître. Il la retint alors qu'elle allait prendre place.

— Je veux d'abord t'admirer, fit-il d'un ton mutin.

Rebecka ne répondit pas. Il l'examina de la tête aux pieds, puis siffla doucement.

— Tu as toujours des formes fantastiques.

Il essayait sans aucun doute de la flatter, mais Rebecka n'apprécia pas du tout le commentaire. Elle avait l'impression qu'il la déshabillait du regard, et le Robert qu'elle connaissait ne s'était jamais comporté ainsi. Du moins, pas avec elle. Au contraire, il était la correction personnifiée. Elle s'assit vivement.

— Alors ? Des nuages au paradis ?

Autant aborder directement l'objet de la rencontre. Echanger des politesses alors qu'ils avaient été mariés pendant vingt ans aurait été ridicule. Fait étrange, la nervosité de Rebecka avait disparu et elle évaluait calmement l'homme qui était autrefois son époux.

— C'est bien pour cette raison que tu voulais me parler, non ? poursuivit-elle.

Il se mit à rire.

— Oui, mais dis-moi d'abord comment tu te portes. Qu'est-ce que tu fais en ce moment ? chantonna-t-il.

Rebecka leva les yeux au ciel.

— Je vois que tu n'as toujours aucun talent musical.

Elle sourit au serveur qui venait de leur apporter le menu et demandait s'ils désiraient des boissons.

— Merci, je prendrai un daïquiri à la fraise. Et toi, Robert ?

— Depuis quand bois-tu de l'alcool avant le repas ?

— Depuis environ sept ans, répliqua-t-elle avec un sourire.

— OK, dans ce cas, je voudrais un gin tonic. Mais raconte-moi tout, maintenant. Comment vas-tu ?

Il fut affligé d'apprendre la mort de Sonja. Il l'appréciait – comme tout le monde – et déclara que c'était une terrible nouvelle.

— Tu vois encore ta vieille bande de copines ? s'enquit-il quand elle mentionna la fête qui avait suivi l'enterrement.

— Autant que possible. Susanne voyage toujours énormément et Maggan est très prise par la famille de sa fille. Mais oui, nous nous retrouvons dès que nous en avons l'occasion. Nous dînons chez moi demain.

— Pour parler de moi ?

— Crois-moi, Robert, nous avons d'autres sujets de conversation. Mais nous évoquerons sans doute ce rendez-vous.

— Que vas-tu leur dire ? Que je suis devenu un vieux bonhomme rasoir ?

— Absolument pas, répondit-elle avec un sourire en sirotant son cocktail.

Non, il n'avait pas l'air si vieux, mais peut-être un chouïa éreinté. Avoir un enfant à cinquante ans bien sonnés devait user. D'un autre côté, sa jeune épouse l'avait certainement revigoré. Du moins, jusqu'à maintenant.

— Je n'ai pas pris un kilo depuis notre divorce, tu ne trouveras rien à redire là-dessus.

Il paraissait fier de lui, et Rebecka se demanda s'il avait toujours été aussi vaniteux.

— Nous avons toujours fait attention à notre alimentation, toi et moi, et j'ai continué sur cette voie. A notre âge, c'est très important de prendre soin de soi, tu ne crois pas ?

— Bien sûr, répondit Rebecka, qui venait de repérer dans la liste des desserts une panna cotta au chocolat à l'air prometteur.

Tandis que Robert étudiait le choix de plats, Rebecka jeta un coup d'œil au reste de la salle et sursauta lorsqu'elle croisa le regard bien connu d'un client assis à cinq mètres de sa table. Avec un sourire, l'homme étrange qui ressemblait à Colin Firth hocha discrètement la tête et tapota le coin de sa bouche de son index, avant de se tourner à nouveau vers la femme qui lui tenait compagnie.

Cela ne dura pas plus d'une seconde, mais Rebecka se sentit rougir. Elle éleva vivement la carte devant son visage.

— Je ne te vois plus, maintenant.

Robert essayait d'attirer son attention et lui demanda si elle avait déjà choisi. Elle baissa le menu.

— Bifteck à point, avec de la sauce béarnaise et des pommes de terre sautées. Excuse-moi, mais je dois me remaquiller. Tu commandes pour moi ?

Réprimant son envie de courir, elle se dirigea vers les toilettes avec une expression aussi neutre que possible.

Elle regarda dans le miroir si elle avait de nouveau de la crème au coin des lèvres, mais M. Pressé n'avait fait que lui rappeler leurs rencontres précédentes. Elle passa aux cabinets et se lava les mains au savon et à l'eau glacée avant de remettre du gloss. Elle s'assura ensuite qu'elle n'avait pas sa robe coincée dans sa culotte et retourna calmement à table. Elle n'avait aucune raison de s'inquiéter. Colin Firth la taquinait, c'était tout.

— J'ai demandé un vin rouge en même temps. Ça ira très bien aussi avec mon filet de thon, annonça Robert, la mine satisfaite.

Ils dînèrent en silence. Les nausées qu'avait ressenties Rebecka plus tôt dans la journée avaient tout à fait disparu et elle mangea tout le contenu de son assiette. La bouteille fut bientôt vide et elle acquiesça quand Robert proposa d'en commander une seconde. Il n'avait toujours pas abordé la vraie raison de leur rendez-vous et Rebecka se demandait combien de temps il mettrait à lui dire si, oui ou non, la grisaille planait sur son mariage. Elle eut sa réponse tandis qu'ils attendaient le dessert.

— Je ne suis pas heureux, Rebecka. Je me rends compte maintenant que j'ai fait la plus grosse erreur de ma vie en partant.

Rebecka attendit la suite sans rien dire.

— Nous étions heureux ensemble, non ?

— Moi, je l'étais, mais tu voulais plus. Tu ne t'en souviens pas, Robert ?

— Qu'est-ce que je voulais ? Je ne sais plus. Tout ce que je me rappelle, c'est que la vie avec toi était douce et tranquille. Je savais comment les journées se dérouleraient, et le temps s'écoulait lentement. Ça me manque.

— Je croyais que c'était exactement ce que tu ne supportais plus, que tu t'ennuyais avec moi ?

— J'ai dit ça ? Dans ce cas, je le retire. Tu n'as jamais été ennuyeuse. J'ai beaucoup pensé à toi et à nous ces derniers mois, et je voudrais revenir. Je veux même revoir l'appartement blanc.

Avec un sourire oblique, il la regarda dans les yeux, guettant le signe que ces mots la réjouissaient.

Il n'en était rien.

— Ça doit être triste de désirer ce qu'on ne pourra plus jamais avoir, quelles que soient les circonstances, répondit-elle calmement.

Robert n'eut pas le temps de protester, le serveur apportait la panna cotta de Rebecka.

— Excuse-moi un instant, fit Robert en se levant. Les hommes aussi doivent aller aux toilettes.

Il s'efforçait de paraître enjoué, mais Rebecka ne fut pas dupe. Elle n'avait pas dit ce qu'il voulait entendre, et il avait sans doute besoin de s'isoler pour digérer le choc.

A présent que son ex-mari était hors de vue, elle risqua un autre coup d'œil en direction de Colin Firth. Sa compagne de table s'était également absentée.

Elle eut l'impression qu'il avait attendu qu'elle se tourne à nouveau vers lui. Leurs regards s'accrochèrent, et elle n'arrivait plus à bouger ni à baisser les yeux. Il ne souriait pas ; elle non plus. Leur échange, muet mais intense, ne fut interrompu que par le retour de la femme, quand il se leva pour lui avancer sa chaise. Rebecka redescendit sur terre. Robert voulait la reconquérir et elle venait de refuser.

17

Tandis que Maggan sirotait la première flûte de champagne rosé de la soirée, Rebecka partit à la recherche d'un vase pour les glaïeuls blancs.

— Quelle chance qu'il y en ait déjà, lança-t-elle depuis la cuisine en ouvrant un placard.

— Je croyais qu'ils ne poussaient qu'en automne.

— Moi aussi, mais la place de Farsta en était recouverte.

Maggan regarda tout autour d'elle.

— Ils sont vraiment à leur avantage ici, dit-elle en indiquant les tableaux lorsque Rebecka revint avec le somptueux bouquet.

— Oui, ils rendent très bien dans cette pièce. Avant, j'avais quelques peintures de Sonja dans la chambre à coucher, mais maintenant je veux les voir en permanence. Ils me mettent de bonne humeur.

Elle leva sa flûte.

— Tchin ! Ravie que tu sois venue, *darling*.

Quand Susanne sonna à la porte dix minutes plus tard, elles s'étaient déjà resservi du champagne et leur amie se dépêcha de rattraper son retard.

— Alors, fit-elle avec un regard inquisiteur à Rebecka. Combien de temps vas-tu nous faire mijoter ?

Rebecka n'en attendait pas plus. Elle n'omit aucun détail de son entrevue avec Robert. Ce n'est que lorsqu'elle apporta le dessert et déboucha une troisième bouteille de champagne qu'elle se tut.

Susanne et Maggan se contentèrent de poser quelques questions et d'émettre des petits « Tiens donc » de temps à autre. Rebecka ne leur en avait jamais tant révélé. Pour la première fois peut-être, elles comprirent vraiment l'ampleur du chagrin de leur amie depuis son divorce, son désespoir en apprenant qu'il avait eu un enfant, comment elle avait fermé son cœur après la séparation.

— Hier, j'ai été libérée. Complètement. Je serais incapable de décrire le soulagement que je ressens. Je me suis accrochée si longtemps au souvenir d'un Robert parfait que j'ai oublié que nos cinq premières années avaient été les meilleures. Après, notre relation s'est dégradée sans que je m'en aperçoive. Je crois que je souhaitais tellement un mariage heureux que je refusais de voir qu'il ne l'était pas. Comment ai-je pu m'aveugler à ce point ?

Elle regarda ses amies, qui attendirent qu'elle poursuive.

— C'est fini. Je suis libre. Libre, vous comprenez ? A la vôtre, nom d'un chien !

Elle vida son verre d'une traite.

— Ça manque de musique, ici. J'ai envie de danser.

Maggan observa depuis le canapé ce qui ressemblait à une chorégraphie guerrière. L'alcool lui donnait envie de se joindre à ses amies, mais, malgré sa gaieté, elle savait que ses jambes refuseraient de la porter les jours suivants si elle cédait, et elle en avait besoin pour retrouver Anneli et Alex. Aussi se contenta-t-elle de regarder ses compagnes se déhancher sur *Love to love you, baby.*

Donna Summer. 1975. Maggan avait près de dix-neuf ans, Sonja, vingt, et Rebecka, vingt et un.

Elles s'étaient immédiatement entendues. Des trois, Sonja était la plus inventive et elle entraîna les deux autres à des concerts, en boîte et à des soirées dans des caves obscures. Sonja était une artiste, elle vivait et s'habillait comme le stéréotype de la profession. Intrépide, elle se lançait dans n'importe quel projet sans hésitation. Son plus grand regret : avoir été trop jeune pour participer à Woodstock, six ans plus tôt. Quand elle fut enfin assez vieille, le mouvement hippie était passé de mode et avait cédé la place au disco. Elle ne s'en était jamais tout à fait consolée.

Maggan s'était amusée comme une folle sous l'aile de Sonja. Elle considérait de bien des façons son amie comme une grande sœur dont elle suivait l'exemple. Sonja ne voyait pas d'inconvénient à partager ce qu'elle pensait savoir de la vie, et Maggan buvait ses paroles. Ce n'est qu'après la naissance d'Anneli que Maggan avait compris que ce qui convenait à Sonja n'était pas forcément bon pour elle.

Rebecka avait toujours été intègre et ne faisait rien dont elle n'avait pas vraiment envie. Cela ne signifiait pas qu'elle était ennuyeuse, mais elle ne prenait pas les choses avec la même légèreté que Sonja.

Elle surveillait son alimentation, projetait d'intégrer l'Ecole de commerce ou l'Institut royal de technologie, et quand elle buvait, c'était avec mesure, car elle détestait perdre le contrôle. Elle avait délibérément renoncé à sa virginité à seize ans parce qu'elle avait décidé que c'était le moment. Cependant, la sexualité, dont Sonja parlait si volontiers, n'était pas un sujet sur lequel on pouvait s'entretenir avec Rebecka. A vingt et un ans, elle avait eu plusieurs aventures, mais avait généralement trouvé ces expériences moites et chaotiques.

Susanne, âgée de quelques années de moins, avait fait la connaissance de Maggan alors qu'elles travaillaient ensemble à la maternelle. Elle avait proposé de garder Anneli les rares soirs où Maggan voulait un peu de temps pour elle et cette dernière ne mit pas longtemps à la présenter à Sonja et Rebecka ; la jeune fille devint tout naturellement un membre de leur bande.

Ce ne fut qu'une fois plus vieilles qu'elles comprirent ce qui les avait soudées, ou du moins, Sonja pensait le savoir. Il s'agissait de leurs relations inexistantes avec leurs pères respectifs, expliquait-elle, ajoutant ensuite qu'elles étaient en conséquence exceptionnellement indépendantes.

— Je ne crois pas un instant que les contraires s'attirent, disait-elle, en tout cas pas en amitié. Nous avons toutes les quatre un problème de fond avec la confiance que nous accordons aux gens. Il s'exprime simplement de différentes manières. Toi, Maggan, tu retiens tout le monde près de toi pour ne pas être abandonnée. Rebecka s'efforce de tout réussir pour valoir quelque chose. Susanne fait en sorte que les hommes la quittent parce qu'elle n'imagine pas qu'on puisse l'aimer réellement, et moi, je me contente d'un morceau par-ci par-là parce que je n'arrive pas à croire au gâteau entier.

— Ah, je n'en peux plus, fit Susanne en s'affalant dans un fauteuil.

Son visage luisait de sueur.

— Plus de danse pour aujourd'hui ? D'accord, qui veut un café avec un petit verre ? proposa Rebecka.

Deux mains fusèrent vers le plafond.

— Cognac, punsch[1] ou Strega ?

Leur choix fait, Rebecka alla mettre la cafetière en marche et Maggan demanda si Susanne avait réfléchi aux conditions de Sonja.

— J'y pense tous les jours, avoua Susanne. Je ne sais toujours pas ce que je veux. J'ai pris du poids, comme elle l'exigeait, mais j'ai du mal à imaginer mon avenir sans les avions. Et toi ?

— La situation est différente maintenant qu'Anneli a décidé de déménager. Il n'y a plus rien qui m'empêche d'accepter. Mais l'argent m'effraie. Qu'est-ce que je vais faire de ces millions ?

— De quoi parlez-vous ? les interrogea Rebecka en revenant avec un plateau chargé de tasses et de verres.

— Des millions. De ce qu'on fait de sommes pareilles quand on en dispose.

1. Le punsch est une liqueur suédoise à base d'arak.

— Ne dites rien de plus avant que j'aie apporté le café.

Elle fut vite de retour et tout en remplissant les tasses, elle demanda pourquoi elles parlaient de l'argent.

— Je venais d'expliquer que ces sommes me font peur, reprit Maggan. Si nous acceptons les conditions de Sonja, nous serons pleines aux as, et j'ignore si je peux vivre ainsi. J'ai le sentiment que cela va de pair avec des obligations.

— Comment ça ?

— J'ai l'impression que je devrai mener une autre vie que celle à laquelle je suis habituée. J'ai toujours fait attention à mes dépenses, mais comment vit-on quand cela n'est plus nécessaire ? Je reconnais que cela apporterait un soulagement certain, mais en même temps, un bouleversement peut-être trop grand. Qu'en pensez-vous ?

— J'ai du mal à me mettre à ta place, fit Rebecka, parce que j'ai toujours été bien payée et je pouvais vivre plus que décemment. En revanche, je comprends ta peur du changement. C'est d'ailleurs pour ça que je refusais de voir que mon mariage ne me donnait pas ce que je désirais. Même si on se plaint de temps à autre, la routine est très rassurante.

— Oui, c'est exactement ce que je ressens à l'idée d'arrêter de voler. L'argent est bien utile, mais je dois m'occuper pour ne pas devenir folle, conclut Susanne.

— L'oisiveté commence à me peser aussi, reconnut Rebecka. Voilà pourquoi je pense si peu à ce que m'apportera chaque nouveau jour. Je sais que je trouverai quelque chose.

— Et tu n'as aucune difficulté à accepter les conditions de Sonja ? demanda Susanne.

— Non, aucune. La connaissant, elle nous a réservé un véritable défi pour l'année qui va s'écouler avant que nous recevions l'héritage, et je suis curieuse de voir ce qu'elle a inventé. Pas vous ?

— Je n'ai absolument pas interprété son message de cette façon. Je me suis focalisée sur la condition de démissionner et de prendre du poids. Je n'ai pas pensé qu'elle nous enverrait à l'aventure.

— Moi aussi, j'ai évité d'y réfléchir, renchérit Maggan. Mais qu'a-t-elle manigancé ? Vous croyez qu'elle nous a caché encore beaucoup de choses ?

— D'après moi, elle avait de nombreux secrets et était convaincue que nous ne connaissions qu'une facette de sa vie. Je soupçonne qu'elle ne voulait nous révéler l'autre qu'après sa mort, suggéra Rebecka, l'air satisfait, comme si Sonja était l'héroïne d'un roman policier : Courage, les filles ! On se croirait presque dans un livre. A votre avis, est-ce qu'il y aura encore plus de suspense ?

Après un aller-retour à Larnaka le vendredi, un stand-by à destination de Majorque et un vol pour la Crète le samedi, Susanne était rompue de fatigue. Elle était si éreintée qu'elle décida de démissionner tant qu'elle ressentait les effets de ce rythme épuisant.

Thomas Cook la laissa partir sans délai, le groupe lui devant encore quelques jours de congé et de RTT. Pour éviter d'avoir à contacter chacun de ses collègues, elle téléphona à la commère de la compagnie et lui annonça qu'elle chercherait un travail au sol et était très heureuse d'arrêter. Elle chargea son interlocutrice de saluer les autres de sa part avec la certitude que la plupart de ses coéquipiers seraient au courant le lendemain. Une notification sur Facebook ferait le reste.

Quand Susanne coupait les ponts, c'était définitif, qu'il s'agisse d'un petit ami ou de vieux camarades, et elle partait sans se retourner, même si le cheminement avait été plein de doutes et de larmes. Cette fois-ci, elle n'était pas tout à fait certaine de sa décision, mais ses tripes lui disaient qu'elle avait bien fait, et elle choisit de se fier à cet instinct.

— *I did it !* hurla-t-elle dans le combiné.

— Qu'est-ce que tu as fait ? demanda Maggan.

— J'ai démissionné !

— Nan !

— Si !

— Pour de vrai ? fit Maggan d'une voix incrédule.

— Tu sais ce que ça signifie ? lança Susanne.

— Que je dois surmonter ma peur de l'argent et me joindre à l'aventure ? suggéra Maggan.

— Oui.

— D'accord.

— D'accord ?

— D'accord.

Voilà comment les trois amies retournèrent, à nouveau main dans la main, à l'étude de Me Andréasson.

Cette fois-ci, elles acceptèrent le vin qu'il leur proposa.

18

— Je vois, gloussa Andréasson. J'étais certain que Sonja arriverait à vous convaincre. Asseyez-vous, je vous en prie.

— Vous avez souvent affaire à des testaments de ce genre ? demanda Rebecka.

Le notaire sourit.

— Eh bien, c'est vrai que ce n'est pas courant. Je crois que j'ai traité un cas semblable en 1963, une histoire embrouillée où la famille voulait éviter les droits de succession, mais celle de votre amie remporte la médaille d'or du suspense. Voyons, voyons… Ah, je l'ai.

Il but une gorgée d'eau, avant de demander :

— Vous êtes prêtes ?

Mes chères, très chères amies,

J'étais sûre que vous reviendriez et je m'en réjouis depuis mon nuage (du moins je le crois, je ne sais pas exactement à quoi ça ressemble là-haut).

C'est mon notaire qui sera chargé de mettre mes consignes en application, puisque j'avais une idée précise de ce que je voulais, mais ignorais quand je succomberais. Andréasson et son équipe ont eu maintenant trois mois pour donner forme à mes vœux et dresser l'inventaire de mes biens, et je suis très heureuse de vous voir ici (oui, depuis mon nuage).

Ç'aurait été frustrant d'avoir tout préparé pour rien (pas vrai, Andréasson ?).

Comme je l'ai dit l'autre fois, vous disposerez de mes milliards de couronnes, pas si péniblement acquis que ça (sauf les ressources stables), dans un an, mais il n'y a plus aucune condition. Cela signifie que vous pouvez repartir aujourd'hui sans réaliser mon dernier souhait, mais je crois que vous êtes si désœuvrées et curieuses que vous allez vous jeter dessus.

Si vous êtes toujours d'accord, Andréasson vendra les ressources stables de l'inventaire et convertira tout l'héritage en espèces sonnantes et trébuchantes.

Mᵉ Andréasson fera une pause à cet endroit pour entendre vos réactions avant de continuer, car la suite de la lettre explique mon plan.

Le notaire enleva ses lunettes et regarda les trois femmes.

— Voilà où en sont les choses. Qu'en pensez-vous ? Voulez-vous que je poursuive ?

— Oui, poursuivez, répondit Rebecka avec un coup d'œil interrogateur à ses amies.

— Je suis d'accord.

— Bien sûr. Après avoir attendu si longtemps, nous voulons entendre la suite des excentricités, renchérit Susanne. Je pourrais avoir encore un peu de vin ?

Le plan.

Je ne vous ai jamais raconté de mensonges. Vous avez obtenu de moi ce que vous avez vu. Mais comme vous l'avez sans doute déjà compris, je menais une autre existence. Rien d'extravagant, mais tout de même indéniable. Faire sans arrêt la fête ne m'a jamais intéressée, mais l'aventure m'a toujours attirée, et garder mes expériences pour moi ajoutait à la satisfaction. Vous vous dites peut-être que je vous ai dupées, je pensais simplement que vous n'aviez rien à voir avec cet aspect de ma vie.

Mais je me suis ravisée.

Je vous connais toutes les trois depuis très longtemps et je me demande parfois où sont passées les jeunes femmes que vous étiez. Que sont devenus vos rêves ? Pourquoi y avez-vous renoncé ? Je me souviens d'un écrivain polyglotte, d'une gérante d'hôtel et d'une architecte.

Et vous ?

Au cours des prochains mois, vous n'habiterez plus en Suède. Bien sûr, vous avez le droit de rester encore un peu s'il y a une raison particulière. Mais si vous pouvez exécuter le plan immédiatement, faites-le savoir aujourd'hui à Me Andréasson pour lui permettre de tout organiser en conséquence.

Malheureusement, je ne vais pas vous envoyer dans le même pays.

Je vous encourage toutefois à garder le contact et à vous soutenir mutuellement. Quant aux personnes de votre entourage, vous êtes autorisées à leur parler de votre tâche, mais pas de l'héritage.

Vous recevrez chacune un paquet où vous trouverez une carte de crédit donnant accès à un compte dont vous n'avez pas besoin de vous soucier pour le moment, ainsi que des billets d'avion.

Quand vous atterrirez à vos aéroports respectifs, rendez-vous directement à l'accueil, où une lettre vous attendra. Elle vous donnera plus d'informations sur votre destination. Le paquet contient également un ordinateur portable et un téléphone. A vous de voir si vous voulez les garder ou si vous préférez utiliser les vôtres.

Vous avez une semaine pour préparer votre départ. Vous ferez suivre votre courrier à l'adresse d'Andréasson, qui veillera à ce que vos factures soient prises en charge. L'équipe s'occupera également de vos logements et devra donc emprunter vos clés.

A bientôt. Have fun !

P-S : Andréasson aura besoin de vos signatures pour un élément plus formel.

19

Maggan, grâce à son don pour les langues étrangères, n'eut aucune difficulté à trouver l'accueil de l'aéroport Charles-de-Gaulle, où elle reçut la lettre de Sonja après avoir montré son passeport.

Elle regarda tout autour d'elle et aperçut bientôt un coin retiré où elle s'installa tranquillement. Le suspense de la semaine passée avait atteint son comble, et elle avait le souffle court en ouvrant l'enveloppe.

Ma chère Maggan, bienvenue à Paris !

Te souviens-tu de notre dernier séjour ici ? Moi, oui. Tu étais alors pleine de vie et de projets. Tu voulais t'inscrire à une université populaire et rien ne t'empêcherait de devenir un écrivain célèbre après avoir fait le tour du monde avec Paul.

Tout de suite après, tu es tombée enceinte d'Anneli et ta vie en a été bouleversée. C'était ta petite qui comptait désormais le plus pour toi, ce qui est bien sûr dans l'ordre des choses. Grâce à sa mère, c'est aujourd'hui une jeune femme fantastique. Mais elle a aussi éprouvé beaucoup de culpabilité envers toi. Elle ressentait sans cesse le besoin de faire tout ce qui était en son pouvoir afin que tu ailles bien, ce qui l'a rendue, tout comme toi, peu autonome.

Voilà pourquoi je suis très heureuse que tu sois ici, à Paris, le dernier endroit où je t'ai vue resplendir. Tu redoutes la solitude ? Ne t'inquiète pas, j'ai tout arrangé pour que tu te fasses de nouveaux amis.

Le mois prochain, tu prendras des cours de français du lundi au vendredi, de neuf heures à treize heures. Tu vas rencontrer des étudiants du monde entier et je suis convaincue que cela te donnera des idées pour la mission que tu devras accomplir au cours de l'année.

Tu vas écrire un roman.

Tu auras l'aide d'une rédactrice que tu pourras contacter par mail quand tu le voudras.

Tu trouveras ses coordonnées, ainsi que tout ce qu'il faut savoir sur les cours de langue, dans l'appartement qui est maintenant à toi (j'ai informé Andréasson que tu pourras parfaitement le garder, tout comme Rebecka et Susanne auront le droit de conserver leurs logements une fois l'année écoulée).

J'aurais aimé être là pour voir ta réaction à ton arrivée, mais il suffira de te dire que je suis une mouche sur un mur.

P-S : J'ai oublié de mentionner qu'une surprise t'attend. Tu vas devoir prendre ma succession. Mais je ne compte pas t'en révéler plus.

Maggan ne s'était jamais sentie aussi seule que pendant le trajet en taxi vers le centre de Paris. Elle n'était pas venue depuis plus de trois décennies et n'était pas certaine de pouvoir encore s'y repérer. Elle n'y connaissait personne et doutait de se faire des amis dans un cours de langue. Elle parlait un anglais presque impeccable, mais son français était rouillé. Son séjour serait épouvantable, elle en était persuadée. Epouvantable. Et elle devait écrire un roman ? Que s'était imaginé Sonja ? Maggan n'avait rien produit de plus que des articles de blog au cours des dernières années et cela faisait certainement plus de trente ans qu'elle n'avait pas rédigé de texte dépassant une page.

Elle prit le livre qu'elle avait dans son sac pour consulter le nombre de pages. 365. Cela signifiait en noircir une par jour pendant un an. Peut-être y arriverait-elle avec un peu d'inspiration, mais elle n'en avait pas. Rien du tout. Et même si elle avait des idées, elle n'aurait pas su les formuler habilement. Elle était maîtresse de maternelle, pas écrivain.

Tandis que Maggan était plongée dans ses pensées, le chauffeur de taxi s'engagea dans la rue dont elle lui avait montré le nom sur un morceau de papier, par crainte de mal le prononcer, et s'arrêta devant le numéro 38.

— Madame ?

— Oui. Merci.

Le taximètre indiquait cinquante-sept euros, elle lui tendit soixante-dix des mille euros qu'elle avait changés avant son voyage.

— Merci, répéta-t-elle en ouvrant la portière.

A cet instant, de nombreux aspects de sa vie lui firent penser à un film, et le concierge en uniforme y aurait sans le moindre doute reçu un petit rôle. Il sourit joyeusement en l'aidant à porter ses trois valises et se lança dans une longue tirade que Maggan n'avait aucune chance de comprendre. Elle reconnut tout de même son nom. Supposant qu'il lui souhaitait la bienvenue, elle dit à nouveau « Merci » en espérant ne pas s'être trompée.

Il prit un trousseau de clés sur le comptoir.

— Cinquième étage, articula-t-il en le lui tendant. Votre nom est indiqué sur la porte.

Elle ne savait pas exactement à quoi elle s'était attendue, mais certainement pas à ça. Elle pensait que l'appartement serait à l'image du hall imposant, mais il se révéla tout à fait charmant. Elle alla de pièce en pièce, étonnée, et quand le concierge – ou quelle que soit sa fonction – sonna, elle lui ouvrit avec un sourire.

— Merci.

— Alain.

— Merci, Alain. Je m'appelle Maggan, dit-elle avec une expression chaleureuse.

Ce ne fut qu'après avoir refermé qu'elle se demanda si elle aurait dû lui donner un pourboire. Elle se rattraperait la prochaine fois. Elle pensait rester ici une semaine ; ensuite, elle aviserait.

Satisfaite de cette résolution, elle décida de se faire plaisir et, avant de défaire ses bagages d'automne, plaça ses valises d'hiver et de printemps dans une armoire. Elle n'avait plus que la cuisine à découvrir, et son enthousiasme était sans bornes quand elle pénétra dans la pièce, qu'elle élut immédiatement comme sa préférée.

Elle ouvrit les portes de son balcon à la française pour entendre la rumeur de la rue tandis qu'elle s'attaquait aux placards et aux tiroirs. Rien ne manquait, et elle avait l'impression d'avoir choisi elle-même les tasses parfaites dans lesquelles elle boirait son café le matin, les couverts qu'elle avait bien en main et les assiettes blanches exactement aux bonnes dimensions.

Un autre placard renfermait les verres, qui avaient été sélectionnés par le même juge et étaient empilés sur plusieurs rangées, comme Maggan l'aimait. Une petite table et deux chaises étaient placées devant les portes-fenêtres et Maggan aurait juré que le tapis en lirette sous les meubles provenait de l'enseigne Ikea. Elle se sentit remplie de satisfaction, encore augmentée par le constat que le frigo regorgeait de nourriture. Elle n'aurait pas besoin de faire les courses en urgence, et tout en choisissant un fromage, elle se demanda ce qu'elle découvrirait les jours suivants. Elle avait été dégoûtée des curiosités touristiques plus de trente ans auparavant et n'avait pas très envie de les revoir.

Une tranche de fromage à la main, elle s'affala sur le grand canapé de la salle de séjour et fut stupéfaite de le trouver si confortable. Ce n'était pas du Ikea. Elle bâilla. Il venait certainement d'un magasin cher et sélect. Elle n'avait rien contre. En cet instant, un peu de repos aurait été merveilleux. Elle n'était pas pressée. Elle resterait ici au moins une semaine.

20

L'air chaud de Majorque s'engouffra dans la cabine dès l'ouverture des portes. Son sac à la main, Rebecka trépignait dans l'allée centrale. Ils mettaient un temps fou à raccorder une passerelle à l'avion. Ça ne devait pourtant pas être bien sorcier. Les autres passagers conversaient à voix basse autour d'elle. Des bagages attendaient encore dans les casiers, des enfants pleuraient et quelques types rougeauds avaient malheureusement bu un whisky de trop. Rebecka, qui avait obtenu une place dans la première rangée, essaya de se concentrer sur ce qui se passait devant elle et d'ignorer le bruit dans son dos. La chaleur était exquise. Le mois de septembre était bien souvent très lourd, mais cela ne la gênait pas. Elle ferait trempette dans la Méditerranée tandis que l'automne avançait sur Stockholm.

Elle se félicita d'avoir enfilé des mocassins. Ses chaussures plates ménageaient vraiment ses pieds tandis qu'elle traversait à grands pas le vaste aéroport en direction de l'accueil, où elle recevrait sa lettre. Son pantalon ample ondoyait autour de ses jambes. Maintenant qu'elle avait pris du poids, les habits moulants étaient hors de question et auraient de toute façon été désagréables par ces températures. En fonction de ce que Sonja avait manigancé, elle s'achèterait sur place ce dont elle aurait besoin en plus. Elle voyageait avec une seule et unique valise de taille certes imposante, mais peu remplie : quelques robes qui lui allaient toujours, trois paires de chaussures, un bikini, un maillot une pièce, une robe de chambre en épais tissu éponge, un manteau, des sous-vêtements et deux gros pulls soigneusement pliés dans la valise avec ses affaires de toilette.

Elle saisit avec soulagement son bagage qui l'attendait déjà sur le carrousel et partit à petites foulées vers le hall.

Ma chère Rebecka,

Sois la bienvenue à Majorque ! Te souviens-tu de la dernière fois que nous y sommes venues ? Sans doute avons-nous été les premières à entrevoir la grandeur de Magaluf.

Aujourd'hui, pour les raisons que tu connais, je ne suis pas de la partie. Mais je suis tout de même présente, puisque j'ai planifié ton séjour. Ça n'a pas été de tout repos, et dès que mon cœur a commencé à me tracasser de plus en plus en 2005, j'ai entrepris de faire des projets pour toi, Susanne et Maggan. Aucune de vous trois n'était heureuse comme je l'étais et je me suis longtemps demandé pourquoi. Comment se faisait-il que vous cherchiez à contrôler vos destins tandis que j'acceptais ce que m'offrait le mien ? Je n'ai pas de réponse. Peut-être me suis-je révélée une bonne vivante sans la moindre limite ? Peut-être la mort précoce de mes parents m'a-t-elle appris à apprécier ce que la vie me donnait avec tant de générosité ? Encore une fois, je n'ai pas de réponse.

Mon amour pour Majorque m'a ramenée de nombreuses fois sur l'île, bien plus souvent que tu ne le savais. J'ai également investi ici, j'ai notamment acheté une maison pour toi.

Afin que tu aies quelque chose à te mettre sous la dent, j'en ai choisi une que les propriétaires ont été forcés de vendre avant qu'elle ne soit terminée. Ta mission sera donc de l'aménager.

Tu seras secondée par un architecte de Stockholm qui vient régulièrement sur l'île. Il a signé un contrat avec Andréasson et t'aidera en tout, mais c'est toi qui décides. Tu auras également une entreprise de construction à ton service et tu trouveras de plus amples informations sur tes assistants dans ta maison.

Ton niveau d'espagnol est médiocre et pour communiquer avec la population locale et les ouvriers – et te faire quelques amis –, ton séjour commencera par un cours de langue dans un mois.

Au fait, tu possèdes aussi un appartement à Palma. C'est là que tu habiteras pendant les travaux dans ta maison.

Have fun !

La lettre ne contenait pas l'adresse de la propriété, aussi Rebecka demanda-t-elle au chauffeur de taxi de la conduire à son domicile en ville.

Elle mourait d'envie de baisser les vitres et de crier son bonheur à qui voulait l'entendre. Jamais elle ne s'était sentie si enthousiaste. Sa propre maison. Qu'elle aménagerait elle-même. Elle déciderait tout. Une année entière à Majorque. Le chauffeur se retourna lorsqu'elle se mit à taper des pieds.

— *Señora, que pasa ?*

— *Bien, mucho bien,* répondit-elle en espérant s'être fait comprendre.

Elle sourit joyeusement pour montrer qu'il n'y avait pas de problème, bien au contraire.

Elle avait reçu deux trousseaux de clés ainsi qu'un code d'entrée et un numéro d'étage. Sans prêter attention à la décoration du hall, elle se précipita vers l'ascenseur et ouvrit à toute volée la porte grillagée. Elle était en nage après le trajet sans climatisation, mais peu lui importait. Elle voulait arriver le plus vite possible dans son appartement pour trouver l'autre adresse. Elle prendrait une douche après.

Ce ne fut qu'une fois devant la maison qu'elle cria. Les poings levés et sautant sur place, elle hurla, sa voix portant jusqu'à la Méditerranée. Elle bondit de joie en s'égosillant et ne s'arrêta qu'après avoir épuisé ses ressources. Enfin, elle s'assit par terre, là où elle avait décidé d'aménager la plus belle terrasse de l'île.

En dépit de ses voyages dans d'autres pays et des demeures fantastiques de quelques amis, elle n'avait jamais vu d'aussi magnifique panorama. La baie de Port d'Andratx s'étalait en bas de la colline où était perchée sa maison. Tout autour, elle aperçut les toits de grandes villas masquées par la végétation. Entre les arbres, elle distingua des reflets bleus qu'elle supposa être l'eau de piscines.

Elle trouva les plans à l'intérieur. La bâtisse se composait d'un corps de près de cinq cents mètres carrés et de deux ailes de cent mètres carrés chacune. D'après ce qu'elle comprit, l'ensemble avec deux entrées et cuisines était conçu pour accueillir deux habitations indépendantes. Au centre, un long vestibule allait d'une aile à l'autre. La cuisine, aménagée au milieu, était ouverte vers ce qui aurait sans doute dû devenir la salle de séjour, où une large baie vitrée occupait tout le mur orienté vers la mer. La pièce était immense et, en consultant le plan, Rebecka s'aperçut qu'elle était aussi vaste qu'une aile latérale. Il y avait de la place de chaque côté de la grande salle et la tête lui tournait tandis qu'elle explorait la propriété. Comment arriverait-elle à gérer un projet d'une telle ampleur ? Par où commençait-on ? Elle avait aménagé ses appartements successifs, mais s'était alors contentée de peinture et de meubles blancs.

Elle comprenait parfaitement pourquoi Sonja avait chargé quelqu'un de l'aider. Elle ne s'en sortirait jamais, armée seulement de la meilleure volonté du monde.

Le village ne s'étendait qu'à environ une demi-heure de marche, mais malgré sa soif et sa faim de loup, elle prit un taxi qui la ramena à son logement à Palma. Elle découvrirait Port d'Andratx un autre jour.

21

Susanne et ses amies avaient décidé d'attendre une journée après l'arrivée de chacune pour se recontacter mais, dans le taxi qui l'emmenait de Heathrow à Londres, elle brûlait d'envie de les appeler pour leur lire la lettre de Sonja. Elle avait fait de nombreuses folies dans sa vie, et cependant celle-ci remportait la palme. Elle tenait toujours l'enveloppe, mais se souvenait mot pour mot de son contenu.

Sonja lui confiait un hôtel dans le centre de Londres. L'établissement était fraîchement rénové, mais n'avait eu ni clients ni personnel depuis dix ans. Susanne en était la nouvelle propriétaire et directrice, et elle avait pour mission de remettre la machine en marche.

Voilà en gros ce que disait le message et Susanne se demandait si, en plus de son cœur faible, Sonja n'avait pas souffert de démence. L'information la plus raisonnable de la lettre concernait sa future maison mitoyenne à Notting Hill, Portobello Road. Seule cette perspective la dissuada de rebrousser chemin.

Elle sentit tout de même pointer l'enthousiasme quand elle pénétra dans la demeure. L'endroit était charmant et prouvait que Sonja connaissait bien son amie.

Susanne n'aimait pas les pièces trop spacieuses, les meubles blancs et la moquette, et il n'y avait rien de tout cela. Les sols étaient en bois et la gamme de couleurs allait du beige chaud jusqu'au rouge sombre du grand canapé en velours dans le salon.

Susanne ne put réprimer un sourire à la vue du plaid en fausse fourrure posé sur le lit d'une des chambres à coucher et décida immédiatement de s'installer dans celle-ci. Les deux autres hébergeraient ses invités, qui y dormiraient certainement très bien. Elles étaient superbement décorées, les lourds rideaux de dix centimètres de trop, exactement comme Susanne les aimait, étaient parfaits. Les lits disparaissaient sous les oreillers et semblaient terriblement confortables avec leurs duvets légers et leurs belles couvertures. Chaque chambre était agrémentée d'une cheminée au gaz.

La seule pièce qui ne l'intéressait pas était la cuisine. Sa médiocrité aux fourneaux était notoire et gaspiller de la place avec un accessoire comme un four dépassait son entendement. En découvrant la table entourée de six chaises, elle songea qu'elle y serait souvent assise. Elle ignorait quand elle reverrait Rebecka et Maggan, et si elle souhaitait recevoir des invités, elle devrait se faire de nouveaux amis. Si possible, sachant cuisiner.

Elle avait presque oublié son hôtel et quand elle s'en souvint, elle décida de se promener en direction de l'établissement. Elle n'entrerait pas, elle voulait simplement voir où il se trouvait.

C'était une splendide journée de fin d'été et Susanne longeait lentement Portobello Road quand son téléphone sonna.

— Susanne, c'est Rebecka. Tu es à Londres ?

Soulagée de pouvoir parler à quelqu'un, Susanne faillit se mettre à pleurer.

— Oui, je suis arrivée. Oh, je suis si contente que tu m'appelles. Comment vas-tu ? Quelle mission folle as-tu reçue ?

— La plus belle du monde. J'ai une maison près de Palma et je suis chargée de l'aménager de fond en comble et c'est tout simplement fantastique et j'ai hâte que tout soit terminé pour que tu viennes admirer le résultat. Et toi ?

— Un hôtel.

— Comment ça, un hôtel ?

— J'ai hérité de tout un hôtel.

— Mais, Susanne, c'est extraordinaire.

— Tu trouves ? Je pense que c'est de la folie pure. Je m'y rends d'ailleurs en ce moment même, juste pour le voir depuis la rue.

— Tu ne vas pas entrer ?

— Il est fermé. Je le vendrai sans doute. Sonja veut que j'engage du personnel et remplisse l'hôtel de clients. Tu entends un peu ? Comment vais-je m'en sortir ? demanda-t-elle d'une voix désespérée.

— Tu n'as pas reçu d'aide ? Sonja me fournit un architecte et une entreprise de construction.

— Comment le sais-tu ?

— C'est écrit dans la lettre. La tienne ne disait rien ?

— Aïe ! Je ne l'ai pas lue jusqu'au bout. Attends, elle est dans mon sac.

Elle cala le téléphone contre sa joue et parcourut le paragraphe qu'elle avait ignoré jusqu'ici.

— Oui, en effet. Elle mentionne un certain Charles qui serait le salut des nouveaux propriétaires hôteliers. Dire que je n'avais pas vu ça. Charles. Rien que son nom m'apprend qu'il va m'être d'une aide très précieuse.

Elle sautilla, joyeuse.

— Tu veux me suivre dans mon hôtel ?

22

— Bonjour, mamie.

— Tiens, mais qui est-ce qui peut bien appeler grand-mère ?

— C'est moi, mamie.

— Est-ce que c'est Alexander, le petit bonhomme préféré de mamie ?

— Oui, c'est moi. Mamie… on a déménagé.

— Oui, je sais. Ça te plaît ?

— Un peu.

— Juste un peu ?

— Hmm. Je ne connais pas les autres. Mais maman dit qu'elle va m'aider à me faire des copains. Des garçons qui veulent bien jouer au foot avec moi, peut-être.

— Tu sais, Alexander, je crois que tu auras vite beaucoup d'amis avec qui jouer au foot. Mais je comprends que tu te sentes un peu seul pour le moment.

— Mamie, tu peux venir me voir ?

La gorge de Maggan se serra. Elle imagina Alexander devant elle. Dire qu'elle explorait les cafés de Paris alors que la prunelle de ses yeux était esseulée à Östersund.

Elle dut s'éclaircir la voix avant de répondre.

— Je viendrai bientôt dans tous les cas. Tu crois que maman et papa voudront bien que je dorme dans ta chambre ?

Alex s'esclaffa.

— Tu dis des bêtises, mamie. Tu ne peux pas dormir dans mon lit, il est trop petit pour toi. Maman a dit que tu peux avoir ta propre chambre dans ma maison. Mais on pourra jouer dans la mienne.

— D'accord, nous ferons comme ça, fit Maggan, heureuse d'avoir réussi à le distraire. Tu sais quoi, mon cœur ? Passe-moi maman pour que je décide avec elle quand je te rendrai visite.

— Attends.

Elle entendit Alex poser le combiné.

— Maman, mamie va venir chez nous. Viens lui parler, vite.

Il reprit le téléphone.

— Elle arrive. Au revoir.

— Déjà fatiguée de Paris ? demanda gaiement Anneli.

— Non, mais mon petit-fils me manque et je lui manque aussi, alors je comptais passer vous voir quand mes cours seront terminés. Ça te convient ? Ça ne t'embêtera pas trop de m'accueillir ?

— Non, maman, au contraire, je serai contente de t'avoir. Dis-moi simplement quand tu arrives.

— Il me reste environ trois semaines de cours et après, je saute dans un avion. Oh, je me réjouis d'avance.

Ravie d'avoir fait des projets avec Alex, Maggan décida de ressortir. Elle s'éloignait peu de l'appartement, mais cela suffisait amplement. Il y avait tant de boutiques et de cafés à découvrir autour de son nid, rue Vivienne, qu'elle n'avait pas besoin de se déplacer autrement qu'à pied. Ou avec sa béquille.

Pour se rendre à l'école, elle prenait un taxi, tout comme la deuxième Suédoise du groupe, qui avait le même âge qu'elle. Jusqu'ici, elles n'avaient échangé que quelques mots. Le rythme était soutenu et les étudiants n'avaient que les brèves pauses pour faire connaissance. Après trois jours de leçons, Maggan était pourtant satisfaite. Les autres participants semblaient avoir des bases équivalentes, c'est-à-dire presque aucune. Par moments, elle se sentait très en avance.

Plongée dans ses pensées, elle avait atteint le but de sa promenade, une petite boutique qui vendait les meilleurs fromages que Maggan ait jamais goûtés. La balance de la salle de bains lui avait appris qu'elle avait perdu dix kilos, mais elle n'avait pas renoncé au fromage. En revanche, elle n'avait pas touché à un seul croissant. Elle accompagnait le fromage de vin plutôt que de pain. Elle en avait trouvé une vingtaine de bouteilles dans l'appartement et il était devenu tout naturel d'en boire chaque jour. Elle s'en passait toutefois quand elle mangeait une salade après les cours. Elle avait lu qu'un verre par jour était bon pour la santé, mais était certaine qu'une consommation plus élevée comportait un risque.

— Bonjour, madame, qu'est-ce que ça sera aujourd'hui ? demanda le caissier, aimable.

Tout à fait disposé à garder cette nouvelle habituée, il avait appris à ne pas parler trop vite avec Maggan.

— Un morceau de celui-ci, dit-elle en tendant l'index. Et de celui-là, ajouta-t-elle avec un sourire en apercevant une variété qu'elle n'avait pas encore goûtée.

Elle ne connaissait pas leurs noms, mais cela n'avait pas d'importance quand elle pouvait les désigner.

A son retour, Alain lui ouvrit la porte en demandant si elle revenait de la fromagerie, ce à quoi elle répondit par un hochement de tête. Elle faisait de son mieux pour bavarder, car le concierge était la bienveillance même. Il ne se moquait pas de ses braves efforts de communication et elle lui en était reconnaissante.

— Merci, Alain. Je vais aller apprendre mes leçons de français. Et manger du fromage.

— Et du pain ? suggéra-t-il.

— Non, pas de pain. Seulement du fromage.

Avec un sourire chaleureux, elle se dirigea vers l'ascenseur.

Sonja semblait avoir tout prévu en organisant le séjour de son amie à Paris. Le dossier que Maggan avait trouvé sur le bureau contenait entre autres une grande carte. Elle était couverte de post-it arborant des recommandations variées pour des lieux comme des boucheries, cafés, parcs, églises, salles de concert, cinémas et restaurants. Maggan s'installa à la table de la cuisine avec un verre de vin et une tranche du nouveau fromage pour étudier plus attentivement le plan. Une des notes disait : « Restaurant. Tu dois absolument y aller. » Maggan fut surprise de ne pas l'avoir vue plus tôt. « Absolument » était inscrit en rouge.

23

Elle n'apprenait peut-être pas de termes de construction, mais Rebecka appréciait malgré tout ses cours d'espagnol, qui l'arrachaient à la planification fébrile dans laquelle elle se plongeait le reste du temps.

S'orienter entre les couleurs n'était pas facile pour une personne qui avait toujours préféré le blanc, et elle passait ses après-midi dans la boutique de décoration de l'île. Elle avait loué une petite voiture, nettement plus pratique que les taxis, et avait collecté partout des échantillons de planchers, carrelages et textiles. Elle mordilla son crayon en examinant l'étoffe entre ses mains.

Elle avait trouvé de nombreux blogs d'aménagement qui se révélèrent une mine d'or, mais plus que tout, elle avait besoin des coordonnées de l'architecte choisi par Sonja. Elle était déjà fâchée contre le personnage. Voilà deux jours qu'elle lui avait envoyé un e-mail en lui demandant un rendez-vous et il n'avait toujours pas réagi. D'accord, elle l'avait contacté un samedi, mais on était à présent lundi et il avait certainement un ordinateur à portée de main.

Elle posa de côté le tissu et le crayon, retira ses lunettes et frotta ses yeux fatigués. Elle regarda l'horloge. Déjà sept heures ? Pas étonnant qu'elle soit affamée. Elle se dirigea vers la cuisine, mais se ravisa. Il lui fallait un aïoli. Voilà qui lui changerait les idées à coup sûr.

Elle couvrit ses épaules d'un gilet bleu marine et ne réfléchit qu'au moment d'enfiler, comme d'habitude, ses chaussures plates. Elle brossa rapidement ses cheveux, saisit ses clés sur le crochet dans le couloir et passa son sac en bandoulière.

La faim lui faisait presser le pas. En temps normal, elle se serait arrêtée comme tout le monde pour admirer la cathédrale, mais elle remit cela au retour.

Rebecka était d'un tempérament paisible. Les seules occasions où il fallait se méfier d'elle étaient quand elle avait l'estomac dans les talons. Maggan lui avait suggéré une fois de garder du sucre dans son sac, mais Rebecka avait répondu par une exclamation de dédain. Ensuite, elle avait prié ses amies de ne pas lui adresser la parole avant qu'elles aient dîné. Rebecka se remémora l'anecdote tout en se dirigeant à grands pas vers la vieille ville. En cet instant, un morceau de sucre aurait été plus que bienvenu.

Elle ferma les yeux et poussa un profond soupir avant d'engloutir les derniers morceaux de pain à l'ail. Elle avait mangé sans relever le nez et l'assiette s'était vidée en cinq minutes. Elle s'essuya la bouche et se laissa aller contre le dossier de sa chaise en regardant autour d'elle. Elle accepta avec joie le café que lui proposait le serveur et commanda également un calvados. Elle n'en avait pas bu depuis sept ans. Ce n'était qu'une des nombreuses choses qu'elle avait évitées depuis le jour où Robert avait mis fin à leur vie commune, une vie qu'elle venait enfin de reprendre en main. Elle tendit le majeur sous la table en se rappelant son ex-mari et sirota son verre. La vie était tout de même merveilleuse.

Elle ne lui avait pas accordé la moindre pensée depuis son arrivée à Majorque et avait presque oublié la soirée au Sturehof quand elle aperçut une, non, deux silhouettes qu'elle reconnut en un instant. Que diable faisait-il ici ? Elle fut prise du réflexe de se cacher, mais, n'ayant pas de chapeau à rebord suffisamment large, elle fit semblant de nouer son lacet tandis que le couple passait devant elle en riant. Elle attendit quelques instants, puis se redressa prudemment et tourna la tête pour les localiser. Ils étaient déjà si loin qu'elle ne distingua que la main de la femme sur le bras de son compagnon.

Rebecka souffla. Ils étaient probablement mariés ; les compliments qu'il lui avait adressés étaient soudain embarrassants. Bon vent à toi, Colin Firth, se dit-elle en avalant le reste de son calvados.

Les élèves ne progressaient certainement pas en parlant d'autres langues que l'espagnol entre eux, mais la plupart s'en moquaient. Y compris Rebecka. Sa compatriote, Maria, était retraitée et avait emménagé sur l'île au début de l'été.

— Parfois, la Suède me manque, mais la météo locale surpasse tout ce qui fonctionne mieux chez nous, dit-elle. Et la maison est terminée maintenant, alors je n'ai aucune raison de me plaindre.

— Vous avez construit ? s'enquit Rebecka.

— Non, nous l'avons rénovée, et nous avons installé un arroseur et la climatisation. Je ne comprends pas comment les gens vivent sans air conditionné quand il fait trente-cinq degrés dehors. Mon mari a longtemps protesté en disant que c'était bien pour cela que nous étions là, pour la chaleur, expliqua Maria avec un sourire joyeux. Je lui ai répondu que s'il voulait passer tout son temps sur le terrain de golf, c'était son affaire. J'ai besoin de fraîcheur pour supporter ce climat.

— Désolée d'être si curieuse, mais je vais bientôt commencer à aménager ma maison ici, se justifia Rebecka.

— Oh, mais c'est génial. Raconte-moi tout.

— Tu as prévu quelque chose après les cours ?

— Rien de particulier.

— Tu veux boire un verre de vin chez moi ? Je meurs d'impatience de montrer les plans à quelqu'un.

Après avoir papoté quelques heures de plus, elles se rendirent à pied chez Rebecka. Celle-ci étala tout ce qu'elle avait obtenu jusqu'ici sur la table de la salle à manger tandis que Maria admirait le logis.

— La cuisine est tout simplement fantastique. Tu l'as aménagée toi-même ? lança Maria.

— Non, elle était déjà comme ça quand j'ai loué l'appartement.

Rebecka estimait ce petit mensonge nécessaire. Maria savait qu'elle avait hérité d'une maison, cela suffisait.

Elle rejoignit sa nouvelle amie dans la cuisine et prit deux verres à vin.

— Rouge ou blanc ?

Après avoir porté un toast à leurs cours d'espagnol, Rebecka montra tout ce qu'elle avait rassemblé et Maria ne prononça pas un mot avant qu'elle ait achevé son récit.

— Tu dis qu'il s'appelle Adam Ericsson ?

— Oui, mais je l'ai rebaptisé Satan Ericsson, car il ne s'est toujours pas manifesté.

— Je le connais. Il est incroyablement doué. Il travaille en ce moment pour l'une de nos amies, Sylvia. Son mari est en fauteuil roulant depuis des années. Un jeune type. Il s'est brisé les cervicales, je crois. Une histoire épouvantable. Quoi qu'il en soit, il leur fallait une maison adaptée aux handicapés, et c'est là qu'Adam est entré en scène.

Rebecka se sentit soudain honteuse. Elle se plaignait parce que l'architecte tardait à la contacter alors qu'un homme avait besoin d'une rampe d'accès pour fauteuil roulant.

— Dans ce cas, il doit être débordé. Il devra séjourner dans l'île un moment pour m'aider, alors je suppose que je n'ai plus qu'à attendre mon tour.

— Mais il est ici. Sylvia et Tom habitent à Majorque, répondit Maria avec un rire. Il finira bien par se manifester, tu verras.

24

Susanne possédait le meilleur hôtel de Londres, il n'y avait pas le moindre doute là-dessus. En revanche, elle n'était pas certaine d'être à la hauteur de la tâche, aussi se rendait-elle à une entrevue avec Charles, l'homme désigné pour l'assister et, avec un peu de chance, faire office d'ange gardien. Si besoin, elle était prête à l'épouser, pourvu qu'il lui apporte son aide.

Il s'avéra toutefois que cela ne serait pas nécessaire, car Charles était fiancé à Jens, un Norvégien qu'il avait rencontré dix ans plus tôt à Mykonos.

Le contrat que Charles avait signé avec Me Andréasson prévoyait qu'il assisterait Susanne dans son projet hôtelier pendant exactement un an. Il lui assura qu'elle pouvait être tranquille : il n'irait nulle part à moins qu'elle ne le congédie expressément.

— Je ne demande que quelques heures avec Jens de temps en temps pour être satisfait, ajouta-t-il avec un sourire accompagné d'un clin d'œil.

— Tu n'imagines pas à quel point tu me combles de joie, répondit Susanne.

Le soulagement la fit transpirer au point qu'elle dut retirer sa veste. Elle ne portait en dessous qu'une blouse qu'elle n'aurait jamais montrée à une nouvelle connaissance en temps normal, mais cet homme ne s'intéresserait sans doute pas un instant à son décolleté.

— Tu as vu l'hôtel ? poursuivit-elle.

— Non, pas de l'intérieur. Mais, bien sûr, je sais où il se trouve, annonça l'Anglais à l'apparence soignée en clappant de la langue, enchanté. Je te le dis, la situation est parfaite. Si l'aménagement est tel que je l'espère, tu es en possession d'une perle. Je suis très curieux de savoir ce que tu prépares.

— Ce que je prépare ? Le problème est bien là. Je ne sais pas comment imaginer quoi que ce soit. L'établissement est extraordinaire, Charles. Trente chambres, dont dix petites suites incroyablement individuelles, aucune qui ne ressemble à une autre. Un véritable foyer, un petit bar et un restaurant. J'ai déjà vu beaucoup d'hôtels en mon temps, mais je dois dire que l'architecte a fait un travail fantastique.

— Pardonne-moi si je suis trop indiscret, mais pourquoi as-tu acheté un hôtel si tu ne sais pas quoi en faire ?

— J'en ai hérité. Et tu fais partie du lot. Je n'ai malheureusement pas le droit d'en révéler plus.

Elle observa sa réaction, mais Charles ne semblait pas plus curieux que ça.

— Dans ce cas, je comprends que tu te sentes perdue. Si tu veux, je peux t'en dire plus sur mon expérience dans ce métier, pour te rassurer.

Tandis que Susanne savourait son repas, son ange gardien lui parla de sa carrière dans ce secteur des plus impitoyables. Elle posa quelques questions, mais l'écouta en silence la plus grande partie du temps. Elle ne pourrait jamais assimiler en un an tout ce qu'il savait. Charles lui affirma qu'elle n'aurait pas à le faire. En revanche, elle avait besoin de voir depuis les coulisses comment fonctionnait un établissement et Charles lui recommanda de s'exercer chez un de ses clients, au Hyatt Regency.

— Il fait partie d'une énorme chaîne hôtelière, mais je crois que tu peux apprendre beaucoup de leur professionnalisme.

Susanne prit la serviette étalée sur ses genoux et s'essuya la bouche.

— Quand est-ce que je peux commencer ?

Elle comprit qu'elle était en danger à l'instant où elle fit la connaissance de Michael Clarc.

Merde, jura-t-elle intérieurement. Merde, merde, merde.

— Bienvenue chez Hyatt, la salua-t-il en tendant une main que Susanne serra à contrecœur.

Sèche. Chaude. Ferme. Large, très large, remarqua-t-elle avant de vite dégager la sienne.

— Merci. C'est un plaisir de pouvoir travailler ici.

— Un café ? proposa-t-il.

Il prit deux tasses sans même attendre sa réponse.

— Avec du lait ? Alors comme ça, madame Svenson, vous avez acheté un hôtel ?

— Appelez-moi Susanne. J'ai bien un petit hôtel, mais je ne l'ai pas acheté. J'en ai hérité alors que je ne connais rien au métier, tandis que vous êtes manifestement le meilleur du secteur. J'ai besoin de toute l'aide que je peux recevoir.

Susanne remarqua la froideur de sa voix.

— Vous pensez que vous pourrez me former ? demanda-t-elle d'un ton plus chaleureux en accompagnant ses paroles d'un sourire.

— Oui, j'en suis certain. Combien de temps avons-nous devant nous ?

Susanne s'aperçut que ses iris n'étaient pas marron, comme elle l'avait d'abord cru, mais vert foncé. Elle ne savait pas si son regard était intense ou objectif, mais décida qu'il était simplement neutre.

— Je suis prête à passer le plus de temps possible ici. Ma formation intensive en gestion hôtelière commence dans une semaine et doit s'étendre jusqu'à Noël, mais je suis libre l'après-midi et je peux venir si vous êtes d'accord. Cet hôtel est beaucoup plus grand que le mien, mais j'ai besoin de me faire une idée du fonctionnement général, du ménage au système de réservation.

— Bien. C'est la méthode que j'aurais imaginée. Que diriez-vous de travailler avec le personnel d'étage la semaine prochaine ? Je pense que c'est un bon point de départ.

Il se tut et baissa les yeux vers les jambes de Susanne, qui se maudit de ne pas avoir mis un pantalon. Elle n'aimait pas qu'on détaille ses attributs avec tant d'insistance.

— Vous feriez bien d'enfiler des chaussures plus confortables.

Son regard s'attarda un instant sur les pieds de Susanne.

— Je suis certain que Mme Smith pourra vous recommander des sabots mieux adaptés.

Susanne fut si stupéfaite qu'elle faillit éclater de rire. Son manque total d'intérêt pour ses longues jambes était exactement ce qu'il fallait à Susanne pour comprendre que l'attirance n'était pas réciproque, et que les pulsations qu'elle ressentait n'étaient rien d'autre qu'un signe de sa vie sexuelle vide.

— Madame Smith, voici Mlle Svenson, qui va vous accompagner une semaine. Vous savez où me trouver si vous avez besoin de moi.

Michael s'inclina brièvement et quitta le bureau de la gouvernante générale.

— Tu peux m'appeler Sandra. Je te souhaite la bienvenue. On m'avait prévenue qu'on me confierait une stagiaire.

Son sourire était sincère et Susanne se détendit pour la première fois depuis son arrivée, une heure plus tôt.

— Veux-tu une bonne tasse de thé avant que je te montre en quoi consiste mon travail ?

Trois heures plus tard, Susanne avait fait la connaissance d'une vingtaine d'employés. Le service de Sandra était l'un des plus larges, et tout en aidant avec jovialité son équipe, elle réussit à donner à Susanne une vue d'ensemble de sa mission. Son champ de compétence couvrait, en dehors du ménage, la préparation du petit déjeuner, la décoration des pièces communes, l'élaboration du planning, le recrutement du personnel, les achats et la gestion du budget. De plus, elle faisait partie de la direction.

— Waouh, comment tu arrives à faire tout ça ? demanda Susanne.

— J'ai cinq gouvernantes qui me dressent des rapports et participent aussi à la bonne marche quotidienne. Mon activité se concentre sur le travail de bureau. Ce qui est d'ailleurs bien dommage, car j'adore rencontrer les clients et, crois-le ou pas, nettoyer les chambres, expliqua-t-elle avec un sourire. Ça ne fait pas de mal d'avoir gravi les échelons. J'ai commencé comme femme de ménage à dix-huit ans, en même temps que Michael.

— Qu'est-ce qu'il faisait au début ?

— La plonge. Tu te rends compte ? En tout cas, il a travaillé à la restauration avant de passer à la réception puis au personnel. Il n'y a pas un centimètre de cet hôtel qu'il ne connaisse pas.

— C'est fréquent de gravir les échelons ? Je croyais que maintenant tout le monde suivait une formation bien précise pour chaque métier.

— C'est de plus en plus courant, mais le recrutement interne pour l'administration a toujours du poids, du moins chez nous. Bien sûr, c'est un avantage pour de nombreuses autres raisons. Aimer cet hôtel n'en est qu'une parmi d'autres. Nous sommes si vieux jeu que nous nous voyons même en dehors du travail.

Susanne comprit au sourire de Sandra que la gouvernante générale et le directeur entretenaient une relation particulière, et le dernier soupçon d'attirance qu'elle ressentait envers Michael se dissipa immédiatement.

— Le patron dit que je ne pourrai pas travailler convenablement avec ces chaussures, mais je pensais en acheter d'autres aujourd'hui. Quand est-ce que je commence les ménages ?

25

Susanne et Rebecka atterrirent à Orly avec une heure d'écart. Les retrouvailles du trio dans le hall déclenchèrent plus de cris qu'un concert de rock.

— Je n'arrive pas à croire que vous êtes vraiment là. Et je n'arrive pas non plus à croire que j'ai loué une limousine qui nous attend à la sortie, dit Maggan d'une voix rendue aiguë par l'enthousiasme.

Elles burent leur première coupe de champagne dans la voiture. Les amies, qui ne s'étaient pas vues depuis plusieurs semaines, riaient et pleuraient à la fois. Elles furent chez Maggan, à vingt kilomètres de l'aéroport, avant de pouvoir parler de nouveau normalement.

— Maggan, ton appartement est tout simplement fantastique, s'extasia Susanne qui avait abandonné son bagage dans le couloir pour regarder autour d'elle.

— Oui, je suis bien d'accord, approuva Maggan. J'ignore qui Sonja a engagé pour l'aménager, mais ça me correspond complètement.

— C'est exactement pareil avec ma maison, on dirait qu'elle a été faite pour moi. Sonja devait organiser ça depuis plusieurs années. Elle ne possédait tout de même pas un hôtel, cet appartement et une propriété à Palma depuis le début, si ?

— Qui sait ? Nous n'étions pas au courant que l'immeuble où elle vivait lui appartenait. Rebecka, où es-tu passée ?

Maggan était allée prendre l'une des cinq bouteilles de champagne qu'elle avait mises au réfrigérateur.

— Je suis en train d'examiner ta carte de Paris dans la salle de séjour.

Quand Susanne et Maggan la rejoignirent, elle désigna un des repères.

— Je veux manger là, déclara-t-elle en posant l'index sur l'emplacement du restaurant que Sonja jugeait incontournable.

— Pourquoi est-il si important ? demanda Susanne.

— Je n'en ai aucune idée, répondit Maggan. Sonja aimait la bonne chère, alors je suppose qu'elle veut me faire découvrir la gastronomie française.

Maggan était elle-même une cuisinière hors pair et Sonja s'était plus d'une fois réfugiée dans sa maison à Farsta pour déguster les délicieux plats de son amie. Elle n'avait jamais été invitée à essayer des spécialités françaises, car Maggan n'avait jamais osé s'aventurer sur ce terrain, mais les amateurs de cuisine populaire étaient à la bonne adresse.

— Et là ? Combien des petites boutiques et des magasins qu'elle recommande as-tu vus ? demanda Rebecka, qui étudiait toujours le plan.

Elle ajouta ensuite que Maggan ferait bien de renouveler sa garde-robe, maintenant qu'elle avait perdu du poids.

— Pas un seul.

Ses vêtements étaient devenus trop amples, mais elle n'avait pas l'intention de gaspiller les cinq cent mille couronnes qu'elle avait reçues. Jusqu'ici, elle se débrouillait parfaitement avec sa retraite, surtout depuis qu'elle n'avait plus de frais à payer pour sa maison, maintenant qu'Andréasson s'occupait de ses factures.

Susanne étudia le corps aminci de Maggan et tira sur la ceinture qui retenait le pantalon de son amie.

— Pour être franche, des habits à ta taille t'iraient beaucoup mieux.

— C'est tout à fait mon avis, renchérit Rebecka.

Maggan renâcla.

— Ceux-ci me suffisent parfaitement, je n'ai jamais réussi à garder mon nouveau poids quand j'en ai perdu. Nous sommes à Paris, enfin ! Vous savez tout ce qu'il y a de bon à manger dans cette ville ?

Elle leva les yeux au ciel.

— Tu es ici depuis un moment et, apparemment, tu n'as pas repris un kilo, répliqua Susanne. C'est juste une excuse pour ne pas dépenser de sous. *Sorry,* mais je ne marche pas. On peut utiliser les miens. Tout ce qui est à moi est à toi, et ça ne me pose absolument aucun problème de claquer une partie de mon argent. Moi aussi, j'ai besoin de nouveaux vêtements et j'avais l'intention de soulager mon porte-monnaie d'un grand poids demain. On est loin des Champs-Elysées ?

Elle s'approcha de la carte.

— C'est à quelques pas, constata-t-elle. Mais nous irons en taxi. Tes jambes feront assez d'exercice en explorant toutes les boutiques.

Elle sourit avec satisfaction. Prendre les commandes était une de ses forces et peu de gens la contredisaient quand l'envie l'en saisissait.

— On peut décider demain ? Tout ce que je veux pour l'instant, c'est boire du champagne et entendre ce que vous avez fait à Majorque et à Londres.

Maggan fit sauter le bouchon et leva la bouteille.

— A la vôtre. Je suis tellement contente de vous voir.

Rebecka se sentit immédiatement comme chez elle dans la chambre d'amis, sans pouvoir expliquer d'où venait cette impression de familiarité. Elle posa le couvre-lit sur le pouf. La soirée en compagnie de ses amies avait été fantastique et elle n'était qu'un peu éméchée malgré les multiples coupes qu'elle avait bues. Elle enfila son pyjama, se glissa sous la couverture en secouant les oreillers et s'empara du carnet où elle détaillait tous ses projets.

La dernière note qu'elle y avait inscrite était qu'elle rencontrerait l'architecte le lendemain de son retour de Paris. Il lui avait proposé par mail de venir chez elle, dans son appartement. Cela convenait parfaitement à Rebecka, qui y gardait toute la documentation qu'elle voulait lui montrer. Elle présumait qu'il avait déjà vu la maison puisqu'il séjournait à Majorque, peut-être s'était-il même fait un avis sur les travaux nécessaires. Mais il avait sans doute eu beaucoup de travail avec la maison du couple. Elle bâilla et posa son cahier par terre. Elle réfléchirait à l'aménagement pendant que ses amies cherchaient des vêtements. Elle s'endormit le bras passé autour d'un oreiller.

De l'autre côté du mur, Susanne était étendue les mains sur la couverture et fixait le plafond. Son cerveau refusait de se mettre en veille alors que son corps l'exigeait. Une semaine de va-et-vient chez Hyatt n'était pas aussi pénible que les allées et venues en cabine à dix mille mètres d'altitude, mais elle éprouvait un épuisement mental comme physique avec lequel elle n'était pas familiarisée. Peut-être ferait-elle mieux d'imiter Rebecka et d'écrire ce qu'elle devait retenir. Fidèle à son habitude, elle avait mémorisé toutes les informations nouvelles ; sans doute avait-elle besoin de se vider le crâne pour s'endormir.

Elle avait partagé un grand nombre de ses impressions avec Charles et ce fut lui qui répondit à la plupart de ses questions. Elle devait appliquer le mode de fonctionnement du grand hôtel qu'était le Hyatt à son propre établissement, plus petit, mais elle en serait incapable sans l'aide de son ange gardien. En vérité, elle aurait aimé se reposer sur lui et lui confier les rênes, mais ce n'était pas son genre. Au lieu de cela, elle avait tapé du pied avec mauvaise humeur et demandé si elle ne ferait pas mieux de vendre ce casse-tête. Charles avait éclaté de rire et lui avait dit d'être patiente. Les choses se mettraient en place en temps voulu. Elle ne comprenait pas comment il arrivait à rester si calme.

Elle repoussa la couverture du pied et s'assit au bord du lit. Elle s'endormirait sûrement dès qu'elle aurait mis la main sur du papier et un stylo.

26

— Essaie ça, dit Susanne en levant une toilette bleu marine barrée par une ceinture.

— Tu plaisantes ?

— Certainement pas. Fais-moi confiance, ça t'ira comme un gant. En avant toute, direction la cabine d'essayage.

Maggan obtempéra, essentiellement pour prouver à son amie qu'elle avait tort. Elle avait déjà été forcée d'acheter deux pantalons et trois chemisiers, ce qui ne s'était pas fait sans protestations, même si elle aussi trouvait qu'ils lui allaient bien. Une robe était cependant une autre affaire. Elle n'en avait pas porté depuis qu'elle était très jeune.

Tandis qu'elle se changeait, une main appartenant visiblement à Susanne poussa une paire de bottes entre les rideaux.

— Tiens. Avec tes jambes, les escarpins sont hors de question, mais ce modèle est adorable, entendit-elle son amie expliquer.

Elle les prit sans un mot. Les bottes étaient belles, mais ne correspondaient pas du tout à son style. Bien sûr, elle obéit, c'était le moyen le plus rapide de faire taire Susanne.

Pendant que Maggan essayait les trouvailles, Susanne rejoignit Rebecka, qui contemplait une table au centre de la boutique.

— Toi aussi, tu as besoin de conseils en matière de goût ?

Rebecka sourit.

— Oui, volontiers. Elle est belle, non ?

Susanne recula d'un pas pour observer ce qui n'était à ses yeux qu'une table tout à fait normale avec quatre pieds.

— Je retire mon offre. Le mobilier, ce n'est pas du tout mon rayon. Montre-moi une pièce entière et je te dirai ce que j'en pense, mais un meuble isolé…

Rebecka pouffa. Quand Susanne avait emménagé dans son appartement à Stockholm, elle avait demandé l'aide de son amie exactement pour cette raison. Elle savait quelle atmosphère elle désirait, mais était incapable de sélectionner les différents éléments pour la créer.

— Je suis en train de réfléchir à la salle à manger que je veux aménager, expliqua Rebecka. Cette table noire serait parfaite si je trouvais des chaises pour aller avec.

— Ohé, appela Maggan dans leur dos. Vous venez voir ou pas ?

Les deux amies se retournèrent.

— Je le savais ! s'exclama Susanne en tapant des mains.

— Mon Dieu, que tu es jolie ! dit Rebecka, sincère.

— Arrêtez, vous êtes sérieuses ?

— Très sérieuses. Regarde dans le miroir.

— C'est déjà fait, mais je ne me reconnais pas. Je n'arrive pas à décider si c'est beau ou pas.

— Tu es très belle, Maggan. On croirait que la robe a été faite pour toi.

Susanne approuva de la tête.

— Je te l'avais bien dit. On la prend. Et les bottes aussi. Ce qu'il te faut maintenant, c'est un manteau. Attends un peu.

Elle fit rapidement le tour de la boutique et, en experte, dénicha vite ce qu'elle cherchait.

— Voilà. Un trench-coat et un manteau en laine. Tiens.

A la caisse, Susanne fit la sourde oreille aux protestations de Maggan lorsqu'elle présenta sa carte bancaire et, comme pour montrer qui commandait, elle s'empara de deux paires de gants en cuir qui viendraient compléter la tenue.

— Eh bien, on dirait que nous avons fini, déclara-t-elle d'un ton satisfait en balançant trois nouveaux sacs à bout de bras.

— J'espère que leur cuisine est bonne, parce que je meurs de faim, annonça Rebecka quand elles prirent place dans le taxi qu'Alain avait appelé pour elles.

Elles lui avaient demandé s'il connaissait le restaurant recommandé par Sonja, mais il avait secoué la tête. Sa femme était un tel cordon-bleu qu'il mangeait rarement en ville.

— Je crois que c'est parce qu'il travaille, déclara Maggan, qui avait l'impression qu'Alain était toujours à son poste quand elle sortait.

— Tu as vraiment progressé en français, lança Susanne, admirative, tandis que le taxi les emmenait à l'adresse donnée par son amie.

— C'est gentil de dire ça, je suis nulle.

Maggan avait l'habitude bien enracinée de se rabaisser et remarqua elle-même à quel point sa réponse était bête.

— Mais merci. Je bûche, je bûche, et je bûche encore, mentit-elle.

— Tant mieux, parce que nous aurons besoin de tes compétences quand je vais commander la carte complète, annonça Rebecka, dont l'estomac se manifesta bruyamment.

Le trajet ne dura pas plus de quinze minutes, et après avoir payé le chauffeur, elles ouvrirent les portières dans un bel ensemble.

Le restaurant s'appelait Chez Sonja.

Elles échangèrent un coup d'œil puis éclatèrent de rire. Elles ne reprirent leur souffle qu'une fois dans l'entrée, où elles découvrirent, au-dessus du pupitre, un portrait de leur amie Sonja posant à côté du président Mitterrand.

— Au nom du… Mais qu'est-ce que ça veut dire ?

Susanne regarda tout autour d'elle en quête d'un employé, et quand le maître d'hôtel s'approcha, elle se précipita vers lui en désignant la photographie.

— Qui est-ce ? demanda-t-elle en anglais.

— C'était l'une de nos propriétaires en compagnie de notre ancien président, répondit l'homme dans un anglais irréprochable.

— Une de vos propriétaires ?

Rebecka n'était pas certaine d'avoir bien entendu.

— Oui, du moins, jusqu'à récemment. Madame nous a malheureusement quittés. Vous avez une réservation ? s'enquit-il en prenant son registre.

— Non, nous n'en avons pas. Excusez-nous pour toutes ces questions, mais cette femme était notre meilleure amie. Pourtant, nous n'avions aucune idée qu'elle possédait un restaurant à Paris, expliqua Rebecka.

— Oh ! Dans ce cas, je vous souhaite d'autant plus la bienvenue. Malheureusement, l'autre propriétaire n'est pas encore là. Si vous voulez, je peux l'appeler et lui dire que vous êtes ici. Il n'habite pas très loin.

— Merci, mais ce n'est pas nécessaire. N'est-ce pas ? répondit Rebecka en se tournant vers ses amies.

Maggan était livide et n'avait pas prononcé un seul mot depuis leur arrivée. Elle secoua la tête tandis que le maître d'hôtel les conduisait à une table.

— Je comprends maintenant, lâcha-t-elle quand elles furent assises.

— Quoi donc ? demanda Susanne.

— Il y a dans cette ville une chose secrète dont je dois prendre la succession maintenant que Sonja n'est plus là.

— Je ne saisis toujours pas.

— C'était écrit dans la lettre que j'ai reçue à l'aéroport. C'est certainement le secret qu'elle évoquait. La moitié d'un restaurant.

Maggan était au bord des larmes. Qu'allait-elle faire ? Elle n'était pas capable de gérer un local, surtout depuis Farsta.

— Hmm, tu as peut-être raison, fit Rebecka.

— De nous trois, tu es celle qui a reçu le moins de consignes, alors c'est probablement ton tour, suggéra Susanne.

— Le moins de consignes ? Je suis censée écrire un livre, tu l'as oublié ? Mais tout à coup, ce n'est qu'une bagatelle.

— Je me demande qui est l'autre propriétaire ? Sonja devait bien le connaître si elle a investi dans cette affaire avec lui.

Susanne n'était pas étonnée. Les surprises pleuvaient depuis la mort de Sonja, et si la défunte possédait un hôtel à Londres, elle pouvait parfaitement avoir un restaurant à Paris. Mais si l'établissement outre-Manche lui appartenait, elle se contentait de partager celui-ci.

— Nous devrions peut-être demander tout de même au serveur de l'appeler ?

— Non, nous ignorons si c'est bien ce que Sonja avait en tête. Maggan ferait mieux de contacter Andréasson avant de se présenter comme la propriétaire, argua Rebecka, toujours avisée.

— Merci, Rebecka. Tu as entièrement raison, avec un peu de chance, ce n'est pas ça du tout.

Maggan était soulagée. Ça ne servait à rien de spéculer à ce stade.

— Cependant, si elle ne t'a pas désignée comme copropriétaire, alors la moitié du restaurant nous revient évidemment à toutes les trois, poursuivit Rebecka en piochant dans la corbeille de pain qu'on venait de leur apporter.

Depuis sa place hors de vue, un homme observait les trois amies, mais la plupart du temps, son regard était braqué sur Maggan. Il fit signe au maître d'hôtel de ne pas révéler sa présence.

27

Lorsque l'interphone se manifesta, Rebecka était fin prête pour son entrevue avec l'architecte. Elle avait même tourné une nouvelle page de son carnet de notes.

— Entrez, dit-elle en appuyant sur la commande.

Il fut aussi abasourdi qu'elle, et ils se dévisagèrent un instant sans prononcer un mot. Colin Firth ouvrit la bouche le premier.

— Rebecka ?

— Que faites-vous ici ? lança-t-elle, stupéfaite.

— Vous et moi avons rendez-vous, répondit-il en souriant de toutes ses dents.

— Je ne voudrais pas être grossière, mais j'attends mon architecte et je n'ai certainement pas rendez-vous avec vous.

Elle avait toujours la main sur la poignée de la porte et se demanda si elle devait renvoyer Colin auprès de sa blonde.

— Pardon, j'aurais dû me présenter. Je m'appelle Adam Ericsson et c'est bien moi que vous attendez.

Rebecka, qui possédait un excellent contrôle de soi en temps normal, dut prendre une grande inspiration pour ne pas pousser un cri aigu. Après de nombreuses années en entreprise, elle savait faire face aux surprises et, pour ne rien laisser paraître, elle lui souhaita la bienvenue en arborant son sourire professionnel.

— Eh bien, en voilà un drôle de hasard, fit-elle. Puis-je vous proposer une tasse de café ?

Elle avait besoin de s'isoler un instant pour se calmer.

— Merci, avec plaisir.

Il ne la lâcha pas une seconde des yeux. Son regard avait quelque chose d'hypnotique. Rebecka enfonça ses ongles dans la paume de sa main pour se ressaisir.

Son cœur battait si fort qu'elle dut se retenir au plan de travail. Elle ne pourrait pas collaborer avec cet homme. Les œillades qu'ils avaient échangées au Sturehof à peine quelques mois plus tôt avaient été si intimes qu'elle ne supporterait pas de s'asseoir près de lui, et encore moins de faire équipe avec lui pour la durée de son projet. D'un autre côté, peut-être était-ce sa façon de regarder les femmes. Il avait dit qu'elle était jolie, mais en réalité, ça ne signifiait rien.

Elle prit des tasses dans le placard et remplit un pot de lait en attendant que le café soit prêt. Il pourrait certainement lui recommander un collègue moins séduisant. Il comprendrait qu'il ne pouvait pas travailler avec son flirt, si innocent fût-il.

Absorbée par ses pensées, elle n'avait pas remarqué qu'il était entré dans la cuisine.

— Je peux vous aider ?

Elle sursauta et rattrapa de justesse le pot de lait.

— Non, merci, ça ira.

Elle chargea un plateau, qu'elle emporta dans la salle de séjour, où elle s'assit dans un fauteuil tandis qu'Adam s'installait sur le canapé en face d'elle.

— Tu veux qu'on en parle ?

— De quoi ?

— De ces retrouvailles. Des trois fois où j'ai essayé de te faire du charme et de notre collaboration future ?

— Je n'avais pas remarqué que tu me faisais du charme, mentit Rebecka.

— C'était pourtant le cas, je te l'assure.

Son sourire s'était effacé et il plongeait le regard dans le sien.

Arrête, Rebecka, arrête, s'ordonna-t-elle en silence. Quand son corps lui obéit enfin, elle baissa les yeux vers sa tasse de café.

— Tu te doutes certainement que les tentatives de séduction vont poser problème si nous devons travailler ensemble, alors nous devrions déclarer cette phase de notre relation close.

Elle lui adressa un regard encourageant pour le convaincre du bien-fondé de sa suggestion.

— Tu es en train de me dire que si je suis conquis je dois l'être de loin ? demanda-t-il en lui rendant son sourire.

— Exactement, répondit Rebecka.

— Tu aimes l'appartement ?

Il préférait visiblement changer de sujet.

— Je le trouve très beau. Et que penses-tu du peu que tu as vu ?

— Je l'ai vu en entier. C'est moi qui l'ai aménagé. Je suis particulièrement satisfait de la chambre à coucher au fond à droite.

Il éclata de rire lorsque Rebecka rougit.

— Pardon, je n'ai pas pu m'en empêcher.

— Arrête ça et raconte-moi plutôt comment tu as obtenu ce job.

Rebecka écouta avec fascination Adam expliquer qu'il avait reçu cette mission par le biais du cabinet d'Andréasson et elle comprit avec étonnement qu'il n'avait pas seulement meublé son appartement, mais aussi ceux de Susanne et Maggan. Il avait passé les trois dernières années à les décorer en se fondant sur les brèves descriptions des futures occupantes fournies par Andréasson.

— Qu'a-t-il dit sur la personne qui vivrait ici ?

La curiosité de Rebecka était piquée au vif et elle avait du mal à rester en place.

— Femme très belle, début de la cinquantaine, a besoin de défis et… d'agréable compagnie masculine, ajouta-t-il avec une lueur dans le regard.

— On se calme.

— Bon, d'accord. Tu étais P-DG d'une grande entreprise et il te faudrait un appartement où décompresser et où tu te sentirais parfaitement à l'aise. Quelques pièces supplémentaires pour les invités et un bureau. Une salle de bains avec une large baignoire. Pas de meubles ni de murs blancs. Ah oui, et il a précisé que tu devais te réveiller d'une espèce de léthargie, sans expliquer de quoi il parlait.

— C'est Sonja tout craché, marmonna Rebecka.

— Sonja ?

— L'amie qui m'a légué tout ça. L'appartement et la maison.

— Et les adresses à Londres et Paris, alors ? Les occupantes sont tes sœurs ?

— Presque. Je ne peux pas t'en dire beaucoup, mis à part le fait que nous avons toutes les trois hérité des résidences que tu connais bien.

— De Sonja ?

— Oui, de Sonja. Une amie dont nous étions incroyablement proches.

— Je peux te raconter un secret ?

— Non, pas vraiment, mais je suppose que ce n'est pas ça qui va t'arrêter.

— J'aimais énormément la femme pour laquelle j'ai aménagé cet appartement.

28

Susanne regrettait amèrement de ne pas avoir été plus attentive pendant les cours de mathématiques à l'école, mais déjà à l'époque elle aspirait à voyager. Elle n'avait jamais voulu fournir d'efforts pour apprendre autre chose que les taux de change. Certes, elle avait rêvé très tôt de diriger un hôtel, mais elle se voyait plutôt en train d'accueillir les clients et d'imaginer des façons de rendre leur séjour agréable. Elle était sortie du lycée avec des notes particulièrement médiocres, qui témoignaient bien plus de son manque d'intérêt pour les études que de son intelligence.

Trente ans plus tard, elle était de retour sur les bancs de l'école avec plus d'ambition, mais aussi, lui semblait-il, moins d'intelligence à sa disposition. Budget. Rapports. Bénéfices. Capital. Clé de performance. Amortissement. Elle traduisait dans sa tête au fur et à mesure que le professeur parlait, mais les termes suédois la renseignaient à peu près autant que leurs équivalents anglais. Susanne n'avait pas l'habitude de se sentir stupide. Elle savait que si elle ne trouvait pas rapidement l'occasion de mettre en pratique d'une manière ou d'une autre ce qu'elle s'évertuait à apprendre, ces leçons resteraient vaines.

— Charles, tu penses qu'on me permettrait de suivre quelques jours un employé du service financier du Hyatt pour voir comment ça fonctionne en vrai ?

— Oui, ça ne devrait pas poser le moindre problème. Tu as fait une bonne impression sur Michael pendant ta semaine avec le personnel d'étage.

— Je n'en crois pas un mot. Je lui ai parlé dix minutes et je n'ai pas vu le moindre signe de lui depuis.

Elle sourit en portant une tomate cerise à sa bouche.

— Dans ce cas, tu as impressionné quelqu'un d'autre parce que, d'après lui, tu es excellente.

Charles, qui buvait généralement du vin, avait cette fois commandé une bière, et il vida la moitié du verre avant de lui demander comment elle trouvait Michael.

— Exquis.

Charles et Susanne passaient tellement de temps ensemble que leurs conversations s'étaient faites plus personnelles, et il approuva vivement sa description du directeur à la stature imposante.

— Oups ! Il n'est pas trop mon type, un peu trop grand et viril. Mais je peux comprendre que les femmes tombent comme des mouches. Il ne manque pas de testostérone.

— Tu plaisantes ? Il déborde de phéromones. Enfin, ça ne veut pas dire que je vais me battre pour lui, je n'en ai ni le temps ni l'envie. Ma nouvelle vie de célibataire me plaît.

Susanne pensait vraiment ces mots. Moins elle avait d'aventures, moins elle en avait besoin. Elle avait laissé sa sexualité à Stockholm. A Londres, elle était débarrassée des hommes, et même si elle éveillait autant d'intérêt qu'avant, elle s'en moquait. Elle était ici pour ouvrir un hôtel, elle verrait ensuite si elle avait encore une libido ou si elle devrait finir ses jours sans orgasmes.

— Si tu le dis.

Bien entendu, Charles avait constaté l'effet que Susanne produisait sur le sexe opposé et le comprenait. Sa cliente était une femme rudement séduisante qui avait certainement fréquenté plus d'un homme.

Il s'étonnait qu'elle ne soit pas mariée, mais quand il lui avait posé la question, elle avait répondu que c'était normal, puisqu'elle n'en avait jamais ressenti l'envie. Pas plus que le désir d'avoir des enfants. Les hommes avec qui elle était sortie auraient été tout sauf de bons pères.

— Alors ? Qu'est-ce que tu en penses, tu l'appelles ou tu veux que je m'en charge ?

— Je crois que tu peux le faire toi-même. Comme je te l'ai dit, il ne tarit pas d'éloges sur toi.

— Ou plutôt sa gouvernante, le corrigea Susanne.

Elle aimait travailler dur et, après le service du petit déjeuner, acceptait sans rechigner de faire le ménage, dans les chambres ou même les toilettes du foyer. Quand on avait nettoyé des centaines de fois des vomissures dans un avion, certaines choses, que d'autres auraient trouvées répugnantes, n'étaient qu'une bagatelle. La gouvernante lui avait sur-le-champ proposé une place en riant et Susanne, qui appréciait sa patronne temporaire, avait demandé si elle pourrait revenir au cas où son projet hôtelier n'aboutissait pas.

Le risque d'échouer deviendrait réalité si elle ne saisissait pas les ficelles de l'administration. Evidemment, elle emploierait quelqu'un pour s'occuper des finances, mais cela ne signifiait pas qu'elle pouvait se décharger entièrement de ses responsabilités si elle voulait garder l'hôtel. Parfois, elle envisageait d'abandonner. Cela aurait été contraire à sa nature, mais cette pensée avait quelque chose de réconfortant. Elle pouvait revendre ce casse-tête et rentrer à Söder. Elle était certaine qu'elle serait escortée par Maggan, qui s'était vu confirmer par Andréasson que le restaurant de Sonja était maintenant à elle.

Son amie avait pleuré au téléphone.

« Je n'ai pas la moindre idée de la façon de gérer un tel établissement. Comment Sonja a-t-elle pu être aussi cruelle ? A Paris, en plus ? J'ai une fille et des petits-enfants en Suède. »

Susanne n'avait pas de famille pour qui s'en faire, car son frère se débrouillait très bien sans qu'elle lui colle aux basques, mais elle comprenait la frustration de Maggan. Commencer une nouvelle vie à cinquante ans n'était pas si simple.

Maggan et Susanne pensaient toutes les deux que Sonja avait été folle à lier et se promirent mutuellement que si l'une d'elles voulait déclarer forfait, l'autre l'accepterait. Elles avaient complètement oublié que leur troisième camarade avait dirigé une énorme entreprise agroalimentaire ; quand cela lui revint, Susanne téléphona immédiatement à Majorque.

— Catastrophe ! Maggan a un restaurant sur les bras et requiert ton aide.

Susanne donna la priorité à son amie, qui n'avait pas le soutien qu'elle avait reçu et avait surtout besoin de la sérénité de Rebecka.

— Aïe, je l'appelle dès que nous raccrochons, mais d'abord, je veux entendre les dernières nouvelles de Londres.

29

Après une nouvelle journée de cours de gestion incompréhensibles, Susanne appela le Hyatt et demanda à parler à Michael.

— Oui, bien sûr que je peux t'aider. Tu es libre en ce moment ? On peut se voir tout de suite ? Je m'envole pour New York demain et j'y reste quelques jours.

Une heure plus tard, Susanne franchit les portes de l'hôtel et retira sa cape tout en se dirigeant vers l'ascenseur. Elle avait troqué ses éternelles jupes droites contre un tailleur noir. Plusieurs participants du cours avaient manifesté un peu trop d'intérêt pour ses jambes et cela avait tant duré que c'en était devenu gênant. Dans d'autres circonstances, les regards la dérangeaient rarement, elle y était habituée et n'y prêtait plus attention. Elle n'était ni flattée ni contrariée, cela renforçait seulement son opinion que les hommes étaient des créatures simples. Beaucoup trop simples.

Ses talons hauts claquaient sur le sol de marbre. La météo londonienne était clémente et les fréquentes pluies d'automne pas plus incommodantes qu'à Stockholm. Pour l'instant, ses chaussures lui suffisaient amplement et Susanne ne pourrait jamais se résoudre à enfiler les bottes en caoutchouc que tant de gens arboraient à présent. Elle trouvait ses escarpins aussi confortables que des pantoufles.

— Entre. Tu veux une tasse de thé ?

Elle accepta, et le grand brun désigna les fauteuils en souriant.

— Assieds-toi, je t'en prie.

Il décrocha le téléphone sur son bureau pour demander du thé et des scones.

— J'espère que tu en mangeras ?

Susanne se mit à rire.

— Oui. Quelle raison aurais-je de ne pas en manger ?

— Bah, on ne sait jamais avec les femmes. Parfois, vous avez une conception assez mystérieuse des petits plaisirs de la vie.

— Je te garantis que ce n'est pas mon cas, lui assura Susanne.

Michael lui lança un regard indéchiffrable, mais ne fit pas de commentaire.

— Alors, raconte-moi tout. Comment tu t'en sors ? demanda-t-il pour changer de sujet.

— Pas mal, merci. Tout ira mieux dès que j'aurai réussi à comprendre. En ce moment, je suis un cours qui me fatigue la tête plus que le corps, ce qui est incroyablement frustrant.

— Merci, Julie, dit Michael à son assistante qui apportait le thé sur un plateau.

Susanne salua chaleureusement cette dernière.

— Je crois que nous nous sommes croisées l'autre jour, quand j'ai commencé, se souvint-elle.

Julie fit signe que oui.

— Susanne, c'est ça ?

La secrétaire lui tendit la main en souriant.

— Ravie de te revoir, moi c'est Julie.

Elle ressortit, et Michael observa Susanne.

— Voilà ce que j'apprécie chez toi.

— Quoi donc ?

— Tu es attentive aux autres et réellement sympathique. Tu as marqué des points auprès de ma gouvernante quand tu as accompagné son équipe et tu as marqué des points chez moi.

Il mordit dans un scone tout en approchant sa tasse de ses lèvres.

— Merci. J'aime les gens.

Susanne était loin d'apprécier le thé, mais avait décidé d'accorder encore une chance à la boisson nationale. Le lait et le sucre amélioraient un peu le goût, et elle remua vigoureusement la cuillère en regardant si le morceau s'était dissous. En vérité, elle était embarrassée. Recevoir des compliments sur son apparence était une chose, mais entendre que sa gentillesse avait « marqué des points » était une tout autre affaire.

— Ça se voit.

— Tant mieux.

— Nous en étions à ta tête fatiguée.

Il s'appuya au dossier de son fauteuil avec un sourire malicieux.

— Dis-moi comment je peux te libérer de tes tourments.

Si tu savais, songea Susanne en observant les mains serrées autour de la tasse et l'index qui caressait le rebord de céramique ; elle avait une idée précise de ce qui pourrait la distraire.

— J'ai besoin d'un lien entre théorie et pratique. Pour l'instant, je ne fais qu'absorber des données économiques sans les comprendre.

— Les ressources et les dépenses ?

— A peu près, mais en une centaine de termes, soupira Susanne.

— Mais ce n'est pas plus compliqué que ça : les ressources et les dépenses. Il suffit de les avoir sous contrôle pour être en sécurité. Il faut ensuite savoir qu'elles sont réparties sur tout un tas de comptes bancaires différents, mais ce n'est pas le plus important. Ce sont les chiffres de la dernière ligne qui nous apprennent si les choses se passent bien ou mal.

Il posa sa tasse et alla s'asseoir à son ordinateur.

— Approche, je vais te montrer à quoi ça ressemble.

Elle se posta derrière lui pour voir l'écran, mais constata qu'elle n'arrivait pas à lire le moindre mot sans ses lunettes. Elle retourna les chercher en s'excusant.

— Ah, c'est l'âge, fit-il en souriant.

— Estime-toi heureux de ne pas en avoir besoin, répondit-elle gaiement.

Lorsqu'elle se pencha par-dessus son épaule, elle remarqua un léger parfum d'après-rasage et préféra ne plus respirer par le nez. Elle devait se concentrer sur l'objet de sa visite.

— Je vais plutôt imprimer le tableau. Je ne peux malheureusement pas te laisser l'emporter, mais nous allons examiner ensemble les différents postes. Avec un peu de chance, je suis suffisamment bon professeur et tout ça sera un peu plus clair avant que je ne te renvoie au service financier.

Il cliqua sur « Imprimer » et, une minute plus tard, il avait le document en main.

Ils retournèrent sur le canapé et, grâce à Michael, Susanne commença enfin à appréhender la terminologie qu'elle avait assimilée jusqu'ici. Après quelques heures côte à côte, Susanne s'étira.

— Tu es un génie, déclara-t-elle. Tu as réussi à me faire comprendre en deux heures ce que les professeurs n'ont pas pu m'expliquer en trois semaines.

Ses yeux brillaient de joie et si elle avait remarqué la réaction de Michael à cette vue, elle ne se serait sans doute pas jetée à son cou pour lui faire une bise sur la joue.

— Oups, pardon.

Dans son élan de spontanéité, Susanne ne se rendit compte de ce qu'elle venait de faire qu'en sentant la peau légèrement barbue sous ses lèvres.

— Tu embrasses souvent des étrangers ?

— Oui, s'ils sont intelligents, répliqua-t-elle avec un sourire embarrassé.

— Je te serais très reconnaissant de ne pas embrasser mon directeur financier. Il est incroyablement intelligent, mais je ne suis pas certain que son cœur résisterait au choc.

Il se leva et enleva sa veste.

— Regarde ce que tu as fait, je suis en nage maintenant.

30

Les promesses d'Andréasson qu'elle n'aurait qu'un rôle passif à jouer dans le partenariat ne rassurèrent pas Maggan le moins du monde. Elle ignorait comment elle survivrait à la visite chez sa fille à Östersund sans raconter tout ce qui était arrivé à Paris.

Elle n'avait toujours pas rencontré l'autre propriétaire, un dénommé Perrot, mais espérait qu'il serait au restaurant ce soir-là. D'après Andréasson, il avait été averti que la part de Sonja reviendrait à l'une de ses héritières et, en attendant, il avait carte blanche pour diriger seul l'établissement.

Le notaire ne savait pas grand-chose du personnage, mis à part que c'était « un type bien », ce qui signifiait sans doute qu'il menait habilement ses affaires. Andréasson ignorait comment il connaissait Sonja, mais avait le sentiment qu'ils étaient amis de longue date. Ils avaient acheté le local ensemble en 1985, cependant Sonja n'avait jamais participé à la gestion. Andréasson l'informa toutefois que Sonja allait voir Perrot et le restaurant à chaque fois qu'elle se rendait à Paris, ce qui arrivait bien plus souvent que le trio ne le soupçonnait. Maggan avait demandé si Sonja et ce M. Perrot avaient eu une liaison, mais le notaire s'était contenté de glousser et de répondre qu'on ne lui communiquait jamais ce genre de détails.

Maggan avait proposé à sa nouvelle amie suédoise de dîner Chez Sonja. Elle avait besoin de soutien pour rencontrer son futur partenaire et, sans divulguer trop d'informations, elle avait expliqué à Anna qu'elle avait hérité la moitié d'un restaurant et l'avait appris de façon complètement inattendue.

— Mais c'est fantastique. Je connais très bien Chez Sonja, j'y suis allée plusieurs fois avec mon mari. M. Perrot, dis-tu ? demanda Anna en réfléchissant. Je ne peux malheureusement rien te raconter d'utile.

Son visage s'illumina.

— Rappelle-moi son prénom.

— Je ne l'ai pas mentionné, parce que j'ai complètement oublié de me renseigner, avoua Maggan.

— J'ai souvent entendu réclamer un Juan quand nous y étions. Je pensais que c'était peut-être lui.

— Juan.

— Oui, nous nous sommes souvenus de ce nom parce qu'il ne nous semblait pas français, si ?

— Je ne sais absolument pas d'où ça vient, mais c'est vrai que ça ne paraît pas très local.

Son visage s'épanouit.

— Je t'ai raconté que je rentre voir ma fille et sa famille demain ?

— Oui, trois fois, répondit son amie en souriant à son tour.

— Alex m'a téléphoné hier soir pour me dire de nouveau qu'il adore son cadeau.

Anna s'esclaffa.

— Et qu'est-ce que c'était ?

— Une voiture de Formule 1 si grande qu'elle remplit un sac à elle toute seule. Et j'ai acheté une mignonne robe de maternité française pour ma fille. Quand mes amies sont venues l'autre jour, nous sommes allées nous promener en ville, et j'en ai profité pour faire quelques emplettes pour ma famille et moi.

Elles étaient convenues de se retrouver devant Chez Sonja à huit heures, mais à cinq heures et demie, Anna appela pour annoncer qu'elle avait mal au ventre et se voyait forcée d'annuler leur sortie. Maggan n'en fut pas très attristée. M. Perrot se débrouillerait sans elle une semaine ou deux de plus, et Maggan était convaincue qu'il s'en réjouirait.

— Excusez-moi, dit Maggan à l'homme qui était déjà installé. J'ai la place à côté de vous.

Il se leva poliment pour laisser passer Maggan. Elle s'assit et boucla sa ceinture. Dans approximativement trois heures, elle serait à Stockholm, et une heure plus tard, dans l'avion pour Östersund. Elle avait envisagé de retourner une nuit à Farsta, mais n'était pas certaine qu'elle aurait ensuite la volonté de rentrer à Paris. Elle avait gardé son manteau sur les genoux et son voisin, encore debout, proposa de le ranger dans le casier à bagages.

— Merci, c'est gentil, dit-elle.

— On est tellement à l'étroit ici que nous gagnons tous à coopérer, répondit-il.

— Si seulement tout le monde pensait comme vous, approuva-t-elle.

Il tenta d'étendre ses longues jambes et soupira en constatant qu'il aurait les rotules coincées contre le siège devant lui pendant tout le vol.

— D'habitude, j'essaie de m'asseoir près d'une issue de secours, mais aujourd'hui, les places étaient déjà toutes prises.

L'homme répondant au nom de Björn s'avéra très sympathique et, pour la première fois, Maggan se détendit en avion. Il expliqua qu'il se rendait souvent à Paris, où se trouvait le siège social de son entreprise.

— Et toi, Maggan ? Que faisais-tu dans la Ville lumière ? Tu étais en vacances ?

— J'ai suivi un cours de français pendant un mois et maintenant, je suis capable d'utiliser toutes les formules de politesse. Et d'acheter du pain et du fromage.

— Sans conteste le plus important, fit Björn en souriant.

— N'est-ce pas ? Mon amour pour le fromage est sans limites. Je crois que je pourrais ne vivre que de ça.

Il éclata de rire. Un beau rire sonore et contagieux.

— Tu habites à Stockholm quand tu n'es pas en train de manger du fromage à Paris ?

— Oui, à Farsta. Mais cette fois, je vais chez ma fille à Östersund. J'ai un petit-fils de cinq ans que je n'ai pas vu depuis plusieurs semaines. Il me manque énormément.

— Si jeune et déjà des petits-enfants ?

Il paraissait réellement surpris.

— Je suis assez vieille pour en avoir deux autres en route.

— Eh bien, ça alors ! Mes enfants devront attendre encore un peu. Ils ont la vingtaine et sont bien assez accaparés par leur propre vie.

— C'est souvent le cas à cet âge, répondit Maggan, en se disant qu'à vingt ans elle-même était déjà mère.

Ils bavardèrent pendant tout le voyage, et quand le moment vint de boucler les ceintures pour l'atterrissage, Björn demanda s'ils pouvaient se revoir. Maggan fut si stupéfaite qu'elle ne réagit pas tout de suite.

— A Stockholm la semaine prochaine, par exemple ? proposa-t-il.

— Je retourne à Paris après mon séjour chez ma fille.

— Ah bon ? Je croyais que ton cours était terminé.

— Oui, mais ma vie à Paris ne fait que commencer.

Björn l'observa.

— Mystérieuse Maggan. Que dirais-tu de se revoir à Paris, dans ce cas ? Nous pourrions partager un fromage ?

31

Conduisant avec assurance sa petite Ford, Rebecka s'éloignait de Palma. Elle avait rendez-vous à deux heures avec Adam et ne redoutait pas un instant d'arriver en retard. Elle avait emprunté si souvent le chemin de la villa qu'elle l'aurait retrouvé les yeux fermés.

Une minute avant l'heure convenue, elle s'engagea dans l'allée de gravier. Elle était la première. Elle contourna la maison à petites foulées, jusqu'à la façade orientée vers la Méditerranée. Elle avait déjà contemplé ce paysage de nombreuses fois et pourtant, elle avait toujours le souffle coupé. Un profond sentiment de paix envahit son corps, et même la perspective de passer quelques nouvelles heures en compagnie d'Adam Colin Ericsson Firth ne la troubla pas. Leurs rapports étaient plus tendus en ville, car en dépit de leur arrangement, il ne pouvait s'empêcher de lui faire du charme.

Cela continuait à l'étonner, d'autant plus qu'il n'était pas libre, mais ni lui ni elle n'abordaient le sujet et elle esquivait toute tentative d'amener leur relation à un niveau plus personnel. Ce qui ne signifiait pas qu'il n'avait aucun effet sur elle ; elle évitait simplement de lui montrer à quel point.

Elle avait renoncé à le congédier quand ils avaient commencé à parler de la maison et qu'il avait compris exactement ce qu'elle avait en tête. Depuis, il bouillonnait d'enthousiasme, et elle n'aurait pas pu souhaiter meilleur collaborateur. En plus, il savait où trouver ce qu'elle désirait, avait immédiatement contacté l'entreprise de construction et répondait au téléphone à chaque fois qu'elle avait un point à discuter. Il était entièrement à sa disposition.

— *A penny for your thoughts ?*

Il s'était faufilé derrière elle sans qu'elle s'en aperçoive et elle sursauta au son de sa voix.

— Pardon, je ne voulais pas te faire peur.

Il lui adressa un sourire de star du cinéma et lui tapa dans le dos.

— Allez, entre. Il est temps de s'y mettre.

Le constructeur ne venait pas le samedi, et Adam et Rebecka purent parler normalement. Rebecka entendit donc parfaitement quand Adam annonça qu'ils devaient se rendre à Barcelone.

— Pour quoi faire ?

— Pour chercher des meubles, pour les toucher, afin que tu saches ce qui te plaît. Il faut passer commande assez rapidement, les délais de livraison sont souvent très longs.

Il expliquait tout ça sans la moindre malice et elle comprit qu'il était en mode pro.

— D'accord. Quand est-ce qu'on part ?

— Je peux y aller n'importe quand, mais je voudrais prendre rendez-vous avec mes fournisseurs pour être certain qu'ils aient du temps à nous consacrer.

— Très bien, contacte-les et je réserve le vol.

— *Yes, boss.*

Il s'avança jusqu'à la baie vitrée de la salle de séjour, dotée d'un nouveau parquet en chêne, et ouvrit les portes.

— Viens voir. A mon avis, il y a deux endroits parfaits pour la piscine. Soit juste au pied de la maison, soit tout au bout du terrain.

Il désigna l'emplacement préféré de Rebecka.

— Si tu construis le bassin là-bas, on aura l'impression qu'il déborde dans la mer. D'un autre côté, tu auras tout le jardin à traverser.

— On ne pourrait pas aménager une allée en bois ?

— Si, bien sûr. On peut aussi poser des dalles.

— Je veux une pelouse.

— Je sais. Avec un arrosage intégré. Et des projecteurs. Et un bosquet ombragé avec une grande table à manger.

— Je suis difficile ?

— Non, tu es fantastique. Mais puisque je n'ai pas le droit de le dire, je vais garder ça pour moi.

Il sourit avant de poursuivre :

— C'est de ta faute, ta question appelle les compliments.

— Pas du tout, c'est toi qui l'interprètes comme ça.

Tournant les talons, elle retourna dans la villa.

— Que dirais-tu de passer quelques jours à Barcelone ?

Rebecka avait compris que Susanne serait son meilleur bouclier contre Adam.

— J'adore Barcelone. Quand ?

— Jeudi prochain. Quatre jours. Tu es chargée de me chaperonner pendant que je cherche des meubles avec mon architecte.

Susanne, qui était au courant de l'histoire, était très curieuse de voir l'homme qui avait réussi à ébranler Rebecka. D'après ce qu'elle avait compris, c'était un cocktail de phéromones. Et il était pris. La pire combinaison possible.

— Parfait. Bien sûr que je viens. Je pourrai apprendre mes cours pendant que vous cherchez des meubles. Je vais demander à Michael s'il peut nous recommander un endroit où loger.

— Michael ? Le type du Hyatt ?

— Oui. Je l'ai embrassé sur la joue la dernière fois, alors il ne voudra peut-être pas m'approcher après une pareille inconvenance, mais j'imagine qu'il répondra au téléphone, répondit-elle en gloussant.

Oui, son geste avait été déplacé, mais elle n'avait pas le moindre remords. Cela n'irait sans doute pas plus loin et, à l'avenir, son comportement serait plus mature.

— Barcelone ? Le Miramar, bien sûr. Hyatt n'a pas d'hôtel là-bas, mais cet ancien palais est sensationnel.

— Tu y as déjà séjourné ?

— Oui, plusieurs fois. Tu voyages seule ?

— Non, avec une amie et son architecte. Pourquoi ?

Il s'esclaffa.

— Pour rien, j'étais juste curieux. Tu veux que je t'aide avec les réservations ? Je connais plutôt bien le directeur.

— C'est très gentil de ta part, mais ce n'est pas pour cette raison que j'appelle.

— Tu voulais que je t'accompagne ?

Elle s'attendait à l'entendre rire après ces mots, mais rien ne vint.

— Non, je souhaitais simplement les recommandations d'un expert. C'est toi qui as proposé de contacter le Miramar.

Il pouffa doucement.

— Tu dînes avec moi si je vous rejoins ?

Qu'est-ce qui lui avait pris de poser une question pareille ? Michael asséna un coup de pied à son bureau, mais son cœur ne se calma pas ; il abattit alors son poing sur le plateau. La douleur se fit immédiatement sentir. Bien fait pour toi, espèce de sombre idiot, se dit-il. Susanne risquait de prendre ces sottises au sérieux et de ne plus jamais le contacter.

Il souleva le combiné pour appeler le Miramar.

32

Si Adam fut surpris d'apprendre que Susanne les rejoindrait à Barcelone, il n'en laissa rien paraître et Rebecka constata avec gratitude que son attitude était des plus professionnelles.

— Le Miramar, rien que ça.

— Grâce à Susanne, qui connaît quelqu'un qui connaît quelqu'un… expliqua Rebecka.

— Je n'y ai jamais séjourné, mais j'y ai jeté un coup d'œil, parce que la décoration est pour le moins intéressante. Bien trop avant-gardiste et dépaysante à mon goût, mais exquise.

Il sourit, le regard brillant. Il voulait visiblement ajouter autre chose, mais se retint.

— C'est la première fois que je visite Barcelone. J'ai failli y aller à plusieurs reprises, mais ça n'a jamais marché, raconta Rebecka.

— Tu étais si débordée dans ton ancienne vie ?

— Oui, ce n'est pas comme si je pouvais prendre un congé le vendredi pour un petit voyage le week-end.

Elle se demandait à présent pourquoi elle avait toujours pensé que les autres étaient autorisés à faire des escapades, mais pas elle.

Robert s'était plaint, parfois, qu'ils ne faisaient jamais rien ensemble, qu'elle donnait la priorité à son boulot avant leur relation, mais c'était faux. Elle avait toujours placé son mari tout en haut de sa liste et ajusté sa vie à ses désirs. Il avait aimé que sa femme ait une belle carrière en perspective, mais quand elle avait été nommée P-DG, il avait été dépassé. Il avait commencé à geindre. Quand ce n'était pas ses responsabilités, c'était ses vêtements ou ses amies. Rebecka s'était efforcée de changer pour le satisfaire, mais Robert avait dû céder sur le terrain du travail.

En revanche, elle avait négligé son amitié avec Susanne, Maggan et Sonja, et les avait à peine vues pendant quelque temps. Pourtant, aucune ne se défaussa quand Robert l'abandonna et elles respectèrent toutes son désir de ne pas en parler. Elles l'invitèrent chez elles, l'inclurent dans leurs activités, et quand elle ne mangeait ni ne dormait plus, elles lui fournirent provisions et somnifères.

— Tu vas adorer Susanne, prédit-elle.

— Je crois aussi, répondit Adam. Après tout, c'est l'une de tes meilleures amies et je t'aime beaucoup.

Rebecka se tourna vers lui, mais il ne semblait pas d'humeur charmeuse.

— Tu savais beaucoup de choses sur elle avant d'aménager sa maison à Londres ? demanda-t-elle, curieuse.

— Pas plus que sur toi. En revanche, j'ai compris que vous êtes toutes très différentes. Mon impression de Susanne était celle d'une femme énergique qui dévore la vie à pleines dents et n'a peur de rien. En gros.

— Rien sur le fait qu'elle est prodigieusement belle ?

Il éclata de rire.

— Cette information n'est pas très utile pour décorer un appartement, tu ne crois pas ?

Susanne les accueillit bras levés dans le hall de l'hôtel.

— Hourra, vous voilà enfin. Je n'aurais pas pu avaler un café de plus.

Rebecka se précipita et étreignit son amie.

— Oh, comme je suis contente que tu sois là !

— Je suis du même avis, dit Adam en tendant la main. Je m'appelle Adam.

— Bonjour, Adam. Ravie de te rencontrer. J'ai beaucoup entendu parler de toi.

Rebecka lui donna un coup de pied dans le tibia, mais Susanne l'ignora.

— Viens, ordonna-t-elle en prenant le bras d'Adam, tu dois absolument me raconter comment Rebecka te fait marcher à la baguette à Majorque.

— Lâcheuse, grommela Rebecka en les regardant s'éloigner.

Dans ces dispositions, Susanne pouvait causer plus de tort que de bien. Rebecka redoutait que son amie n'essaie de soutirer à Adam des détails privés. Elle avait plus d'une fois vu Susanne dépasser des limites qu'elle n'aurait pas osé franchir, et elle s'empressa de les suivre pour sauver ce qui pouvait l'être.

Elle les rattrapa à l'accueil, où Susanne avait pris le commandement.

— Non, nous ne séjournerons pas ici sur invitation. Je vais régler pour nous trois. Voici ma carte.

— Je regrette, *señora,* mais les chambres sont payées et il n'y a rien que je puisse faire.

Le réceptionniste sélectionna trois clés magnétiques.

— Vous trouverez les ascenseurs à gauche. Dernier étage.

En entrant, Susanne vit immédiatement l'enveloppe à son nom et sut avant même de l'ouvrir de qui le message émanait.

C'était la moindre des choses après ma grossièreté. J'espère que votre séjour sera agréable, Michael.

Avait-il été grossier ? Suggestif peut-être, mais grossier ? C'était très anglais de sa part. Susanne avait du mal à imaginer un Suédois réagissant de cette façon. Mais tant mieux. Cela signifiait qu'elle ne le verrait pas surgir. Elle ne s'était pas vraiment inquiétée, mais elle ne le connaissait pas assez pour juger de sa personnalité. Des apparences policées et terriblement séduisantes pouvaient dissimuler un monstre sans que cela transparaisse lors des premières rencontres. Elle le rembourserait dès son retour à Londres.

Elle s'était vu attribuer une suite. Elle entra, emplie de curiosité, dans la chambre à coucher. Le lit faisait face à la mer. La vue sur le port et la Méditerranée était unique. Elle découvrit avec ravissement une baignoire sur la terrasse de la chambre et décida sur-le-champ qu'un bain serait le bienvenu avant le dîner.

Deux portes plus loin, Rebecka se mettait à l'aise. Elle accrocha ses robes dans la penderie et y rangea soigneusement ses chaussures. Elle laissa ses sous-vêtements dans son sac, mais posa sa trousse de toilette dans l'immense salle de bains. Une fois installée, elle ouvrit les portes donnant sur la mer. Elle avait l'intention de s'allonger un moment. La sieste méridienne était la meilleure invention du monde et une tradition que Rebecka avait adoptée dès le premier jour dans son nouveau pays.

Elle ne comptait pas renoncer à ses habitudes juste parce qu'elle se trouvait dans une autre province. Cinq minutes plus tard, elle dormait profondément.

33

Etendue les yeux fermés, Susanne rêvait de Michael. S'il débarquait comme il l'avait suggéré, elle était certaine qu'il serait nu avant qu'elle ait le temps de dire « *hola* ».

Les fantasmes étaient la spécialité de Susanne. Elle avait l'habitude d'y inviter des étrangers et évitait soigneusement les hommes qui risquaient de l'intéresser. Elle ignorait pourquoi elle avait permis à Michael de basculer dans son monde imaginaire ; même si la vision était d'une perfection insupportable, ce n'était pas à cela qu'elle voulait penser quand elle le reverrait. Il était trop important.

Après avoir pris une douche glacée, elle se servit un apéritif et choisit une robe pour la soirée. Elle espérait qu'elle n'aurait pas trop chaud dedans. L'automne s'était installé sur Londres et elle avait remisé ses vêtements d'été, mais au moins, les manches étaient courtes. Chaussée de noir, elle semblait en deuil, mais elle égaierait le tout avec un collier à plusieurs rangs.

Elle vida son verre d'une traite et sourit. Adam était fou de Rebecka, cela crevait les yeux. Son déplaisir avait été palpable quand Susanne l'avait entraîné avec elle, mais la politesse lui avait dicté de la suivre. Contrairement à ce que croyait Rebecka, Susanne n'avait pas projeté de le bombarder de questions indiscrètes. En revanche, elle était très curieuse de connaître les intentions de l'architecte envers son amie. Susanne éprouva de la pitié pour celle qui était peut-être sa femme et ne soupçonnait pas que son époux était tombé éperdument amoureux de son employeuse actuelle. Elle se demandait jusqu'où il oserait s'engager auprès de Rebecka.

D'après cette dernière, il avait reçu l'interdiction de lui faire du charme, mais n'arrivait pas toujours à résister à la tentation. Difficile de dire à quel point cela la bouleversait, car elle parlait peu de ses sentiments, mais il était clair que cet homme la touchait d'une façon ou d'une autre. Seule Rebecka lui trouvait une ressemblance avec Colin Firth.

Quelles que soient les circonstances, la voir courtisée était rafraîchissant. Son amie n'avait pas conscience de ses propres attraits et Susanne était certaine que ce flirt des plus innocents lui ferait du bien.

Sonja disait que Rebecka avait besoin d'une bonne partie de jambes en l'air, mais Susanne n'en était pas si sûre. Elle croyait que si Rebecka arrivait à faire de nouveau confiance à un homme, cela viendrait lentement, et sans la passion que préconisait leur amie.

Après sa sieste, Rebecka se sentit étonnamment enjouée à la pensée de la soirée. Sa robe bleue allait parfaitement avec son teint encore hâlé, et elle-même devait admettre que le dos échancré et le devant sobre étaient très seyants. Une fois n'est pas coutume, elle décida d'enfiler des chaussures à talons hauts. Ils mangeraient à l'hôtel et, de toute manière, elle serait assise la plus grande partie du temps.

Une fois prête, elle fit quelques pirouettes devant le miroir. Pas mal du tout pour une femme de cinquante-cinq ans, songea-t-elle, satisfaite, lorsqu'on frappa à la porte.

— Mon Dieu, comme tu es belle ! s'exclama Susanne. C'est celle que tu as achetée chez Yves à Paris, non ? Oh, merde ! Tu vas porter le coup de grâce à ton pauvre architecte.

— Du calme, Susanne. Entre, l'accueillit Rebecka en souriant. Toi aussi, tu as dormi ?

— Pas du tout. J'étais occupée à fantasmer sur mon directeur d'hôtel. C'est un amant extraordinaire, je peux te l'assurer.

— Voyons, Susanne, pouffa Rebecka.

— Je ne te donnerai pas les détails, si ce n'est que nous avons fait l'amour sur le tapis, précisa Susanne en désignant la copie exacte du sien dans la suite de Rebecka.

— Merci, ça suffira.

Elle savait que Susanne la taquinait pour sa pudeur, mais ne s'offensa pas. Elle appréciait la franchise de son amie, même si cela la mettait parfois mal à l'aise.

— Autre chose. Pourrais-tu s'il te plaît ne pas faire de sous-entendus pendant le dîner ?

— Si je comprends bien, tu ne veux pas que je dise que ce serait génial si Adam et toi… commença-t-elle avant de rire en voyant l'expression de Rebecka. Je plaisantais, je te promets d'être sage.

Elle leva la main comme pour jurer sur la Bible.

— Susanne, je suis sérieuse.

— Je sais, ma chérie. Je ne t'embarrasserai pas, fais-moi confiance.

Susanne s'assit sur le canapé et, tandis que son amie lui servait du champagne, elle parla du message qu'elle avait trouvé dans sa chambre.

— Qu'est-ce qu'il voulait dire ?

— Il a demandé en plaisantant si j'appelais pour lui proposer de venir et s'il pouvait m'inviter à dîner ici.

— Il essaie de te séduire ?

— Non, pas du tout. Il est la correction même, et terriblement attirant. Au point que j'ai failli aller trop loin. Mais il est très comme il faut. Pas une seule œillade, et pourtant je l'ai rencontré plusieurs fois. De plus, j'ai l'impression qu'il y a quelque chose entre sa gouvernante et lui. C'est peut-être juste physique, mais tout de même. Il n'est pas intéressé, je flaire ce genre de choses.

Susanne semblait presque déçue. Elle se portait très bien sans ses habituels admirateurs, car elle ne leur retournait pas leurs sentiments, mais à présent, la situation était clairement inversée.

— Je ne sais pas si j'aurais réussi à refuser s'il avait vraiment débarqué ici, avoua-t-elle. Il déborde d'énergie.

— Viens, nous devons y aller, l'interrompit Rebecka en enlaçant instinctivement son amie. Merci de m'avoir accompagnée. Je veux que tu saches que ça représente énormément pour moi.

Susanne l'étreignit en retour.

— Merci de m'avoir conviée. Je tiendrai ma langue. Et si l'Anglais apparaît, tu seras débarrassée de moi quelques heures, parce que…

Rebecka posa vivement l'index sur la bouche hilare de Susanne.

— Chut.

34

Maggan n'éprouvait pas de jalousie envers ses amies réunies à Barcelone. Elle avait passé un excellent séjour à Östersund. Le ventre d'Anneli s'était nettement arrondi, bien que la date de l'accouchement fût encore lointaine.

— Je suis contente que tu séjournes à Paris, maman. Si tout se déroule comme prévu, nous pourrions peut-être venir te voir au printemps ?

Anneli avait appris que Maggan, Susanne et Rebecka avaient hérité de Sonja, mais ne savait pas qu'il y avait bien plus que les appartements. Maggan s'était assurée auprès d'Andréasson qu'elle pouvait parler du restaurant, ce à quoi il avait répondu qu'elle en était entièrement libre.

— J'ai toujours eu l'impression que tante Sonja avait des secrets et je crois que ce sont ces mystères qui m'attiraient chez elle.

— Toutes mes amies t'attiraient, répliqua Maggan avec un sourire.

— Oui. Quel dommage qu'elles n'aient pas eu d'enfants. Rebecka, par exemple. Pourquoi n'en voulait-elle pas alors que Robert et elle ont été si longtemps mariés ?

— Je n'en sais trop rien, mais je suppose que Robert était contre et que Rebecka s'y est faite.

— Alors tu penses qu'elle aurait aimé en avoir ? Oh, c'est horrible qu'il l'ait quittée pour faire un bébé avec la première venue.

— Oui, c'est horrible. Rebecka n'en parlait pas beaucoup mais, avant son mariage, tout le monde était persuadé qu'elle serait mère un jour. Après, elle lançait des regards noirs dès qu'on abordait le sujet.

Maggan observa sa fille.

— C'est pour ça qu'elles t'ont toutes adoptée, poursuivit-elle en lui caressant la joue. Et je suis très heureuse que tu aies été entourée de tes tantes.

Après une semaine à jouer sans interruption avec Alexander, Maggan fut presque soulagée à la perspective de s'asseoir dans l'avion pour Paris. Elle avait les jambes lourdes et grand besoin de se reposer quelques jours.

Tandis qu'elle boitait en direction du terminal international, elle faillit déclarer forfait et prendre une navette pour Farsta, mais elle s'était promis de rester à Paris jusqu'à Noël. Elle s'avoua de mauvaise grâce que le restaurant dont elle était devenue copropriétaire semblait alléchant. Si Susanne s'était entraînée à la gestion avec un hôtel, pourquoi elle, Maggan, n'arriverait-elle pas à faire de même ?

Et elle n'oubliait pas la condition de Sonja qui voulait qu'elle écrive un livre. Elle avait une vague idée, mais son manque de confiance en soi la retenait de se lancer.

« Y a-t-il une chose pour laquelle tu te trouves douée ? » avait un jour demandé Susanne.

Maggan n'avait pas su répondre. Elle avait certainement été une mère tout à fait capable, et les enfants et ses collègues à la maternelle l'aimaient, mais elle ignorait si elle était douée. Elle faisait simplement de son mieux. L'éventualité de se lancer seule dans un nouveau projet la terrifiait. Elle espérait que M. Perrot serait sympathique, et si elle tissait de bons rapports avec les employés du restaurant, alors peut-être oserait-elle annoncer son idée.

— Eh bien, ça alors ! Si ce n'est pas ma charmante et mystérieuse voisine de siège !

Maggan se retourna et découvrit Björn. Son rire sonore retentit dans le terminal.

— Tu te rends compte que nous sommes de nouveau dans le même avion ? Tu crois que le hasard ira jusqu'à nous placer encore l'un à côté de l'autre ?

Maggan fut enchantée. Elle avait pensé à plusieurs reprises à Björn pendant la semaine, toujours en termes positifs.

— Je ne sais pas, j'ai le siège 23E. Et toi ? demanda-t-elle en souriant, ravie.

— Ah, dommage. Pas cette fois. D'un autre côté, il nous reste une demi-heure jusqu'à l'embarquement. Je peux t'offrir un café ? proposa-t-il avec un signe de tête vers la buvette en face de leur porte.

Depuis leur table, ils pourraient voir quand on appellerait les passagers et n'auraient pas besoin de se dépêcher. Tandis qu'ils parlaient de tout et n'importe quoi, Maggan examina discrètement son interlocuteur. Elle avait toujours eu un faible pour les hommes de grande taille et la carrure d'ours de Björn rendait justice à son prénom. Les gesticulations de ses mains parsemées de légères taches de rousseur ajoutaient à l'enthousiasme caractérisant le personnage. Quand il l'écoutait, il la regardait intensément de ses yeux bleus qui, dans un éclat de rire, disparaissaient derrière ses paupières à chaque instant. Björn semblait apprécier tout ce qu'elle disait, ce qui était à la fois insolite et plaisant.

Maggan était sociable, peut-être plus que ses amies. Seule Sonja aurait pu se mesurer à elle. Susanne et Rebecka étaient extraverties, mais avaient souvent besoin de solitude, ce qui était insupportable à Maggan. Anneli avait laissé un vide derrière elle en quittant la maison, et son absence s'était faite encore plus manifeste quand Maggan était partie en retraite anticipée. Le temps qu'elle passait avec Alex et les nuits fréquentes de Sonja dans sa chambre d'amis avaient été son salut.

Elle aimait bien Björn, et quand il suggéra à nouveau de se revoir à Paris, elle accepta. Avec lui, elle serait en excellente compagnie Chez Sonja.

— Demain, ça te dit ? suggéra-t-elle.

— Absolument. C'est parfait. Tu veux que je choisisse un restaurant ?

— Non, je m'en charge. Mais j'aurais besoin de ton numéro de téléphone.

Elle fut très avisée de le lui demander tandis qu'ils se trouvaient encore à Stockholm, car ils se perdirent de vue à l'aéroport de Paris et Maggan se hâta vers les taxis pour rentrer chez elle le plus vite possible.

Elle devait remplir le réfrigérateur et, le lendemain, elle irait s'acheter une nouvelle robe.

La suite de son séjour à Paris lui semblait soudain très prometteuse.

35

Après coup, Rebecka ne se souvint pas pourquoi elle avait invité Adam à prendre un autre verre. Peut-être parce qu'il s'était montré si sympathique et poli pendant le dîner ?

Il avait accordé autant d'attention à chacune de ses deux compagnes, et quand Susanne comprit que c'était lui qui avait rénové son hôtel à Londres, la conversation s'orienta naturellement sur ce thème. Pour la première fois depuis longtemps, Rebecka put se détendre complètement à ses côtés. Elle aimait la façon dont il parlait de son travail, et même s'il était sans doute très occupé, il semblait prendre énormément de plaisir à l'exercer.

Susanne trouvait Adam très sympathique, mais absolument pas sexy, chuchota-t-elle à Rebecka quand il quitta un moment la table. Rebecka elle-même ne savait pas exactement ce qu'elle pensait de lui, mais s'était surprise à déplorer son absence au cours des quelques jours où ils ne s'étaient pas vus. Le charmeur la terrifiait, mais l'architecte était terriblement séduisant. Sexy ? Jusqu'ici, elle ne s'était pas posé la question.

Ils étaient tous deux légèrement éméchés lorsqu'ils entrèrent dans la suite de Rebecka et Adam déclina poliment le digestif qu'elle lui proposait.

— Un jus de fruits ?

— Oui, s'il te plaît.

Il ouvrit les portes-fenêtres et sortit sur le balcon. Quand elle le rejoignit avec les boissons, il contemplait le port en contrebas. Le bras qu'il passa autour d'elle ne semblait pas du tout dangereux. Le geste était empreint de camaraderie et Rebecka se sentit en sécurité. Elle appuya la joue sur son épaule et ils restèrent un long moment sans rien dire.

Quand ils brisèrent le silence, ils prirent la parole en même temps et, en riant, Rebecka l'invita à poursuivre.

— Je t'aime, déclara-t-il simplement.

Elle le regarda. Aucune lueur de malice dans ses yeux. La tendresse qui émanait de lui la bouleversa tant qu'elle dut s'écarter d'un pas.

— Ne dis pas ça, le pressa-t-elle.

— Pourquoi pas, ce n'est que la vérité.

— Chut.

Elle s'éloigna un peu plus.

— Rebecka…

— Oui ?

— Qui t'a fait si mal que tu ne supportes pas d'entendre que je t'aime ?

— Je ne veux pas en parler.

— Essaie.

— Non.

Rebecka était parfaitement consciente que son divorce l'avait profondément blessée, mais elle n'avait aucune intention de partager cela avec Adam. Elle refusait de s'impliquer dans une relation avec un homme qui n'était pas libre.

— Pourquoi ?

— Parce que toi et moi, nous ne sommes pas des amis. Nous sommes associés.

— Mes sentiments pour toi vont au-delà de ça.

— Il ne faut pas.

— Parce qu'ils ne sont pas réciproques ?

— Oui.

Adam se tut un moment.

— Je ne te crois pas.

Il reprit sa veste sur une des chaises du balcon.

— Bonne nuit, ma belle. Nous nous mettons en route demain à dix heures.

Rebecka, qui dévoilait pourtant très rarement ses sentiments, savait que cette fois elle devrait le faire, et elle frappa à la porte de Susanne en priant en silence pour que cette dernière soit encore debout.

Susanne la fit entrer sans un mot. Rebecka n'avait pas pour habitude d'épancher son cœur et Susanne comprit qu'à la moindre parole mal placée son amie tournerait les talons.

— Il m'aime, dit Rebecka.

Susanne n'eut pas besoin de demander de qui elle parlait.

— Qu'est-ce qui lui prend ? Je n'ai absolument rien raconté sur moi et quand nous nous voyons, nous ne discutons que du présent. On ne peut pas aimer sans rien connaître de l'autre personne, si ?

Rebecka ne faisait que penser tout haut et ne voulait ni réponse ni conseil.

— Je lui ai dit que ça n'était pas réciproque. Il n'a jamais parlé de sa femme et, pour ce que j'en sais, ils ont peut-être trente-six enfants. Je ne peux quand même pas aimer quelqu'un qui flirte alors qu'il est déjà pris. Il me faut quelque chose de fort, tu as du whisky ?

Elle continua à faire les cent pas pendant que Susanne choisissait quelques mignonnettes dans le bar.

— Toi qui as beaucoup plus d'expérience que moi avec les hommes, aide-moi à comprendre, implora Rebecka.

Susanne s'installa sur le canapé et invita Rebecka à s'asseoir près d'elle avant de verser le contenu des bouteilles de cinq centilitres dans des verres. Rebecka obéit, mais elle avait du mal à tenir en place, et elle se releva aussitôt son verre vide.

— Les hommes, Susanne. Les hommes. Explique-moi comment ils fonctionnent.

— Tu veux dire Adam ?

— Oui, et Robert est un autre spécimen que je n'arrive pas à cerner et que j'aurais bien besoin de disséquer.

— Eh bien, tu vois, je suis une spécialiste des idiots, ce qui est très avantageux pour toi, parce que je les reconnais au premier coup d'œil. Adam n'en est pas un et il suffit de vous voir ensemble pour comprendre qu'il est amoureux de toi.

— Et sa femme, alors ?

— Est-ce qu'il a déjà parlé d'elle ?

— Non, nous n'abordons jamais de sujets personnels.

— Tu l'as peut-être aperçu deux fois avec la même femme, mais ça ne signifie pas pour autant qu'il est marié.

— Ça ne signifie pas non plus qu'il ne l'est pas.

— Demande-lui.

— Jamais.

— Je peux le faire.

— Ose seulement !

— Tu n'as pas envie de savoir ?

Susanne devina soudain que Rebecka s'abritait derrière ses soupçons envers Adam pour ne pas devoir affronter ses vraies craintes. Quand elle fit part de ses conclusions à son amie, elle s'aperçut que cette dernière n'avait pas songé à cette possibilité.

— Tu as peut-être raison. Mais dans ce cas, qu'est-ce qui m'effraye ?

— Je ne sais pas, tu vas devoir le découvrir par toi-même. Tu veux un autre whisky ?

— Non, merci. Mince alors ! Susanne, tu crois vraiment que j'ai peur ?

— Oui, je le pense, répondit celle-ci avec un sourire.

— Il faudra que je réfléchisse à tête reposée.

— Oui, tu en as bien besoin.

Susanne se mit à rire du trouble de Rebecka. Le spectacle était pour le moins inhabituel et elle soupçonnait qu'Adam faisait bien plus d'effet à son amie que celle-ci n'était prête à se l'avouer.

Rebecka tremblait à la pensée de revoir l'architecte le lendemain matin, mais ce dernier ne changea pas du tout d'attitude et se comporta comme si la conversation de la veille n'avait jamais eu lieu. Pendant que Susanne se promenait en ville, Rebecka et Adam allèrent de magasin en magasin pour commander les meubles destinés à la cuisine. Lorsqu'ils achevèrent la journée par un repas frugal à l'hôtel, tous deux se réjouissaient d'être à nouveau les camarades qu'ils étaient devenus au cours de ce mois de collaboration.

36

Pendant le mois de novembre, Susanne fut si occupée à Londres qu'elle ne put repartir en voyage et resta en contact avec ses amies par téléphone. Elles organisèrent souvent des conversations à trois qui devinrent de grands moments de plaisir pour Susanne. C'était à ces occasions qu'elle enfilait ses vieux vêtements confortables, un ample tee-shirt et une paire de chaussons fourrés roses, et se recroquevillait dans un coin du canapé avec une bière. Les appels duraient fréquemment quelques heures, aussi avaient-elles décidé de se contacter chaque dimanche, dans la mesure où elles n'étaient pas accaparées par leurs projets respectifs.

Susanne ouvrit son armoire avec la certitude qu'elle allait passer une agréable soirée. Charles n'avait pas dit où il l'emmenait, mais il lui avait défendu de porter un jean, ce qui, pour Susanne, signifiait soit jupe, soit robe. Elle choisit finalement une tunique en daim et des bottes en cuir noir à talons hauts dont les coutures étaient incrustées de suède sur les côtés. La robe signée Ralph Lauren lui allait comme une seconde peau. Susanne l'avait achetée de nombreuses années auparavant, mais l'avait si rarement mise qu'elle paraissait toujours neuve. Elle se moquait complètement que sa tenue puisse être démodée.

Satisfaite de son apparence comme à l'accoutumée, elle passa sur ses épaules sa cape bordée de fourrure et sortit de sa maison à l'instant où le taxi arrivait avec Charles et Jens.

— *Darling,* tu es aussi resplendissante que d'habitude.

Susanne fit la bise aux deux hommes en les remerciant pour le compliment.

— Allez, raconte, où est-ce qu'on va ?

— Chez un vieux collègue qui fête ses cinquante ans. Il y aura plein de gens du milieu de l'hôtellerie, ce sera pour toi l'occasion idéale de rencontrer des confrères.

Le grand bâtiment en brique était éclairé par des projecteurs enterrés dans le gazon. La maison était splendide, l'allée bordée de torchères, et un flot constant d'invités se dirigeait vers l'entrée.

Ce genre de fête n'effrayait absolument pas Susanne. Même si elle ne se sentait pas toujours parfaitement à l'aise, elle était capable de se mêler sans problème aux inconnus. L'astuce était de se focaliser sur les femmes et d'ignorer les hommes poliment mais fermement. Il lui était arrivé de passer des bagues pour ne pas paraître disponible, mais à présent, elle savait exactement comment se débarrasser d'un admirateur indésirable sans mettre en avant un anneau de fiançailles ni se montrer désagréable.

Dans le vestibule, le personnel s'occupait des manteaux et Susanne eut l'occasion d'examiner les invités tandis qu'ils faisaient la queue devant le vestiaire. A sa grande joie, la foule semblait très bigarrée. Avec un peu de chance, il y aurait d'autres Suédois parmi les convives.

— Viens, dit Charles. Je vais te présenter à notre hôte.

Ce dernier était un homme de petite taille avec plus de poils sur la poitrine que de cheveux sur la tête. Il pressa son crâne contre ses seins en lui souhaitant joyeusement la bienvenue.

— Susanne, finalement. Seigneur, tu es immense. J'ai beaucoup entendu parler de toi, déclara-t-il avec un sourire après l'avoir lâchée.

Susanne émit un rire.

— Houla, Charles a cancané ?

Elle se retourna en sentant qu'on lui touchait l'épaule.

— Eh bien, en fait, c'est peut-être bien moi le coupable dans l'histoire, avoua Michael en tendant l'autre main vers le petit homme et en le félicitant.

— Mes confrères ont tous les deux vanté tes mérites, et je dois dire que je comprends pourquoi, poursuivit leur hôte. Susanne, voici ma femme Charlotte.

Consciente que Michael n'était qu'à un centimètre, elle décida de se concentrer sur la maîtresse de maison et la suivit au salon avec joie.

— Comme je suis heureuse de faire enfin ta connaissance. Michael nous a raconté que tu vas bientôt ouvrir ce splendide petit hôtel à Notting Hill.

L'hôtesse entretint la conversation et Susanne se contenta de hocher la tête quand c'était nécessaire, tandis que son cerveau fonctionnait à mille à l'heure.

Elle n'avait pas revu Michael depuis qu'il leur avait payé le séjour au Miramar. Elle avait appelé pour le remercier et lui proposer de le rembourser, mais il n'avait rien voulu entendre, et ne s'était pas montré quand elle avait travaillé au service financier.

Après avoir offert à Susanne une coupe de champagne, l'hôtesse s'éclipsa, la laissant seule. Susanne se demanda où étaient passés Charles et Jens. Elle songeait qu'elle aurait bien besoin de leur soutien.

— Alors, comment vas-tu ?

Il faisait près d'une tête de plus qu'elle et s'approcha tant que Suzanne dut tordre la nuque pour le regarder.

— Bien, merci. J'ai passé les deux dernières semaines sur le système de réservation, et je n'ai pas fini de bûcher, dit-elle en roulant les yeux.

— Ce n'est pas ton truc ?

— Loin de là. Et toi ?

— Bûcher ? Non, vraiment pas. Je ne suis même pas allé à l'université.

— Ah non ?

Susanne était surprise de l'apprendre.

— J'ai fait comme toi. J'ai atteint le sommet par la pratique, pour autant que ma position actuelle puisse être considérée comme le sommet, expliqua-t-il en souriant. Tout ira bien pour toi et je peux te prouver pourquoi si tu me fais l'honneur de t'asseoir à côté de moi pendant le dîner.

Je pourrais te dévorer pour le dîner, songea Susanne tandis qu'ils se dirigeaient vers la salle à manger.

Susanne n'avait jamais vu fête plus magnifique. Outre l'agréable compagnie de son voisin de table, les convives étaient d'excellente humeur et les anecdotes se succédaient, toutes plus incroyables les unes que les autres.

— Toi aussi, tu es très drôle, lança Susanne quand Michael se rassit sous les applaudissements et que leur hôte s'approcha pour l'embrasser sur le front.

— Moi ?

— Oui, toi.

— Tu n'as pourtant pas encore dansé avec moi. Promets-moi de te souvenir de ma blague s'il s'avère que je n'ai aucun sens du rythme.

— Je vais essayer.

— Bien. Parce que je t'aime beaucoup et je voudrais que tu me rendes la pareille.

Il souriait et Susanne se demanda s'il plaisantait. Elle décida de prendre sa déclaration au sérieux.

— Moi aussi, je t'aime beaucoup. Tant que tu ne fais pas exprès de m'écraser les orteils, il n'y a pas de raison que ça change.

Elle remarqua Charles qui lui faisait signe depuis une autre table et s'excusa en se levant pour aller voir ce que lui voulait son mentor.

— Qu'est-ce que vous mijotez ?

— Comment ça ?

— Ne fais pas l'ignorante. Vous êtes en train de vous dévorer des yeux. Qu'est-ce qui se passe ?

Susanne éclata de rire en rejetant la tête en arrière.

— J'espère que le dessert sera bon, murmura-t-elle avant de rejoindre sa place.

Michael se leva, courtois, et lui toucha l'épaule quand elle s'assit.

— Que voulait Charles ?

— Il insinue que notre conversation n'a pas l'air très innocente.

Michael s'esclaffa.

— Tu ne mens jamais ? demanda-t-il, une fois calmé.

— Non. A question directe, réponse directe. Il t'arrive de mentir ?

— Non. Mais je ne dis peut-être pas toujours ce que je ressens.

— Qu'est-ce qui nous y obligerait ?

— Un souci d'honnêteté ?

— Je n'ai pas dit que je suis honnête, mais juste que je ne raconte pas d'histoires quand on me pose une question directe.

— Alors si je t'interrogeais sur tes sentiments, tu me répondrais ?

— Oui.

— Je m'en souviendrai.

La musique commença, interrompant leur conversation, et les invités se levèrent brusquement pour passer dans une pièce où l'on servait des rafraîchissements. Michael indiqua à Susanne la direction des toilettes et elle s'y rendit à vive allure, comme si elle craignait de perdre une minute de sa compagnie.

Elle craquait pour lui. Et merde, elle avait sérieusement le coup de foudre. Voilà qu'elle était dans de beaux draps ! L'attirance physique était pour elle un terrain connu, mais si les sentiments allaient au-delà, les choses seraient loin d'être aussi simples. Elle savait qu'elle n'avait pas aimé Anders, pas même au début. Il avait montré trop de traits de caractère qu'elle n'appréciait pas. Le sexe avait été le moteur de leur relation.

La dernière fois qu'elle avait été amoureuse remontait à la fin des années 1980. L'histoire s'était terminée de façon dramatique quand, ivre de bonheur, elle avait annoncé à son petit ami qu'elle attendait son enfant. Vingt-quatre heures plus tard, elle n'avait plus de petit ami et, trois jours après, elle n'attendait plus d'enfant.

Elle se passa les poignets sous l'eau froide. Heureusement que je suis une grande fille maintenant, se dit-elle en ressortant des toilettes.

Quand elle revint à sa table, Michael avait disparu comme par enchantement, et après avoir échangé quelques mots avec les autres invités en traversant la pièce sans le trouver, elle s'avança vers le buffet pour se resservir du champagne. C'est à cet instant qu'elle l'aperçut un peu plus loin. Il murmurait à l'oreille de la gouvernante générale du Hyatt. Susanne fut pétrifiée en les voyant s'enlacer.

Elle se précipita dans la direction opposée et récupéra son manteau dans l'entrée. Deux minutes plus tard, elle était dans un taxi en route pour sa maison. Soudain, elle n'était plus si sûre d'être une grande fille.

37

Rebecka et Adam avaient réparti le travail entre eux : elle s'occupait de l'intérieur tandis qu'il se chargeait des travaux extérieurs. Elle savait exactement quel effet elle recherchait, mais seul Adam était en mesure de dire ce qui était réalisable ou non.

Elle n'était nulle part plus heureuse que dans la villa, quand elle voyait leurs projets prendre forme. En raison des délais de livraison, certaines choses ne seraient mises en place qu'au printemps, mais d'autres étaient arrivées presque immédiatement et la maison ressemblait, dedans comme dehors, à un immense patchwork. Quelques murs étaient déjà tapissés, d'autres non. Les placards de cuisine étaient fixés, mais les appareils électroménagers manquaient encore. Les salles de bains attendaient les baignoires tandis que les sièges des toilettes étaient posés. Rebecka s'en moquait. L'important était que le résultat soit à la hauteur de ses espérances.

Debout près de la baie vitrée, elle observait Adam en grande conversation avec un ouvrier. Il lui fit signe de la main en souriant, ses dents d'un blanc éclatant dans son visage hâlé.

Cette vue lui réchauffa le cœur. Adam se montrait bien silencieux ces derniers jours et son regard semblait souvent préoccupé. Ouvrant les portes-fenêtres, elle s'avança sur la terrasse à présent pavée.

— Tu veux du café ? appela-t-elle.

— J'arrive tout de suite.

Elle s'installa sur l'un des transats provisoires. Majorque bénéficiait toujours d'un temps magnifique alors que d'après la météo Stockholm était sous la neige. La Suède ne lui manquait pas du tout, elle était même morose à l'idée de devoir y retourner pour les fêtes, mais elle avait promis à son frère de lui rendre visite. Maggan et Susanne rentraient aussi et elle s'en réjouissait d'avance. Elle n'avait pas osé demander à Adam s'il avait des projets pour le week-end de Noël. Elle lui avait simplement annoncé qu'elle serait absente du 24 décembre jusqu'à la fin du mois. Elle fêterait le nouvel an dans l'île et avait l'intention d'attendre les douze coups de minuit sur un transat en contemplant les eaux sombres de la Méditerranée.

Adam essuya son front couvert de sueur en la rejoignant sur la terrasse.

— Alors, tu te plais ici ?

— Je n'arrive pas à croire qu'on soit en décembre, pas toi ?

— Nous avons eu de la chance. Mais ne t'imagine pas que le temps se maintiendra au cours des prochains mois.

— J'espère que si. J'ai décidé que nous organiserons une pendaison de crémaillère fin juin.

— Nous ? fit-il avec un sourire.

— Oui, moi et mes amies, se rattrapa-t-elle.

— Je serai ravi de connaître enfin le dernier membre de votre trio. Maggan, c'est ça ?

— Oui. Je crois que tu l'apprécieras autant que Susanne.

L'évocation de son amie lui serra le cœur. Elle n'avait pas vu Maggan depuis son séjour à Paris et elles avaient beau se téléphoner tous les dimanches, cela ne valait pas des retrouvailles en chair et en os.

Adam alla chercher le café et s'assit sur la chaise voisine.

— Quand est-ce que tu la revois ?

— Avec un peu de chance, pendant les vacances, mais sa fille habite à Östersund, alors j'imagine qu'elle sera là-bas la plupart du temps.

— Moi aussi, je rentre chez moi, annonça-t-il.

Rebecka retint son souffle.

— Les occasions sont rares quand on travaille autant que moi. Quand j'aurai fini ta maison, j'irai quelques mois à Londres pour un nouveau projet hôtelier.

Rebecka ressentit une étrange déception en comprenant qu'Adam ne resterait pas dans l'île. Ils se voyaient tous les jours, mangeaient ensemble, et pourtant elle n'osait pas donner à leurs relations un tour plus personnel. Il l'avait invitée chez lui, mais elle avait répondu poliment qu'ils feraient mieux de se retrouver dans son appartement, où elle conservait tous les documents. Il lui avait proposé quelques fois de l'accompagner chez des amis le week-end, mais elle avait toujours refusé.

Susanne avait entièrement raison. Elle avait peur. D'aimer à nouveau, d'être abandonnée. Son cœur n'y résisterait pas une seconde fois. Le célibat était plus simple. Ce n'était pas aussi drôle que de partager la vie d'une autre personne, mais sans conteste plus sûr. De plus, elle ne serait pas seule si ses projets pour la maison aboutissaient.

Elle observa l'homme sur le transat à côté d'elle. Il ressemblait vraiment trait pour trait à Colin Firth. Incroyable que Susanne ne l'ait pas remarqué.

Son amie, qui l'avait poussée avec audace à demander si Adam était marié, avait pris ses jambes à son cou en voyant Michael flirter avec une autre femme. Désespérée, elle avait appelé Rebecka au milieu de la nuit. Susanne, qui avait toujours su garder le contrôle d'elle-même, était inconsolable.

« Je suis amoureuse, Rebecka, avait-elle annoncé. Moi. Amoureuse. Tu arrives à croire un truc aussi stupide ? »

Rebecka n'avait pas trouvé cela stupide, bien au contraire.

Elle avait interrogé Susanne sur ses intentions, ce à quoi son amie avait répliqué qu'elle ne ferait rien du tout. Si Michael la contactait, elle lui demanderait s'il avait une relation, même superficielle, et en cas de réponse affirmative, elle essayerait de l'oublier. De toutes ses forces.

« Heureusement que je n'ai pas couché avec lui. »

Lorsqu'elle s'était rendu compte de ce qu'elle avait dit, elle avait recommencé à pleurer, cette fois parce qu'elle n'avait pas couché avec lui.

« Il ne me reste que mes fantasmes, maintenant », s'était-elle lamentée.

Rebecka décida de l'appeler quand ils auraient fini leur travail dans la maison. Quelques jours s'étaient écoulés depuis la fête. Elle était certaine que Susanne irait mieux.

— Tu veux encore du café ?

Debout devant elle, Adam lui masquait le soleil.

— Non, merci, je crois que j'en ai bu assez. Je dois m'assurer que les ouvriers installent les robinets où il faut.

Elle se leva, mais Adam ne s'écarta pas. Elle fit un pas de côté pour le contourner, mais Adam l'imita.

— Rebecka, je ne sais pas si je pourrai travailler avec toi jusqu'en juillet. Je pensais que j'y arriverais, mais ça devient difficile, dit-il en posant sa main sur son cœur. C'est fantastique de te voir tous les jours, mais je ne peux plus me comporter comme un nigaud de soupirant éconduit. J'ai besoin de recevoir quelque chose en retour. N'importe quoi.

Sa voix se brisa, et il s'éclaircit la gorge avant de poursuivre :

— J'ai parlé avec un de mes confrères. Il accepte de venir six mois dans l'île pour achever le projet. Il n'y a aucun problème tant qu'il peut amener sa femme.

— Je ne veux pas de ton confrère, c'est toi que je veux, protesta Rebecka en le fixant du regard.

— Oui, mais pas comme j'en ai besoin. Tu ne m'as pas demandé de tomber follement amoureux, mais c'est comme ça, et maintenant je souffre le martyre, expliqua-t-il avec un sourire triste. Mon remplaçant ne verra rien de plus en toi qu'une associée.

— Quand est-ce que tu arrêtes ?

— Après Noël.

— Ça fait combien de temps que tu organises ton départ dans mon dos ?

Rebecka se sentit submergée par les mêmes sentiments douloureux que lorsque Robert l'avait trahie. On l'abandonnait une nouvelle fois.

— Va au diable. Va au diable, Adam Ericsson.

Elle se rua dans la maison pour prendre ses clés de voiture, sourde aux appels de l'architecte. Elle devait partir avant que son cœur ne vole en éclats sous les yeux de l'homme qui la quittait.

38

Susanne alla à la rencontre de Maggan et Rebecka à Heathrow, même si elles auraient été aussi rapides en prenant un train express jusqu'à Paddington.

— Je m'apprête à dire quelque chose que vous n'avez pas entendu souvent dans ma bouche : j'ai besoin de vous parler, annonça Rebecka en aidant le chauffeur à empiler les valises dans le coffre.

— Alors nous sommes deux, confessa Susanne.

— Trois, renchérit Maggan.

Les deux autres lui lancèrent des regards étonnés.

— Eh bien, quoi ? Vous croyez que vous êtes les seules à avoir des choses à raconter ?

L'invitation avait été soudaine, et Maggan et Rebecka s'étaient précipitées sur le premier vol adéquat. Susanne fut folle de joie en apercevant ses amies. Rebecka, bronzée malgré la saison, respirait la santé, mais son expression indiquait que tout n'allait pas pour le mieux. En route pour la maison de Susanne, elle raconta comment Adam lui avait révélé qu'il n'en pouvait plus et à quel point cela la peinait.

— Maintenant, je dois rencontrer un nouvel architecte, mais je n'en ai aucune envie. C'était notre projet, à Adam et moi.

Par la fenêtre, elle regarda défiler les façades grisâtres de Londres, un décor qui convenait parfaitement à son humeur.

— J'ai du mal à comprendre. Que s'est-il passé depuis la dernière fois que nous nous sommes téléphoné ? demanda Maggan, qui ne savait rien des événements de Barcelone et des jours qui avaient suivi.

Quand Rebecka expliqua qu'Adam lui avait déclaré son amour, Maggan jeta à son amie un coup d'œil de biais.

— Et ça t'a flanqué la frousse ?

— Oui.

— Donc, il te quitte parce que vos sentiments ne sont pas réciproques ?

— Non.

Maggan la regarda d'un air interloqué.

— Non ? C'est pourtant ce qu'il a expliqué.

— De quelle façon arrives-tu à cette conclusion ? Il s'en va parce qu'il ne me supporte plus. Je ne lui ai rien donné en retour. Voilà ce qu'il a dit.

Maggan soupira. Comment Rebecka en venait-elle à déformer à ce point les paroles de l'architecte ?

— Tu n'as entendu que ce qui t'arrangeait. Si tu nous as rapporté fidèlement ses propos, ce dont je suis convaincue, tu te trompes sur toute la ligne.

— J'étais là, pas toi.

Susanne, bien qu'elle fût d'accord avec Maggan, n'avait pas prononcé un seul mot. Elle n'en menait pas plus large en ce moment et avait quelques doutes sur son rôle de conseillère sentimentale, aussi préféra-t-elle changer de sujet.

— Que diriez-vous d'une soirée tranquille chez moi avec des plats à emporter et de la bière ?

Quand elles franchirent le seuil de la splendide maison mitoyenne de Susanne, Rebecka se mit à pleurer. Elle alla de pièce en pièce et ses larmes coulaient dès qu'elle apercevait un objet qui lui rappelait Adam.

Susanne et Maggan la laissèrent en paix. Elles échangèrent un regard et, sans un mot, se retirèrent dans la cuisine, où Susanne prit une bière fraîche pour chacune.

Susanne décapsula les bouteilles au-dessus de l'évier et en tendit une à Maggan.

— Tchin tchin.

Le verre tinta.

— On trinque à quelque chose de particulier ?

— A l'amour trop demandé et à l'amitié sous-estimée, déclara Susanne en souriant devant la perspicacité de Maggan. Ce n'est certainement pas pour nous faire pleurer que Sonja a bouleversé nos vies ?

— J'aurais du mal à le croire, dit Maggan en lui rendant son sourire.

— Alors pourquoi a-t-elle fait ça ? Nous n'étions pas malheureuses quand elle était encore avec nous, si ?

Certes, elles n'étaient pas malheureuses, mais étaient-elles pour autant heureuses ? « Bonheur » était-il le seul antonyme de « malheur » ? Maggan n'éprouvait ni l'un ni l'autre en cet instant. Elle se sentait vivante. Prête à relever tous les défis. Elle avait laissé son cerveau en friche de longues années, mais pour la première fois depuis une éternité elle ne faisait plus la même chose chaque jour. Elle n'avait pas été meurtrie par l'amour puisque la gent masculine n'avait jamais joué un rôle central dans sa vie. Le dilemme de Maggan était d'avoir existé uniquement pour sa fille et de s'être oubliée elle-même ; Sonja l'avait compris. C'était à Maggan de s'occuper du reste.

— Mais avions-nous vraiment l'option du refus ? demanda Susanne après avoir réfléchi à l'hypothèse de Maggan.

— Elle nous a donné trois mois pour décider. Je suis prête à admettre que j'étais morte de trouille et que je le suis encore la plupart du temps. Mais, Susanne, je vis. Tu comprends ? J'explore Paris sur mes jambes boiteuses, je mange du fromage tous les jours et je vis.

En prononçant ces mots, elle leva les bras comme si elle venait de remporter la médaille d'or aux Jeux olympiques. Susanne ne put s'empêcher d'éclater de rire.

— Ne bouge pas, dit-elle, je vais voir où est passée Rebecka.

Elle trouva son amie dans une des chambres à coucher. Pelotonnée sur le lit, Rebecka sanglotait dans son sommeil en étreignant un oreiller. Susanne étendit une couverture sur elle.

— Je veux entendre toutes les dernières nouvelles de Paris, exigea Susanne en revenant dans la cuisine.

Maggan ne savait pas par où commencer. Peut-être par l'appareil photo reflex qui avait coûté près de la moitié de sa retraite. Ou par son bon ami Björn, avec qui elle avait encore couché le matin même.

— Quoi, quoi, quoi ? Attends. Björn ? *Oh. My. God.* Tu t'envoies en l'air ?

— Oui, on dirait bien, répondit Maggan avec une expression satisfaite.

— Raconte-moi tout. C'est fantastique. A te voir, on croirait que tu as gagné un prix.

Maggan n'en demandait pas plus. Cela faisait des années qu'elle n'avait pas été active sexuellement et sans entrer dans les détails, comme Susanne l'en suppliait, elle révéla que son corps fonctionnait toujours et que Björn était un amant à la fois prévenant et tendre.

— Tu es amoureuse de lui ?

— Non, mais je l'aime bien et je n'ai rien contre cet arrangement. Il est à Paris une semaine sur deux et je veux bien le voir tant qu'il n'essaie pas de s'immiscer dans ma vie.

— Un *sex friend* sur le tard. Ça alors, c'est vraiment génial. Je suis de nouveau d'excellente humeur. Il va nous falloir plus de bière.

Susanne était sincèrement enchantée que Maggan se montre aussi entreprenante. Cette dernière avait toujours été l'ancre du quatuor. La sérénité et la chaleur qui émanaient d'elle faisaient à Rebecka, Susanne et Sonja l'effet d'un baume. C'était chez elle qu'elles se réfugiaient quand elles avaient besoin d'appui. Susanne avait longtemps pensé que cela venait du fait que Maggan était mère et éprouvait des difficultés à se détacher d'Anneli. Plus tard, elle avait compris que le pavillon de Maggan était devenu leur point de ralliement parce qu'elles y recevaient un amour inconditionnel, des petits plats maison et du soutien. Après l'accident de Maggan, ses amies étaient convenues de passer chacune à son tour quelques jours chez elle afin que la convalescente puisse se consacrer entièrement à sa santé. Elles n'avaient pas ressenti cela comme un sacrifice. Au contraire, aucune n'avait voulu repartir une fois sa semaine écoulée.

— Un *sex friend* ? Tu ne trouves pas que ça fait femme facile ? Je préfère dire amant, c'est plus français, objecta Maggan avec un sourire.

— A la tienne, Maggan. Tu es mon idole. Des nuits torrides, un homme sympathique et pas de sentiments. Oh là là, je suis jalouse.

39

Il avait rédigé des dizaines de messages, mais les avait tous effacés et était à deux doigts de lancer son téléphone contre un mur. Un geste très puéril, mais qui aurait le mérite d'extérioriser sa frustration. Devait-il envoyer des fleurs ? Avec une note disant qu'il avait trouvé sa pantoufle de vair ? Mon Dieu, comme c'était gnangnan. Se prenait-il pour un prince ?

— Tu vas user la moquette à force de faire les cent pas.

Il avait tout à fait oublié le rendez-vous avec la gouvernante générale et, étonné, regarda sa montre.

— Merde, je n'ai pas surveillé l'heure. Je ne suis pas prêt.

— Mais appelle-la, à la fin. Tu es insupportable dans cet état. Qu'est-ce qui t'arrive ? Depuis quand tu as des problèmes avec les femmes ? demanda-t-elle dans un éclat de rire.

— Je n'ai pas de problèmes avec les femmes, c'est juste que je ne comprends rien à celle-ci.

— Appelle-la, sinon c'est moi qui le fais. Tu as un hôtel à diriger. Idiot, ajouta-t-elle en sortant du bureau.

— Qu'est-ce que tu as dit ?

— Tu as parfaitement entendu, répliqua la gouvernante avant de claquer la porte derrière elle.

Il détestait quand sa sœur avait raison. Idiot. L'analyse était on ne peut plus exacte.

Michael retourna s'asseoir, mais n'arrivait pas à se concentrer. Il prit une profonde inspiration et souleva le combiné.

— Susanne.

— Michael.

Elle fit de grands gestes de la main pour signifier à ses amies de se taire. « C'est lui », articula-t-elle en silence en indiquant le téléphone.

— Bonjour, Michael. Merci pour ta compagnie de l'autre soir.

— Merci à toi aussi. Comment vas-tu ?

Quelle question stupide ! Pire qu'un morveux. Ressaisis-toi, bon sang, s'admonesta-t-il.

— Bien, merci. Et toi ?

— Très bien, mais je suis désolé que tu aies disparu en plein milieu de la fête.

Parfait, Michael, voilà qui est mieux.

— Il y a une raison à ce départ précipité ?

La vache, il est direct, se dit Susanne.

Prise au dépourvu, elle envisagea un instant de prétexter des maux de ventre.

— Oui.

— Ah bon ?

— Je n'ai pas envie d'en parler, ajouta-t-elle sans lui laisser le temps de demander une explication.

Elle ne mentirait pas, mais elle n'avait aucune intention d'avouer qu'elle s'était enfuie à cause de lui.

— D'accord, mais quoi qu'il en soit, je trouve dommage que nous n'ayons pas pu terminer notre conversation. Que dirais-tu de la reprendre autour d'un dîner ? Samedi par exemple ?

Il serra les paupières en attendant sa réponse.

— Désolée. J'ai la visite de mes amies suédoises et elles ne repartent pas avant dimanche, indiqua Susanne.

Elle mit son index sur ses lèvres pour intimer à ses compagnes, qui se pressaient autour du téléphone pour entendre les paroles de Michael, l'ordre de ne pas émettre le moindre son.

— Et dimanche, alors ?

Il n'avait pas l'intention d'abandonner. Il obtiendrait un rendez-vous avant de raccrocher.

Elle se tut, faisant mine de réfléchir.

— Allô, tu es toujours là ?

— D'accord pour dimanche.

— Je passerai te prendre à huit heures.

Il reposa le combiné avant qu'elle puisse changer d'avis.

Le samedi, les trois amies firent une virée à Londres, et Maggan, qui n'y était encore jamais venue, débordait d'enthousiasme quand elles ouvrirent enfin les portes de l'hôtel de Susanne.

— C'est exactement comme ça que je m'imaginais un hôtel ici. Susanne, c'est fantastique. L'endroit a beaucoup de caractère.

Rebecka, qui voyait toujours Adam derrière chaque détail, approuvait. L'établissement était sans faute de goût. La douleur aiguë qu'elle avait ressentie après la trahison apparente s'était calmée. Peut-être valait-il mieux qu'Adam ait disparu de sa maison et de sa vie.

Après avoir ouvert la dernière porte, Maggan et Rebecka jetèrent chacune leur dévolu sur une suite.

Susanne applaudit.

— Je vais bien sûr attribuer des noms suédois aux chambres. Les vôtres sont déjà pris. Il ne manque plus que celui de Sonja.

Elle tapa à nouveau dans ses mains.

— Non, j'ai une meilleure idée. Je vais donner son prénom à l'hôtel. Dire que je n'y ai pas songé avant. Sonja Londres. Il n'y a pas plus approprié.

La joie se répandit jusqu'à ses jambes et elle se mit à sauter sur place.

— Sonja Londres. Qu'est-ce que vous en pensez ?

— Un nom parfait, approuva Maggan avec un sourire.

— C'est génial, renchérit Rebecka. Quand est-ce que le Sonja ouvre ?

— En mai, j'espère. En janvier, nous commencerons à recruter les gens qu'il nous faut.

— Des Suédois ?

— Oui. D'après Charles, il n'y a pas meilleurs prestataires de services. Je ferai circuler l'information parmi mes contacts quand je retournerai à Stockholm.

— Qui se chargera de tes finances ? demanda Rebecka.

— Je ne sais pas encore. Tu cherches du travail ?

— Peut-être bien.

— Tu es sérieuse ?

— Je ne sais pas.

— Ça serait formidable. Il n'y a personne en qui j'aie autant confiance qu'en toi.

Maggan se racla la gorge.

— Et en toi, bien sûr, lui assura Susanne en lui passant le bras autour des épaules. Si tu veux, j'ai également un travail pour toi.

— En cuisine ?

— Evidemment.

Les yeux de Susanne brillaient.

— Imaginez un peu si vous participiez à la marche de l'hôtel. Pourquoi n'y avons-nous pas pensé plus tôt ?

— Peut-être parce que je construis une villa à Majorque et que Maggan a un restaurant à Paris ?

— Et alors ? Qu'est-ce qui nous empêche de faire équipe sur ce projet ?

Rebecka se demanda si elle devait révéler ses plans pour la maison, mais s'abstint, car elle attendait d'avoir plus d'informations avant de prendre une décision. Si son idée était réalisable, elle aurait à coup sûr besoin d'aide, et Susanne avait mis le doigt sur quelque chose d'intéressant en proposant une collaboration.

Le cerveau de Rebecka carburait à cent à l'heure. Pourquoi n'y avait-elle pas songé plus tôt ?

40

Susanne n'avait encore jamais eu de mal à choisir des vêtements. En temps normal si décidée, elle éliminait ce soir tenue après tenue. Quand elles n'étaient pas trop sexy, elles lui semblaient trop strictes. Elle ne cherchait pas à plaire à Michael, mais à se sentir sûre d'elle, et rien dans sa garde-robe ne lui apporterait cette sécurité aujourd'hui. Finalement, elle choisit un haut moulant noir à col rond et une jupe assortie qui descendait jusqu'aux genoux. Le pull soulignait sa poitrine généreuse, mais elle devrait s'en accommoder.

Tout en fixant ses jarretelles, elle se demanda comment finirait la soirée. Elle ne voyait que deux possibilités : droit dans la Tamise ou droit au lit. Elle ne savait pas ce qu'elle redoutait le plus.

A huit heures tapantes, elle vaporisa un peu de son parfum préféré, Alien, derrière les oreilles, jeta un dernier coup d'œil dans le miroir et se dirigea vers le taxi qui l'attendait.

— Je ne t'ai jamais donné mon adresse, furent les premiers mots qu'elle prononça.

— Je me suis renseigné.

— C'est ce que je vois, fit-elle avec un sourire. Bonsoir.

— Bonsoir, répondit-il avant de l'embrasser sur la joue.

— Où est-ce qu'on va ?

— Chez moi.

Elle le dévisagea, surprise.

— Tu es d'accord ? s'inquiéta-t-il.

— Oui, absolument.

Voilà qui était décisif. Elle était impatiente de voir où il vivait. Son invitation chez lui avait sûrement beaucoup à dire sur une éventuelle relation amoureuse. Du moins, Susanne l'espérait.

— Je croyais que tu étais un citadin pur et dur ? s'étonna-t-elle quand le taxi s'éloigna de la ville.

— Je le suis aussi. Quand je travaille, je réside dans mon appartement à l'hôtel, mais je me sens beaucoup mieux dans ma maison, à Hampstead, où nous nous rendons.

Il l'observa.

— Je suis sûr que tu y seras très à l'aise, ajouta-t-il, l'air réjoui.

— Qu'est-ce qui te fait dire ça ?

— Je ne sais pas, peut-être que je l'espère simplement.

Sa franchise surprit Susanne, mais beaucoup de choses la déconcertaient chez cet homme.

Elle sourit.

— Je ferai de mon mieux.

De la rue, la maison ressemblait à n'importe quelle autre, aussi Susanne fut-elle stupéfaite quand elle entra. Elle ne savait pas vraiment à quoi elle s'était attendue. Sans doute à un intérieur typiquement masculin. A la place, elle découvrit des couleurs pastel, des essences de bois sombres et des tapis épais.

Elle se déchaussa.

— C'est la coutume en Suède, et je ne voudrais pas abîmer tes beaux planchers, expliqua-t-elle avec un sourire lorsqu'elle remarqua son regard interrogateur.

Il ne dit rien. Immobile, il l'observait d'un air indéchiffrable.

— Allez, fais-moi visiter, sinon j'explore toute seule, menaça-t-elle en se dirigeant vers l'escalier.

Elle s'arrêta à mi-hauteur.

— Oh là là, tu as ramené le personnel à la maison, à ce que je vois ! s'exclama-t-elle en découvrant une photo de Sandra, la femme qu'il avait enlacée avec tant de tendresse le soir de la fête.

Michael s'immobilisa une marche plus bas.

— Sandra ? C'est un bon portrait, tu ne trouves pas ? Et voilà son enfant avec le papa, dit-il en indiquant le cadre voisin.

— Ça ne te dérange pas d'avoir une photo de son ex-mari chez toi ?

— Son ex-mari ? A ma connaissance, ils étaient toujours heureux en ménage ce matin, quand je suis allé prendre le petit déjeuner chez eux.

Il se mit à rire en voyant sa mine étonnée.

— Attends un peu. Tu ne croyais tout de même pas… Oh, apparemment si. Tu pensais que j'avais une liaison avec ma propre sœur, avoue.

Les mains sur les hanches, elle le fixa du regard.

— Et quand m'as-tu annoncé que c'était ta sœur ? J'ai compris à ses paroles que vous étiez proches, mais elle non plus ne m'a pas expliqué que tu étais son frère. Alors oui, j'ai cru que votre relation était toute différente.

Elle avait toujours les yeux rivés sur lui quand il se pencha pour lui déposer un baiser sur les lèvres.

— Tu en veux un autre ? demanda-t-il à voix basse.

— Oui, s'il te plaît.

Il enserra le visage de Susanne entre ses mains et se rapprocha lentement.

Susanne osait à peine bouger. Ils s'embrassèrent doucement et prudemment, et elle passa les bras autour de son cou quand il l'attira à lui.

Ils se séparèrent soudain, comme s'ils réagissaient à un signal. Michael reprit son souffle le premier.

— Je n'ai personne d'autre dans ma vie. C'est toi que je veux. Ne m'embrasse plus jamais comme ça si tu ne ressens pas la même chose.

Elle le regarda attentivement.

— Je ne t'embrasserai plus tant que je n'aurai pas mangé, déclara-t-elle.

— Et après le dîner ?

— Peut-être que d'ici là, j'aurai pris une décision, répondit-elle avec un sourire avant de le contourner, toujours en bas, pour redescendre l'escalier.

Il réchauffa la fricassée tandis qu'elle ouvrait une bouteille de vin. Ils ne parlèrent que de choses insignifiantes sans se lâcher un instant du regard. La tension entre eux était presque douloureuse. Quand elle recueillit une goutte de sauce sur ses lèvres et présenta son doigt à Michael pour lui faire goûter, il l'avertit avec un grognement que, pour son propre bien, elle devrait éviter ce genre de geste.

— Au contraire, pour mon propre bien, je crois que je devrais continuer, répondit Susanne.

— Ah oui, vraiment ?

— J'en suis certaine.

Elle lécha la goutte de sauce et le prit par la main.

— J'ai fini de manger. Viens, maintenant.

Elle pensait avoir tout exploré dans ses fantasmes, mais rien n'aurait pu la préparer à la réalité.

Jamais elle ne s'était sentie aussi nue, aussi sensible, aussi émue. Les sentiments la submergeaient. La tendresse, les regards, les paroles…

Elle ne s'attendait pas non plus à verser des larmes, ni à ce qu'il les essuie doucement de ses baisers, une à une.

41

De retour chez elle, Rebecka appela Adam pour lui annoncer qu'elle ne viendrait plus sur le chantier tant qu'il s'y trouverait, mais qu'il pouvait continuer ce qu'il avait prévu de réaliser jusqu'à Noël. Elle le pria également, puisqu'il savait ce qu'il avait à faire, de s'occuper de l'aménagement intérieur. Il avait demandé à la voir, mais elle avait refusé. En revanche, elle avait dit qu'elle était impatiente de rencontrer son remplaçant. Elle ne s'était pas montrée désagréable, simplement professionnelle, attitude qu'elle comptait arborer si par hasard ils se croisaient.

Elle n'était pas aussi froide qu'elle voulait le paraître, mais pour son propre bien elle devait étouffer ses sentiments. C'était ainsi qu'elle s'était protégée quand Robert l'avait quittée, et il ne l'avait pas contactée jusqu'à récemment.

Dans sept ans, elle en aurait soixante-deux et arriverait certainement à affronter à nouveau l'architecte, du même âge qu'elle. Pour le moment, c'était impossible. Elle avait multiplié les efforts pour le maintenir à distance, mais il avait quand même réussi à se faufiler dans son cœur. Elle ignorait quels chemins il avait employés. Elle croyait pourtant avoir tout bien calfeutré.

Il n'y avait plus que deux semaines jusqu'à Noël. Rebecka ne voulait pas rester à Majorque, où elle risquait de tomber sur Adam, mais elle n'avait aucune envie non plus de retourner à Stockholm. Elle appela donc Maggan.

— Oui, bien sûr que tu peux venir.

— Je ne vais pas vous déranger, ton nouvel amoureux et toi ?

— D'après Susanne, ce n'est pas un amoureux, c'est un *sex friend* mature, alors sois tranquille. Tu es la bienvenue chez moi.

La cuisine de Maggan embaumait le pain de viande et, pendant que Rebecka débouclait sa valise, Maggan entreprit de photographier le repas. Non pas qu'elle ait eu l'intention d'utiliser ces clichés. Si son projet portait ses fruits, elle ferait appel à un professionnel.

— Un livre ?

— Oui. J'ignore si elle aboutira, mais j'ai une idée.

— Oh, c'est génial. Raconte.

— Pas pour le moment, *sorry,* répondit Maggan avec un sourire mystérieux. Mais j'espère que tu accepteras de poser pour moi pendant la semaine. Je te promets que personne ne verra les portraits sans ton autorisation.

— Bien entendu. Je suis née devant l'objectif, grimaça Rebecka.

Les dernières photos d'elle dataient de l'époque où l'équipe directoriale de JH Foods s'était présentée sur le site Web de l'entreprise. Par chance, les clichés étaient stricts et impersonnels. Rebecka ne s'était pas attendue à des images très avantageuses, et le résultat n'avait fait que la conforter dans son opinion d'elle-même.

Toutefois, elle n'était pas assez orgueilleuse pour fuir les appareils photo et Maggan pouvait naturellement la prendre pour sujet. Un pain de viande aussi fantastique méritait bien une récompense.

— Tu es si impatiente de retourner à Stockholm ? demanda Maggan, qui voulait éviter d'autres questions sur le livre.

— Non, j'ai hâte de partir de Majorque.

Maggan fut désolée d'entendre cette réponse. Rebecka avait échafaudé tant de projets pour la maison pendant l'automne, et le changement était aussi évident qu'affligeant.

— Alors, c'est décidé ? Il s'en va ?

— Oui.

— Pourquoi ne lui donnes-tu pas une chance, Rebecka ?

— D'une, parce qu'il est pris. De deux, parce que je ne veux pas être de nouveau blessée.

— Mais c'est ton refus même qui te blesse.

— Ça passera, répondit Rebecka en haussant les épaules.

— Tu ne crois pas que tu devrais consulter un thérapeute ?

Rebecka la dévisagea.

— Tu es folle ? Suivre une thérapie ? Moi ? Mais pour quoi faire ?

Maggan éclata de rire à la vue de l'expression inimitable de son amie.

— Parce que ça fait du bien de se confier à quelqu'un qui comprend pourquoi on agit d'une certaine façon, quand on aurait peut-être dû prendre la décision inverse.

— Et qu'est-ce que tu y connais ?

— Eh bien, après trois ans de suivi, je sais de quoi je parle.

Rebecka se souvint.

— Mais c'était il y a plus de vingt ans, non ?

— Très exactement vingt-trois, précisa Maggan. Après la mort de maman. Tu te rappelles comme je dépendais d'elle ?

Rebecka se rappelait. Anneli était alors adolescente et leur entourage avait pris soin d'elle pendant que Maggan ployait sous le chagrin.

— J'adorais ta mère. Beaucoup plus que la mienne, d'ailleurs. Elle était en quelque sorte devenue la maman de notre quatuor.

Maggan sourit. Ce n'était qu'avec la thérapie qu'elle avait compris à quel point elle ressemblait à sa mère. Comment, de la même façon, elle essayait de s'attacher les gens qu'elle aimait.

Elle avait découvert d'autres similitudes, et si certaines la flattaient, toutes n'étaient pas aussi agréables.

— J'ai à présent l'âge qu'elle avait à sa mort, et ce serait le comble si j'emportais dans la tombe mon besoin de contrôle.

— Je n'aurais jamais cru que tu avais un besoin de contrôle.

— Et pourtant si. Très grand, même. Je peux être terrible quand je veux. Demande à ma fille, c'est elle qui en a souffert le plus.

— Je n'ai jamais rien entendu d'aussi stupide. Je ne connais personne qui aille mieux qu'Anneli, rétorqua Rebecka en faisant les gros yeux à Maggan pour qu'elle arrête de dire des bêtises.

Maggan sourit, consciente de ce qu'avait enduré Anneli sous sa tyrannie. Cette dernière ne s'était révoltée qu'à l'âge adulte, contestant les airs de martyre qu'employait Maggan.

— Anneli aussi a suivi une thérapie.

— Ce n'est pas possible ?

— Et si. Elle avait besoin d'apprendre à me poser des limites.

— Je ne comprends pas, tu lui as tout donné.

— C'est un autre aspect du problème. Je ne lui ai jamais appris à se débrouiller seule et quand elle a rencontré son mari, elle savait à peine faire ses lacets, expliqua Maggan en secouant la tête. La pauvre.

Elle se leva pour débarrasser la table et commença à rincer les assiettes, mais elle se reprit et rangea le couvert, encore sale, dans le lave-vaisselle.

— Les rares hommes que j'ai laissés entrer dans ma vie n'ont malheureusement pas pu combler mes attentes et ils ont dû en ressortir, poursuivit Maggan. Pendant que tu te contentais de miettes, rien ne me suffisait.

S'était-elle vraiment satisfaite de pas grand-chose ? Rebecka réfléchissait en prenant l'air frais de Paris.

Maggan étant restée chez elle, elle était seule avec ses pensées. Cela faisait du bien. Rebecka devait s'isoler un moment.

Se pouvait-il que Robert ne lui ait donné que des miettes ? Les désirs de son mari avaient toujours eu la priorité, c'est vrai, mais cela lui avait très bien convenu. Elle-même n'avait pas de besoins impératifs. Elle était heureuse de le voir heureux. Etait-ce un mal ? Certes, elle avait dû renoncer à étudier la décoration d'intérieur en cours du soir, parce que Robert trouvait cela idiot, mais il avait eu entièrement raison. Ces moments leur appartenaient. Ils dînaient sans hâte et Robert relatait sa journée. Rebecka n'avait pas grand-chose à dire sur son travail, tandis que Robert racontait beaucoup d'histoires amusantes sur le sien. La seule occasion où elle parla de sa carrière fut lors de sa nomination au poste de P-DG. Au cours des sept années qui suivirent son divorce, elle se maudit souvent d'avoir accepté cette responsabilité. Son métier avait détruit son mariage, et elle ne se l'était jamais tout à fait pardonné.

Elle avait parfois comparé Adam à Robert, et l'une des choses qui la déstabilisaient le plus était la différence flagrante entre les deux hommes.

Adam lui avait sans cesse demandé ce qu'elle voulait, ce qu'elle aimait, comment elle se portait et si elle était satisfaite. Bien plus que ses nombreux compliments, toute cette attention la troublait. Pendant son mariage, c'était elle qui avait posé les questions, Robert y avait répondu, et elle s'en était parfaitement accommodée. Adam bouleversait ses habitudes et cela la perturbait. Il en allait autrement quand ils travaillaient ; son comportement était alors professionnel et direct. C'est s'il s'aventurait sur un terrain plus personnel qu'il y avait des frictions. Elle s'était sentie mise à nu et trouvait cela extrêmement désagréable.

Elle secoua la tête pour chasser les pensées relatives à Adam et fut surprise de voir qu'elle s'approchait de l'avenue Montaigne. Elle avait prévu de s'y rendre dans quelques heures, naturellement avec l'intention de soulager son portefeuille. D'après Susanne, il n'y avait rien de plus revigorant que de nouveaux vêtements ou un sac à main. De plus, Maggan et elle devaient rencontrer le fameux M. Perrot pour la première fois, et une robe serait tout à fait de mise.

Maggan avait téléphoné pour exiger sa présence Chez Sonja ce soir-là.

42

Susanne ouvrit les paupières, tirée de son sommeil par le son d'un sifflement et la sensation d'un lit froid. Elle n'avait pas l'habitude de s'endormir dans les bras d'une autre personne, mais elle ne trouvait pas cela désagréable du tout. Au contraire, elle ne serait jamais assez proche de lui. Ils s'étaient réveillés plusieurs fois pendant la nuit et étaient restés longtemps immobiles, les yeux dans les yeux. Ces moments avaient été si intimes que son cœur se serrait.

« Ne m'abandonne pas », avait-il murmuré en lui caressant la joue de sa main chaude.

Susanne frémit à ce souvenir. Il ne se débarrasserait d'elle qu'à coups de pied.

Il avait pris une douche et ses cheveux étaient encore mouillés quand il revint avec un plateau, souriant largement.

— Je n'ai pas compris si tu préférerais du café ou du thé, alors j'ai préparé les deux, dit-il en posant prudemment son fardeau.

Il retira sa robe de chambre, distrayant Susanne du petit déjeuner.

— Viens sous la couverture, ordonna-t-elle d'un ton bourru.

— Tu ne ferais pas mieux d'enlever la tienne ?

— D'enlever quoi ?

— Ta couverture ?

— J'ai faim, protesta-t-elle en riant quand il tira sur la couette.

Elle résista un instant, mais lâcha prise. Il repoussa la couette par terre et s'étendit à côté du corps nu de Susanne.

— Thé ou café ?

Susanne franchit les portes du centre de formation sans s'apercevoir qu'elle fredonnait. Elle était satisfaite de sa nouvelle vie. Le départ de Michael pour New York ne la dérangeait absolument pas. Elle était très prise par son cours sur les systèmes de réservation et ils se verraient à son retour, le week-end avant Noël. De plus, ses anciennes collègues Helene et Marianne étaient de passage à Londres et elle les avait immédiatement invitées chez elle. Elle n'aurait pas le temps de se sentir seule.

Susanne vivait dans le présent sans se poser de questions sur l'avenir. Tel n'était pas le cas quand elle sortait avec des hommes. Comme beaucoup de gens, elle s'était inquiétée de son sort, en particulier à l'âge où les autres se mariaient et avaient des bébés. Ce ne fut qu'une fois la quarantaine atteinte qu'elle se détendit enfin, lorsqu'elle constata qu'elle ne voulait pas d'enfants.

S'il y avait une chose qu'elle avait apprise, c'était que l'on devenait rarement la personne que l'on imaginait. La vie détournait les gens de leurs objectifs. Son radar à hommes l'avait guidée dans des relations malencontreuses, mais elle s'en était aperçue avant de commettre l'erreur de s'abandonner à ses émotions. Il en allait de même cette fois encore. Le temps montrerait si Michael était tel qu'elle le croyait.

Pour l'instant, elle se contentait d'apprécier le sentiment amoureux. Elle n'avait jamais déclaré sa flamme à un homme. Peut-être avait-elle aimé un corps ou des talents de chef, mais ce n'était pas du tout la même chose. Elle s'était fréquemment demandé quoi faire pour rencontrer le véritable amour.

Susanne s'étonnait de voir certaines de ses collègues s'amouracher sans arrêt et emménager si souvent avec un nouveau compagnon. D'un autre côté, elle trouvait curieux que toutes ses meilleures amies aient choisi la liberté. Sonja s'était contentée de pousser une plainte lorsqu'on lui parlait de partager sa vie avec autre chose que des pots de peinture et Maggan avait un alibi en la personne de sa fille. Rebecka avait certes passé vingt ans aux côtés de Robert, mais depuis leur divorce, aucune paire de chaussures au-delà du 39 de pointure n'avait franchi son seuil.

Sonja avait raison. Elles étaient pareilles. Indépendantes. Terrifiées à l'idée d'avoir besoin de quelqu'un. Solitaires, même si elles étaient ensemble. Toutes trois se sentaient plus en sûreté en restant célibataires.

Lorsque Susanne ouvrit la porte à ses anciennes collègues, elle reçut un choc en découvrant Anders sur son palier. Il se jeta à son cou en braillant qu'elle lui avait terriblement manqué. Par-dessus son épaule, Susanne lança un regard horrifié à Helene et Marianne.

Ses amies écartèrent les mains en signe d'excuse, et Susanne comprit qu'elles n'avaient eu aucune chance une fois qu'Anders s'était mis en tête de les accompagner à Londres.

— Tu as l'air surprise, lui souffla-t-il à l'oreille avant qu'elle ait le temps de se dégager.

— C'est le moins qu'on puisse dire, siffla-t-elle en colère. Tu n'es pas invité.

— Non, chérie, j'en suis conscient. Mais je n'ai pas pu résister. Tu sais bien que je suis quelqu'un de spontané.

Susanne n'en savait rien du tout. En revanche, elle le connaissait retors, trompeur et manipulateur. Elle se tourna vers les deux femmes.

— Vous deux, par contre, je vous souhaite la bienvenue à Casa Susanne. Entrez pendant que je nous débarrasse d'Anders.

Elle ferma la porte et le fusilla du regard tandis que ses anciennes camarades se mettaient à l'aise.

— Non, non, non ! s'écria-t-elle en levant les mains quand Anders fit mine de déboutonner son manteau. Tu ne restes pas.

— Mais enfin, Susanne, pourquoi tu es fâchée ?

Susanne suggéra à Helene et Marianne de visiter les lieux pendant qu'elle expliquait à Anders pourquoi elle ne voulait pas de lui dans sa maison.

— Pour être franche, je ne sais pas par où commencer, fit-elle avec colère. Peut-être par toutes les conneries ? Ou bien les mensonges ?

— Je comprends que je t'ai fait de la peine, mais je suis là maintenant. Je n'arrête pas de penser à notre dernière nuit dans ton appartement, ajouta-t-il avec un regard malin.

— Encore un pas et je te flanque une gifle, dit-elle d'un ton ferme.

— D'accord, je garde mes distances.

Soudain, la lampe du couloir clignota.

— Et merde, qu'est-ce qui se passe maintenant ? Helene, est-ce que la lumière vacille aussi dans la cuisine ? cria-t-elle.

— Non, répondit Helene en ressortant de la pièce. Elle s'est éteinte d'un seul coup.

Au même instant, le corridor s'obscurcit.

— Les plombs.

Susanne se tourna vers Anders.

— Qu'est-ce qu'il y a avec les plombs ?

— Ils ont sauté.

— Comment tu le sais ?

— La lumière est encore allumée là-bas, expliqua-t-il en désignant la salle de séjour. Où est le tableau de répartition ?

Susanne leva les yeux au ciel.

— Le tableau de répartition ? Mon Dieu, comment veux-tu que je le sache ? Je ferais mieux d'appeler un électricien, non ?

— C'est une option. Mais je peux aussi changer les fusibles moi-même et le courant sera rétabli en cinq minutes.

Susanne décida que cette solution serait la plus rapide, et lorsqu'elle proposa une bière à Helene et Marianne, elle en offrit une à Anders. Mais hors de question qu'il dorme ici, dix minutes de travail ne la rendaient pas à ce point redevable.

Lorsque la sonnette retentit, Susanne cria depuis les toilettes à ses amies d'ouvrir.

Anders, qui se trouvait dans l'entrée, prêt à partir, s'en chargea.

— Oui ? dit-il à l'homme de haute taille aux cheveux bruns.

— Est-ce que Susanne est là ?

Anders jaugea le nouveau venu du regard. Il ne lui fallut qu'un millième de seconde pour répondre.

— Ma fiancée est en train de prendre un bain. Je peux lui transmettre un message ?

43

— Tes quelques kilos en plus te vont bien, remarque Maggan, admirative, lorsque Rebecka lui montra ses achats.

— Tu trouves ? Merci. J'ai l'impression d'avoir pris un coup de vieux après la ménopause. Aujourd'hui, je me suis rendu compte que j'ai des rides sur les fesses. Il n'y a que dans les cabines d'essayage qu'on fait ce genre de découvertes.

— C'est une façon comme une autre d'accepter un compliment, la taquina Maggan avec un sourire.

— Oups, voilà que je recommence. Mille mercis, je suis contente de l'entendre.

Elle aimait beaucoup sa nouvelle robe et elle remua légèrement les hanches pour faire virevolter le tissu autour de ses jambes.

— On pourrait peut-être aller danser une fois que nous aurons fait la connaissance de M. Perrot ? plaisanta-t-elle.

— Attends un peu, dit Maggan en se dirigeant vers le plan de la ville parsemé de recommandations. Regarde. Un club de jazz. Qu'est-ce que tu en penses ?

— Du jazz ? Tu es devenue folle ? Tu n'as rien de plus rythmé à proposer ?

— Voyons voir.

Maggan étudia la carte un moment puis leva brusquement une main en l'air.

— De la samba ! s'écria-t-elle. Ça irait ? Ta robe serait parfaite dans un club de samba. Et ça ferait travailler tes fesses ridées, ajouta Maggan en éclatant de rire.

— Et toi, alors. Tu arriveras à remuer les tiennes ? demanda Rebecka.

— Je ne sais pas, je n'ai jamais essayé. Si mes jambes me font trop mal, je m'amuserai de loin à te regarder danser.

Rebecka prit l'un des coussins du canapé et le lança à la tête de son amie.

— Attends un peu, tu vas voir de quoi je suis capable.

Le restaurant Chez Sonja était bondé et très animé. Les jeunes Parisiens à la mode se mêlaient aux hommes d'affaires et aux femmes d'âge moyen qui semblaient sorties tout droit de grandes boutiques de prêt-à-porter.

Le maître d'hôtel les salua chaleureusement en prenant leurs manteaux pour leur épargner la file d'attente.

— C'est un plaisir de vous revoir ici, dit-il en les conduisant à une table. Puis-je vous offrir quelque chose à boire ?

Les deux amies commandèrent du champagne et Maggan demanda à parler à M. Perrot, mais quand le maître d'hôtel répondit d'un ton désolé que le propriétaire était absent, Maggan se renfrogna.

— Quand donc est-il là ? Cela fait plusieurs fois que j'essaie de le rencontrer. Je commence à penser qu'il m'évite.

— Non, madame, ne croyez pas cela. M. Perrot a dû partir soudainement pour Londres cet après-midi et m'a prié de vous informer qu'il serait de retour dans quelques jours.

Avec un soupir, Maggan se tourna vers Rebecka.

— Je trouve ça vraiment louche qu'il ne soit jamais là quand je viens. Björn et moi, nous avons déjà mangé ici à trois reprises, et pas une seule fois M. Perrot n'a daigné se manifester. Il commence à me fatiguer, ce vieux, se plaignit-elle.

— Ce vieux ? Quel âge a-t-il, à ton avis ? Ou bien es-tu en train de dire que tu le sais ? fit Rebecka d'un ton intrigué.

— Je n'en ai aucune idée, mais j'imagine un petit gros de soixante-dix ans.

Quand le maître d'hôtel reparut, Maggan demanda si elles pouvaient visiter les cuisines après le repas.

— Bien entendu. Je vais annoncer à la brigade que la nouvelle propriétaire est là. Tout le monde sera très heureux de vous rencontrer.

— Comment le savez-vous ? s'étonna Maggan.

— Quoi donc ? l'interrogea l'homme d'un air interloqué.

— Que je suis la nouvelle propriétaire.

— Ah. M. Perrot me l'a dit. Il m'a donné pour consigne de vous accorder toute mon attention parce que vous êtes très importante à ses yeux. Il a même nettoyé la cuisine en prévision de votre arrivée, ajouta-t-il avec un sourire.

— Mais comment avez-vous su que c'était moi ?

— J'ai deviné, répondit le maître d'hôtel avant de s'éloigner.

Maggan trouvait ça bizarre. Elle n'avait jamais rencontré M. Perrot, pas plus qu'elle n'avait révélé son nom lors de ses visites précédentes. Des centaines de clients demandaient certainement à parler au propriétaire après avoir dégusté un bon dîner.

— Tu n'es pas d'accord avec moi ? lança-t-elle à Rebecka, qui était occupée à charger sa fourchette.

— Si, mais il n'y a sans doute pas beaucoup de Suédois ici. Mange, le cabillaud est tout simplement fantastique, l'encouragea-t-elle en prenant un autre morceau.

— Et comment sait-il que je suis suédoise ? argua Maggan d'un ton triomphant.

— A ton accent parfaitement audible.

— C'est la pire chose que j'aie jamais entendue. J'ai un accent si marqué ?

— Oui. Un peu comme moi en espagnol. *Sorry,* ma chérie, mais il nous suffit d'ouvrir la bouche pour être démasquées.

En cuisine, Maggan brandit son appareil photo et les employés s'écartèrent poliment tandis qu'elle réalisait des clichés des assiettes qui devaient partir en salle.

— Je suis bien contente qu'ils ne passent pas leur temps à dresser la nourriture comme c'était la mode dans les années 1990, dit-elle à Rebecka, vingt minutes plus tard, dans le taxi qui les conduisait au club de samba.

— Tu parles de cette façon d'empiler les aliments en une petite tour ?

— Exactement. Ce genre de décoration était très français, non ?

— Je n'en ai aucune idée, mais je trouve aussi que la disposition employée ici est exquise. Tu ne veux vraiment pas me raconter ce que tu vas faire des photos ? S'il te plaît, supplia-t-elle.

Maggan se contenta de secouer la tête.

— Tu le sauras en temps voulu.

44

Susanne essaya de contacter Michael pendant trois jours. Elle n'y comprenait rien. Quand, à bout de patience, elle déboula à la direction du Hyatt, l'assistante tenta de l'arrêter, mais elle n'avait aucune chance contre une Susanne folle de rage.

— Je ne sais pas quel est ton problème, mais ça te tuerait d'être poli ? Je croyais que les Anglais étaient connus pour leur courtoisie ? cracha-t-elle, le visage très rouge, en le foudroyant de ses yeux verts.

Michael semblait impassible, assis à son bureau, mais quand il s'avança, elle s'aperçut qu'il était tout sauf calme.

— Va-t'en. Sors d'ici. Tout de suite, hurla-t-il en désignant la porte. Je ne veux plus jamais te voir dans mon hôtel, tu entends ?

Susanne n'avait pas peur, mais elle obtempéra. Il montrait enfin son vrai visage. Dans l'ascenseur, sa colère s'apaisa, lui laissant la gorge nouée. Elle parvint tout de même à traverser le hall la tête haute. Ce n'était pas elle qui avait eu un comportement de fumier. Son erreur était tout autre. Tu t'es simplement fait avoir, Susanne. Quelques belles paroles et des regards tendres, et tu tombes dans le panneau comme une oie blanche. Dès qu'elle serait à Stockholm, elle appellerait Anders. Lui au moins était facile à comprendre.

Elle mit une demi-heure à faire sa valise et une heure de plus à se rendre à Heathrow. Trois heures après ses horribles retrouvailles avec Michael, elle était en route pour la Suède.

Elle esquissa son premier sourire depuis la scène lorsque, en arrivant à Söder, elle découvrit son réfrigérateur débordant de spécialités de Noël.

Elle prit une bière de Noël sans alcool, coupa une tranche de jambon et s'assit à la table de la cuisine.

— Joyeux Noël pourri et merci à Andréasson, dit-elle en levant sa bouteille.

A l'autre bout de la ville, Rebecka venait de faire la même découverte, et tout en arrachant la cellophane du paquet de chocolats, elle zappa pour trouver une chaîne qui diffusait des chants traditionnels.

La Trois passait *Love Actually,* et Rebecka fut happée, bien qu'elle ait déjà vu le film de nombreuses fois. Elle regarda, hypnotisée, Colin Firth tomber amoureux de la femme de ménage portugaise, et lorsque le générique se déroula, elle s'aperçut qu'elle avait vidé la boîte de pralines.

A Östersund, Anneli avait préparé le repas du réveillon malgré son ventre énorme, mais à l'arrivée de Maggan, elle reçut l'ordre de s'installer confortablement sur le canapé.

— Alex arrivera sûrement à aider mamie dans la cuisine, pas vrai ? demanda Maggan.

— Oui, mamie. J'ai presque six ans. Tu n'as pas oublié ? ajouta-t-il d'un ton inquiet, comme si fêter Noël n'allait pas suffire.

— Comment pourrais-je l'oublier ? A ta naissance, il y a eu des feux d'artifice toute la nuit.

— Pour moi ?

— Oui. Et aussi parce que c'était le nouvel an, dit Maggan joyeusement. Oh ! Alex, je suis si contente de te voir. Si tu savais ce que tu m'as manqué !

— Tu m'as manqué aussi, répondit-il avec un large sourire.

Le soleil inonda la cuisine malgré le froid de l'hiver.

— Mamie ?

— Oui, mon cœur ?

— Albin dit que le père Noël n'existe pas.

— Dans ce cas, il va être très surpris demain matin, répliqua Maggan en posant des brioches au safran surgelées sur le plan de travail. Il faut les laisser décongeler. Tu me montres où les jumeaux dormiront ?

Maggan fêterait le nouvel an à Östersund. Elle ne voulait surtout pas rater l'anniversaire d'Alex. Immédiatement après, elle s'envolerait pour Majorque, suivie par Susanne, encore une fois sans faire de détour par Farsta. Elle avait parlé avec le notaire, qui lui avait assuré que toutes ses affaires étaient en ordre.

Le réveillon arriva. Les trois amies passèrent les fêtes dans leurs familles respectives avec le sentiment que le temps s'était arrêté alors qu'elles vivaient à l'étranger depuis l'été.

Le jour de Noël, Susanne invita Rebecka chez elle.

— Ce sont les six mois les plus fous de ma vie, déclara Susanne à une Rebecka avachie dans le fauteuil, les pieds sur la table.

— De ta vie ? Et la mienne alors ? Il y a six mois, je n'avais toujours pas fait le deuil de ma relation.

— Et maintenant ?

— Eh bien, je ne pleure plus mon mariage avec Robert, en tout cas. Je me suis rendu compte à quel point il était vaniteux.

— Il était temps. Si tu veux mon avis, c'était un vrai poseur.

Susanne s'était efforcée de sauver les apparences pendant toutes ces années parce que Rebecka semblait satisfaite, néanmoins elle surenchérissait quand Sonja émettait des critiques. Il était orgueilleux, égocentrique et obséquieux, mais Rebecka n'avait rien vu de tout ça. Du moins, à l'époque.

— Et un toast à l'avis général que Robert est une sous-merde, lança Susanne en levant sa chope. Tu as de la mousse au coin des lèvres, fit-elle en prenant une poignée de noix.

Rebecka tressaillit.

— S'il te plaît, je ne veux pas me rappeler.

— Te rappeler quoi ?

— Adam.

— Oh, pardon. Mais si ça te console, je trouve aussi que c'était tout mignon.

— Bah !

— Tu sais quoi, Rebecka ? Nous sommes les meilleures amies du monde, ce n'est pas juste que nous soyons malheureuses en amour.

— Peut-être. Mais pour être heureuse, il faut d'abord croire à l'amour, ce qui n'est pas mon cas.

— Non, tu as sûrement raison. Je me suis fait plaquer, mais je trouve quand même que j'ai le droit d'être sentimentale plus d'une semaine.

— Ça fait mal ?

— Méchamment. Surtout que je ne comprends pas ce que j'ai fait. Il était fou furieux, alors cela doit avoir un rapport avec moi. Je veux dire, s'il a rencontré quelqu'un à New York, ce n'est pas la peine d'être en colère.

— Et si tu lui posais la question ?

— Je crois que ses mots exacts étaient qu'il ne veut plus jamais me revoir, donc non, je ne peux pas lui demander.

— Les sales types. Santé, fit Rebecka en pensant à Adam.

— Parfaitement, répondit Susanne qui songeait à Michael.

— Tu sais quoi ? Ça suffit avec les hommes, décréta Rebecka en posant son verre. Je préfère parler de ma maison.

45

A quinze minutes de l'année 2010, Rebecka se dirigea sans hâte vers l'emplacement qui était devenu son préféré dès l'instant où elle avait vu la maison. La piscine, qui serait bientôt remplie, s'étendait à ses pieds.

Elle boutonna son long manteau et serra les bras contre sa poitrine. Un vent marin soufflait sur la côte et, à cette heure-ci, la température ne devait pas atteindre plus de quelques degrés. Elle avait acheté dans l'avion une petite bouteille de vin pétillant et apporté des verres en plastique de son appartement. Elle en remplit un à moitié puis s'installa sur la colline. Elle avait allumé l'éclairage extérieur et, en se retournant, elle pouvait contempler le plus beau jardin qu'elle eût jamais vu.

A minuit moins cinq, quand les premiers feux d'artifice embrasèrent le ciel, elle arrêta de lutter et, tout en admirant le spectacle, laissa couler les larmes qu'elle avait retenues toute la journée.

— Rebecka ?

Elle tourna la tête. Adam se tenait à quelques mètres d'elle. Sans un mot, elle se remit à contempler la mer. Lorsqu'il s'assit près d'elle, elle ne l'en empêcha pas, pas plus que quand il entoura ses épaules de son bras. Elle resta complètement silencieuse lorsqu'il posa l'autre main sur sa joue et attira lentement son visage vers le sien. Elle se tut encore quand elle vit ses larmes et quand il approcha ses lèvres. Tandis que Majorque s'illuminait, Adam embrassa Rebecka comme s'il ne devait plus y avoir de lendemains.

Il lui avait dit qu'il l'aimait et il était reparti.

A six heures du matin, le jour du nouvel an, Rebecka n'avait toujours pas fermé l'œil.

Leur baiser n'avait rien changé, et avait tout bouleversé à la fois. Elle rejoua plusieurs fois la scène en pensée, mais n'avait aucun regret. Leur contact avait été très facile. Il l'aimait, c'était ce qu'il avait dit. Ces mots paraissaient simples dans sa bouche, comme si eux aussi étaient tout naturels.

Elle avait besoin de repos. Elle se sentirait beaucoup mieux si seulement elle réussissait à dormir quelques heures.

Deux jours plus tard, le nouvel architecte, Sverker, lui téléphona pour lui annoncer son arrivée.

— J'ai passé tout le projet en revue avec Adam, et ça a l'air passionnant, dit-il. Ma femme, Sofi, et moi venons de nous installer ici et je peux m'y mettre dès demain.

Rebecka réfléchit un instant. Susanne et Maggan étaient en route pour Majorque, mais leur présence pendant l'entrevue ne poserait sans doute aucun problème.

— Excellent. Votre femme est également la bienvenue. Appelez-moi si vous ne trouvez pas le chemin. Que diriez-vous de quatorze heures ?

— Je pense avoir découvert deux personnes parfaites pour Sonja Londres. Un type qui travaille au Hilton depuis des lustres et un acheteur de l'Apollo qui connaît toutes les ficelles du métier, chantonna Susanne.

Rebecka se réjouit de voir que son amie était à nouveau en pleine forme. Elle s'assit dans le fauteuil de la chambre qu'avait choisie Susanne.

— Tu es la première personne que j'héberge, annonça-t-elle. Est-ce que la pièce est à ton goût ?

— Devine. Je commence à me sentir comme chez moi grâce au style d'Adam, répondit Susanne avec un sourire. Que penses-tu de ton nouvel architecte ? demanda-t-elle en guettant la réaction de Rebecka.

— Je ne sais pas. Je vais faire sa connaissance demain et j'ai décidé de vous emmener à l'entrevue, Maggan et toi. J'en ai même profité pour inviter sa femme.

— Pour garantir qu'il ne tombera pas fou amoureux de toi lui aussi ? lança Susanne avec un sourire.

— J'en ai fini avec les folies, je peux te l'assurer.

Maggan commençait à se sentir l'âme d'une voyageuse. En une journée, elle avait transité par les aéroports de Stockholm, Barcelone et Majorque. Elle ne redoutait plus de prendre l'avion, au contraire elle appréciait les fourmillements dans l'estomac à l'allumage des moteurs.

— Tu n'as jamais eu peur ? interrogea-t-elle Susanne quand elles s'assirent à la table de Rebecka à Palma.

— Si, une fois, quand il y a eu une alerte à la bombe à Arlanda et que la police a déboulé dans la cabine pour nous faire évacuer. C'était effrayant. Le commandant a été tellement choqué qu'il n'a plus jamais volé et c'était encore plus terrifiant. Imagine s'il s'était dégonflé en plein vol !

Susanne bâilla.

— Vous ne m'en voudrez pas trop si je vais me coucher tôt aujourd'hui ? On dirait que mémère en a bien besoin.

Tandis que Rebecka débarrassait la table, Maggan lui donna des nouvelles d'Alex et d'Anneli.

— Tu te rends compte ? Ils refusent de me dire combien ils ont payé leur palace. Tu devrais le voir, fit-elle en secouant la tête. Peter doit gagner une fortune chez SkiStar.

— Les prix immobiliers à Stockholm et Östersund ne sont peut-être pas comparables ? suggéra Rebecka.

— Non, bien sûr, mais la maison n'était certainement pas donnée. Anneli se ferme comme une huître dès que j'aborde le sujet.

— Comme toi à propos de Paris ?

Maggan renifla de dédain.

— Ce n'est pas du tout la même chose. Il n'y a rien à raconter tant que Perrot ne se manifeste pas.

46

Susanne, levée tôt le lendemain, laça ses chaussures de sport. Elle ne s'était pas remuée pendant le week-end de Noël et mourait d'envie d'explorer Palma seule. Les pensées tournoyaient dans sa tête depuis les entretiens avec les candidats et elle avait hâte de parler avec Charles une fois de retour à Londres.

Bien sûr, poursuivre sa formation au Hyatt était exclu, et, pour être honnête, elle n'en avait plus le temps. Le moment était venu de mettre Sonja Londres à flot, ce qui impliquait une collaboration encore plus intense avec Charles. Elle voulait qu'il l'accompagne dans toutes les étapes.

Elle n'avait pas visité Palma depuis une éternité, mais la ville n'avait pas changé. Lorsqu'elle longea le centre commercial El Corte Inglés, elle sourit en se remémorant la robe qu'elle y avait achetée pour ses vingt-cinq ans, avec d'énormes épaulettes et le dos échancré. Sans soutien-gorge. Elle avait fini bourrée comme un coing, mais n'avait pas été seule. Une vingtaine d'hôtesses de l'air fraîches émoulues s'étaient bousculées dans son petit appartement avant de se rendre, dans un convoi de limousines, au club Café Opéra où elles avaient fait la fête toute la nuit.

A présent, elle se couchait avec les poules et elle n'avait pas eu la gueule de bois depuis ses trente ans.

— Waouh !

Maggan et Susanne n'eurent pas d'autres mots. Fascinées, elles contemplaient la mer depuis l'emplacement favori de Rebecka.

— Je n'ai jamais rien vu d'aussi beau, déclara Susanne, qui avait pourtant fait de nombreux voyages autour du monde. La propriété doit valoir une fortune.

— Sans doute, répondit Rebecka. Adam l'avait estimée à au moins cinquante millions.

— Je n'arrive pas à croire que Sonja ait planifié tout ça. Si elle désirait tant nous voir changer nos modes de vie, pourquoi n'a-t-elle pas agi avant de mourir ?

— C'est ce qu'elle a fait ! protesta Maggan. Elle nous répétait sans arrêt que nous n'avions pas l'air satisfaites et que nous devrions passer à autre chose. Mais est-ce que vous auriez accepté si elle nous avait tout présenté sur un plateau en disant « Servez-vous » ?

— Tu as entièrement raison, fit Rebecka. Venez, vous devez absolument voir l'intérieur. Je crois que Sonja aurait adoré la décoration et mon projet.

Une heure plus tard, les trois amies étaient assises sur la terrasse avec le nouvel architecte et son épouse.

— Je comprends pourquoi Adam aimait cet endroit, déclara celui-ci avec un coup d'œil éloquent à Rebecka, qui devint écarlate.

— Ta maison est magnifique, ajouta sa femme avec un sourire.

Rebecka lui adressa un regard reconnaissant.

— Que vas-tu faire pendant que Sverker travaille ?

— Je ne sais pas encore. C'est allé tellement vite, j'ai juste eu le temps de demander un congé à mon employeur à Stockholm. Mais j'ai une amie psychothérapeute dans l'île et elle aura peut-être quelques petits boulots à me proposer pour que je ne m'ennuie pas.

— Tu es thérapeute ? voulut savoir Maggan.

— Oui. Mon amie et moi avons travaillé ensemble à Stockholm bien des années et nous sommes restées en contact. A présent, elle possède son propre cabinet ici, mais je n'ai absolument aucune idée du volume de sa clientèle. Nous déjeunons en ville demain, alors j'en apprendrai un peu plus.

— Je connais quelqu'un qui aurait bien besoin de toi, lança Maggan.

Rebecka, se sentant visée, lui pinça la cuisse.

— Quelqu'un veut du café ? fit-elle en se levant.

— Laisse-moi t'aider, proposa Susanne.

Elle observa son amie qui posait le panier à pique-nique à côté de l'évier.

— Une thérapie, hein ?

— De quoi tu parles ?

— Oh, ne fais pas l'innocente. Maggan estime visiblement que tu as besoin d'une thérapie.

Rebecka lui adressa un regard furieux.

— Oui, et alors ?

— C'est une excellente idée.

— Non, merci.

— Pourquoi ?

— Parce que je n'ai pas de problèmes.

— Ce n'est pas ce que j'ai dit.

— Et d'ailleurs, pourquoi est-ce que je devrais suivre une thérapie, et pas toi ?

— Parce que contrairement à toi, je ne suis pas terrifiée par les hommes.

— Vraiment ?

— Oui, vraiment.

— C'est du baratin. Peut-être que je n'arrive pas à contrôler mes sentiments, mais tu ne t'en sors pas mieux que moi.

— Ah non ?

— Non.

Ce fut au tour de Susanne d'avoir l'air furieux.

— Au moins, je n'ai pas peur de me lancer dans de nouvelles relations.

— Et quelles relations ! Pas le genre qui a des chances de durer.

— Ça, c'est vache.

— Et ce n'est pas vache de dire que je suis terrifiée ?

Susanne poussa un profond soupir.

— Tu crois que je suis tordue ? fit-elle gravement.

— Oui, quand il s'agit des hommes. Sinon, jamais, lui assura Rebecka avec un sourire. Tu peux prendre le panier avec les sandwichs pendant que je me charge de la thermos et des gobelets ?

Le même soir, Rebecka dévoila ses projets.

Pendant son séjour à Stockholm pour les fêtes de Noël, elle avait contacté la secrétaire générale de Sweden's Remarkable Single Parents, une organisation d'aide aux parents célibataires, pour lui offrir de mettre la villa à leur disposition.

— C'est simple. Ils viennent passer une semaine ici, font trempette dans la piscine, visitent Alcúdia, mangent et se détendent avec leurs enfants. Une moitié de la maison accueillera les pères, l'autre les mères. Chaque aile hébergera trois ou quatre familles, en fonction de leur taille.

Rebecka sourit, rayonnante. Maggan reconnut le feu dans ses yeux.

— Rebecka, ça a l'air fantastique, mais est-ce que c'est réalisable ? Comment vont-ils se rendre ici ? Ça coûte une fortune quand on n'a qu'un salaire.

— C'est ce dont nous avons discuté. Actuellement, l'organisation est financée en grande partie par les services sociaux, mais c'est loin de suffire, alors nous devons imaginer un moyen de récolter de l'argent pour subventionner les voyages.

Susanne applaudit, comme toujours quand elle trouvait une idée excellente.

— Mais en septembre nous serons riches comme Crésus. C'est du moins ce qu'a annoncé Sonja. Pourquoi ne pas en faire un projet collectif ?

C'était exactement la réaction qu'avait espérée Rebecka.

— Que diriez-vous de tout rassembler ? suggéra Maggan. Le restaurant, l'hôtel et ça ?

— Je n'ai rien contre. J'ai très envie de gérer l'hôtel, mais ça serait fantastique de ne pas en être la propriétaire. Avec tes connaissances en économie, Rebecka, et ta cuisine, poursuivit Susanne avec un signe de tête vers Maggan, je me sentirais beaucoup mieux. Mon domaine d'expertise consiste à m'occuper des clients et à anticiper leurs besoins.

Quand Maggan embarqua dans l'avion pour Paris, Rebecka l'accompagnait. Elles avaient décidé d'assiéger le restaurant jusqu'à ce que M. Perrot daigne les recevoir. Cette fois, il n'aurait pas uniquement affaire à Maggan. Même si seulement deux d'entre elles venaient à Paris, elles étaient maintenant à trois contre un.

47

Quand elles frappèrent à la porte à cinq heures, le maître d'hôtel leur annonça d'un air étonné que le service ne commençait qu'une heure plus tard.

— Nous voulons parler à M. Perrot, déclara Maggan d'un ton impérieux en franchissant le seuil.

Tandis que l'employé allait chercher le propriétaire, Maggan se recoiffa du bout des doigts et lissa sa jupe.

— Tu es superbe, souffla Rebecka quand un homme aux cheveux gris s'approcha.

— Oh, mon Dieu ! parvint à dire Maggan avant de s'effondrer comme une poupée de chiffon.

Rebecka n'eut pas le temps de comprendre ce qui arrivait. Son amie, qui se portait très bien un instant plus tôt, gisait à présent sur le sol, le teint verdâtre.

— Elle s'est évanouie. Aidez-moi ! cria Rebecka en faisant de grands signes à l'homme, qui se précipita vers elle. Maggan, réveille-toi. Au nom du ciel, réveille-toi, supplia Rebecka en la secouant. Soulevez-lui les jambes, ordonna-t-elle.

Un serveur arriva en courant avec un verre d'eau, et si Maggan n'avait pas ouvert les yeux à ce moment précis, Rebecka lui en aurait vidé le contenu sur la tête.

— Qu'est-ce qui s'est passé ? demanda Maggan, déboussolée.

— Tu es tombée dans les pommes, répondit Rebecka, soulagée.

Au même instant, Maggan découvrit l'homme aux cheveux gris qui soutenait ses chevilles.

— Paul, murmura-t-elle.

— Maggan, dit-il sans la lâcher.

— Paul ?

Rebecka dévisagea le nouvel arrivant.

— Paul ? répéta-t-elle, incrédule. Qu'est-ce que tu fais ici ? Paul, comme je suis contente de te revoir. En voilà une coïncidence, pas vrai ? s'écria-t-elle en se tournant vers Maggan, toujours étendue par terre, livide.

Paul reposa lentement les pieds de Maggan en lui conseillant de s'asseoir la tête entre les genoux. Il avança une chaise et lui tendit la main, mais elle la repoussa et se leva péniblement, grimaçant quand sa jambe droite la lança, avant de chercher le soutien de Rebecka.

— Hou hou, Maggan, dis quelque chose. Tu ne trouves pas ça fantastique ? Ça doit bien faire trente-cinq ans qu'on ne s'est pas vus ? fit-elle avec un sourire à Paul.

— Presque, répondit-il.

Maggan avait beau se sentir encore un peu étourdie, son esprit était parfaitement clair. C'était Sonja qui avait organisé cette gigantesque machination, et si elle n'avait pas été déjà morte, elle aurait bien mérité du plomb dans la cervelle.

— Eh bien, monsieur Perrot, ou plutôt Jones comme tu te nommais autrefois, depuis quand est-ce que tu manigançais ça avec Sonja ? demanda-t-elle avec colère.

— Perrot ? C'est toi, M. Perrot ?

Rebecka n'y comprenait plus rien.

— C'est bien moi. Mais ne restons pas assis dans l'entrée. Suivez-moi, je vais tout vous raconter.

Et Paul raconta. Après avoir dit au revoir à Maggan, Rebecka et Sonja, trente-cinq étés plus tôt, il avait cherché à garder le contact avec la première, mais quand ses lettres étaient demeurées sans réponse, il avait écrit à Sonja.

Maggan rougit et baissa les yeux.

— C'était à l'époque où tu attendais Anneli, se souvint Rebecka. Pas étonnant que tu n'aies pas eu la tête à cela. Mais je trouve tout de même bizarre que Sonja n'en ait jamais parlé.

— Moi aussi, siffla Maggan.

— Elle pensait qu'entendre mon nom bouleverserait Maggan, expliqua Paul avec un regard éloquent à la mine renfrognée de celle-ci.

— A propos de nom, l'interrompit Maggan, tu ne t'appelais pas Perrot avant.

— Non, mais Paul Jones, ce n'est pas très avantageux quand on essaye d'ouvrir un restaurant à Paris, alors j'ai pris le nom de ma mère. Avec un père anglais et une mère française, j'avais l'embarras du choix.

— Je n'arrive toujours pas à croire que Sonja n'ait rien dit. Maggan et toi n'étiez pourtant pas en froid, si ? l'interrogea Rebecka.

— Pas d'après moi, répondit Paul avec un sourire. Mais ce n'est peut-être pas l'avis de Maggan ?

— Sornettes. J'étais enceinte et j'avais mieux à faire que penser à un Français, c'est tout, protesta Maggan en le fusillant du regard.

En dehors de la masse de cheveux noirs qui avait grisonné, Paul avait très peu changé. Il ne correspondait absolument pas à l'image que Maggan s'était faite de M. Perrot. Il avait des mèches bouclées sur la nuque et il était toujours grand et plutôt mince. Elle souhaita ardemment l'avoir retrouvé sous les traits d'un petit vieux au dos courbé.

— Comment se fait-il que vous ayez acheté ensemble un restaurant ?

— C'était l'idée de Sonja. Nous nous sommes souvent rencontrés à Paris et quand je lui ai parlé de mon projet, elle m'a proposé une copropriété.

— Et tu as accepté ? s'indigna Maggan, boudeuse.

— Je n'ai pas vraiment eu mon mot à dire. Sonja est, enfin, était très autoritaire quand elle voulait.

— Nous sommes bien placées pour le savoir, renchérit Rebecka en riant.

Paul se leva.

— Puis-je offrir un verre de vin à ces dames ?

Quand il s'éloigna, Rebecka se jeta sur Maggan.

— Tu n'es pas heureuse ? C'est Paul, ton premier amour, la pressa Rebecka en frétillant d'excitation.

— Je suis fichue.

De verdâtre, Maggan était devenue écarlate.

— Si j'avais su que c'était lui, je ne serais jamais venue. C'est une machination de Sonja.

— Pourquoi dis-tu ça ?

— Parce que je sais que j'ai raison. Sonja a deviné beaucoup plus de choses que Susanne et toi, et c'est sa façon de le raconter.

Le regard de Rebecka se fit interrogateur, mais avant qu'elle ait le temps de poser d'autres questions à Maggan, Paul revint vers elles.

— Vous avez le bonjour de Mike. Il a passé quelques jours ici, mais il a dû retourner à Londres.

D'une main experte, il déboucha une bouteille et goûta le vin avant de servir les deux amies.

— Mike ? Vous êtes restés en contact ?

Rebecka se remémora le jeune Anglais, séduisant mais quelque peu réservé.

— Même si nous n'en avons pas souvent l'occasion, nous essayons de nous voir plusieurs fois par an, répondit Paul avec un sourire.

Maggan garda le silence pendant que Rebecka interrogeait Paul et apprit ainsi qu'il était divorcé depuis de nombreuses années, qu'il n'avait pas d'enfants et que sa vie se résumait au restaurant florissant. Paul ajouta ensuite, avec un clin d'œil à Maggan, qu'il était impatient de travailler avec elle. Cette dernière rougit et le foudroya du regard.

— Ça reste à voir.

48

Susanne était absorbée par son établissement et la recherche d'une gouvernante avec suffisamment d'expérience. Sans Charles, elle n'aurait pas rencontré Benjamin, un perfectionniste d'âge moyen qui avait travaillé toute sa vie en milieu hôtelier, mais n'avait jamais eu la chance d'accéder au poste de gouvernante générale pour la simple raison qu'il n'était pas une femme. Susanne s'enticha immédiatement de l'homme à la stature imposante.

En un clin d'œil, il avait trouvé tous les prestataires dont ils auraient besoin, comme des blanchisseurs, des compagnies de taxis et des fleuristes. Il connaissait par cœur la liste de fournisseurs qui pourraient pourvoir l'hôtel en produits écologiques, du shampooing au linge, et surtout, il savait où recruter des employés fiables.

Des deux Suédois que Susanne avait rencontrés à Stockholm, seule Madeleine avait accepté l'offre et avec l'aide de Charles, elles dénichèrent un deux-pièces proche du centre qu'elle louerait pendant un an. Elle assurerait les fonctions de directrice commerciale, même si Susanne s'était aperçue qu'elle serait aussi un soutien précieux en matière de marketing.

Charles et Susanne se rendaient à une énième entrevue avec une agence de publicité quand il laissa enfin éclater sa curiosité.

— Raconte, exigea-t-il.

— Quoi donc ?

— Pourquoi la belle histoire d'amour a pris l'eau ?

— Je l'ignore, c'est à ton copain de chez Hyatt qu'il faut demander.

— Impossible, il est muet comme une tombe. Que s'est-il passé ?

— Je n'en ai aucune idée. Il était tout à fait charmant quand il est parti pour New York et, depuis son retour, il se comporte comme un idiot. C'est tout ce que je sais. Il m'a jetée à la porte du Hyatt.

— Et tu n'as rien fait ?

— Absolument rien. J'avais la visite d'amies de Suède et quand il est rentré, il avait changé du tout au tout.

— Des femmes ?

Susanne lui lança un regard interrogateur.

— Oui, pourquoi ?

— Michael a marmonné quelque chose du style « menteuse hypocrite ».

— Quoi ? Répète-moi ce qu'il a dit.

— C'est tout. Je lui ai demandé s'il avait eu de tes nouvelles et il a répondu qu'il ne voulait rien avoir à faire avec une menteuse hypocrite. Ça m'a donné l'impression qu'il t'avait vue avec un autre homme, ajouta-t-il en l'observant.

— Certainement pas et il peut aller au diable. Je suis loin d'être parfaite, mais je n'ai rien fait de mal. On peut changer de sujet ? Ça me met de mauvaise humeur.

L'agence publicitaire était minuscule et la propriétaire présenta en personne son idée. Elle suggéra de mettre en avant les origines suédoises, synonymes de qualité. Elle recommanda aussi d'obtenir dans les plus brefs délais une certification en management environnemental et, surtout, de proposer une alimentation biologique. Elle les félicita d'avoir racheté les meubles et les tapis d'un ancien hôtel.

— Je suis ravie que ça vous plaise. L'architecte est génial, dit Susanne, qui trouvait qu'Adam méritait le compliment.

C'était l'une des premières choses qui l'avaient enthousiasmée. Elle aimait beaucoup les meubles ternis qu'il avait dénichés.

— Je vous conseille de mettre en avant la décoration vintage. C'est à la fois écologique et tendance.

— J'adore cette femme, et j'adore sa proposition, déclara Susanne à Charles après le rendez-vous. Cette ville croule sous le luxe, le chrome, et les rampes d'escalier astiquées. Elle a raison sur ce point.

Charles, qui connaissait le moindre hôtel, de la City à Heathrow, ne lui donnait pas tort.

— Mais je ne crois pas que nous devrions appeler ça *shabby chic,* désapprouva-t-il. Ça évoque facilement le mauvais goût et ça ne correspond pas à notre Sonja, au contraire.

Susanne était d'accord avec lui. Ils auraient besoin de quelques jours pour choisir une agence publicitaire, mais ne pourraient pas différer beaucoup plus longtemps. Toutes celles qu'ils avaient consultées acceptaient aussi la mission de créer un site Internet, un aspect non négligeable du marketing, et devraient pour cela s'associer à une entreprise informatique qui mettrait en place la page de réservation. Puis viendrait le tour du matériel imprimé, que Madeleine utiliserait pour présenter l'établissement lors de salons, auprès d'agences de voyages et à des firmes internationales, qui, d'après elle, adoreraient leurs séjours au Sonja Londres.

Afin d'élaborer le menu, ils devaient trouver rapidement un chef cuisinier, et Susanne tenait à embaucher un Suédois.

— Je ne sais pas si nous réussirons à lancer l'hôtel en mai, dit Charles. Nous pourrions peut-être ouvrir discrètement et conduire un test. Qu'est-ce que tu en penses ? Tu arriverais à convaincre une trentaine d'amis de passer un week-end ici ?

— Tu plaisantes ? Nous étendrons le test à un mois si nécessaire. D'après toi, quand pourrons-nous organiser l'inauguration officielle ?

— A priori, début juillet.

— Je te fais confiance. Si tu dis juillet, ça sera juillet.

Quand Susanne arriva chez elle à la fin de cette longue journée, elle retira bottes et manteau et se laissa tomber sur le canapé. Assoupie, elle entendit la sonnerie de réception d'un SMS. Elle se tourna sur le côté et glissa les mains sous le coussin. Quel qu'il soit, l'expéditeur devrait attendre.

49

Rebecka était heureuse de s'être trouvée à Paris pour assister à la réunion qui avait tant choqué Maggan, mais malgré son insistance, son amie avait refusé d'expliquer son bouleversement. Rebecka ne croyait pas un instant que les manigances de Paul et Sonja en étaient la cause.

Longeant d'un pas rapide les petites ruelles vers son appartement, les bras chargés de provisions, elle pensait aux retrouvailles à Paris, et à la fête à laquelle elle était invitée le jour même chez Maria, du cours d'espagnol. Elle en avait assez de s'isoler et fut ravie d'apprendre que Sverker et Sofi seraient également de la partie. Adam avait regagné le sol suédois et elle pouvait sans risque se rendre à une réception organisée par leurs connaissances communes.

— *Hola,* Rebecka, lança Maria en ouvrant la porte à sa camarade. Entre, la maison est déjà pleine à craquer.

Tout en saluant les autres convives, Rebecka ne put s'empêcher d'étudier la décoration élégante et espéra qu'elle aurait l'occasion d'admirer l'extérieur. L'habitation était loin d'atteindre les proportions de sa villa, mais suffisait à Maria et son mari. Comme chez Rebecka, l'agencement était ouvert et les surfaces communes larges.

Il y avait foule, et Rebecka était à la recherche de Sverker quand elle découvrit soudain la femme d'Adam, ou du moins l'inconnue qu'elle avait aperçue en sa compagnie à plusieurs reprises.

Instinctivement, elle se replia vers l'autre bout de la pièce.

Elle ne vit le fauteuil roulant que lorsqu'elle s'y cogna.

— Bonjour, dit son occupant.

Il était beau, remarqua Rebecka. Le crâne rasé ne seyait pas à tout le monde, mais cela allait très bien à cet homme. Ses yeux bleus étincelaient.

— Enchanté de vous connaître, poursuivit-il d'un air rassurant et chaleureux.

— Pardon, je suis si maladroite, s'excusa-t-elle en lui rendant son sourire. Je m'appelle Rebecka, annonça-t-elle en tendant la main.

— Tom. Alors c'est chez toi qu'Adam travaillait ?

Rebecka se sentit rougir jusqu'aux oreilles.

— Oui, c'est bien moi. Mais Sverker a pris le relais, et j'étais d'ailleurs à sa recherche. Est-ce que tu l'as vu ?

Tom ignora la question.

— Ma femme et moi sommes plus que satisfaits du boulot qu'il a accompli dans notre maison. Sylvia, appela-t-il en se retournant, viens, tu dois absolument faire la connaissance de Rebecka.

La femme blonde qu'elle avait vue avec Adam s'approcha et Rebecka réprima son envie de fuir. A la place, elle inspira profondément et sourit.

— Rebecka, je suis si contente de te rencontrer, dit Sylvia. Adam nous a parlé de ta belle villa.

Rebecka comprit au quart de tour. Elle ne s'y était pas attendue. Adam avait ainsi une aventure avec une de ses clientes. C'était pire que ce qu'elle avait imaginé et elle dut faire appel à toutes ses compétences sociales pour ne pas laisser transparaître son mépris envers l'infidèle.

— Ah, vraiment. Excusez-moi, je viens de trouver Sverker, prétexta-t-elle pour s'éloigner rapidement du couple.

Rebecka bouillait de colère. Adam faisait clairement du charme à toutes les Suédoises qui construisaient dans l'île et elle avait failli tomber dans son piège. « Je t'aime », avait-il prétendu. *Va te faire voir, Satan Ericsson.*

— Tu aimes la maison ? demanda Sverker en grignotant du jambon serrano.

Son assiette débordait de spécialités espagnoles, mais Rebecka, affamée en arrivant, avait perdu l'appétit.

— Elle est magnifique. Où est Sofi ?

— Là-bas, répondit-il en désignant son épouse, assise sur l'un des nombreux canapés, en grande conversation. Viens, je vais te présenter à son amie. Karin, voici Rebecka. Je suis son assistant jusqu'à ce que sa maison soit terminée, au début de l'été.

— C'est vrai que c'est ma maison, mais c'est plutôt moi qui joue le rôle d'assistante, déclara Rebecka en tendant la main et en souriant.

Sofi enlaça Rebecka sans plus de façon.

— Assieds-toi. Nous étions en train de parler d'éventuels petits boulots.

— C'est toi l'ancienne collègue de Sofi ?

— Oui, répondit Karin. C'est fantastique de l'avoir six mois ici. J'ai appris que c'est à toi que je le dois.

Son expression était chaleureuse, et Rebecka adora sur-le-champ la thérapeute.

— Ravie de t'avoir rendu service.

— Nous devrions aussi remercier Adam qui a été pris d'une envie précipitée de rentrer, ajouta Sverker en se serrant près d'elles sur le canapé.

— Qu'est-ce qu'il avait de si urgent à faire en Suède ? demanda Karin.

— Je crois qu'il était surtout pressé de partir d'ici.

Rebecka garda le silence, mais le rouge lui monta aux joues et elle souhaita brusquement s'enfuir très loin.

— Moi, en tout cas, je suis très heureuse d'être à Majorque, dit Sofi, qui avait le don remarquable de détourner les conversations.

Elle chipa une tranche de melon sur l'assiette de Sverker.

— Venez, les filles, allons nous servir.

Avant la fin de la soirée, Rebecka mangea et fit la connaissance des autres Suédois invités par Maria. Elle aperçut plusieurs fois Sylvia et son mari. Ils semblaient très amoureux et cette vue lui donnait des frissons. Le pauvre Tom était aussi inconscient de ce qui se tramait dans son dos que l'avait été Rebecka.

50

Maggan accepta de très mauvaise grâce de rencontrer Paul. Elle savait qu'ils devaient discuter tranquillement, même si, en cet instant, elle ne se sentait absolument pas calme.

Pendant qu'il admirait l'appartement, elle s'enferma aux toilettes et tira la chasse d'eau pour gagner du temps. Elle s'observa dans le miroir. Ses sourcils à nouveau épilés lui rappelèrent qu'elle s'était même occupée de ses jambes un peu plus tôt. Comme si cela ne suffisait pas, elle avait aussi écourté le plus gros des broussailles.

Elle n'avait pas revu Björn depuis leur rendez-vous avant Noël et ne s'était pas rasé les jambes depuis longtemps. Elle ne voulait pas penser à la raison pour laquelle elle s'était pomponnée en prévision de la visite de Paul.

— C'est ta fille ? demanda-t-il quand elle le rejoignit dans la salle de séjour.

— Oui. Anneli.

— Et là ?

— Alexander.

— Ton petit-fils ? Je n'arrive pas à croire que tu sois grand-mère. La mienne était une vieille petite bonne femme toute tordue et habillée de noir de la tête aux pieds, dit-il avec un clin d'œil appréciateur en remarquant la robe vert émeraude de Maggan.

— Les temps changent.

— Vraiment ?

Elle lui lança un regard interrogateur.

— Pourquoi ne m'as-tu jamais donné de nouvelles, Maggan ? Tu sais bien que chez les Français, un cœur brisé ne guérit jamais.

— Je l'ignorais. Et n'essaye pas de m'embobiner, tu as raconté que tu t'étais marié.

— Oui. Une erreur de ma part.

Elle haussa un sourcil.

— Cette union. Je l'ai contractée pour de mauvaises raisons. J'étais assez vieux, et je croyais que l'amour importait peu. Trois ans plus tard, je me suis rendu compte que je m'étais trompé.

— Tu n'étais pas amoureux ? s'étonna Maggan.

— Je viens de t'expliquer qu'un cœur brisé ne guérit jamais. Et d'ailleurs, qui est ce Viking blond qui t'escortait Chez Sonja ?

D'abord mélodramatique, sa voix s'était durcie. Maggan le regarda avec colère.

— Tu sais quoi ? Ce ne sont pas tes oignons.

— Dis-moi seulement si c'est un homme qui compte dans ta vie.

— Oui, c'est un bon ami. Point final.

— « Bon ami » comme dans « amant » ?

Maggan se sentit rougir.

— Ça suffit, maintenant, Paul.

Il tapa du pied et se mit à faire les cent pas.

— Alors comme ça, tu emmènes ton nouvel amant chez l'ancien. Culotté, tu ne trouves pas ?

— Mais enfin, je n'avais pas la moindre idée que le restaurant t'appartenait ! Si tu avais daigné me rencontrer plus tôt, nous aurions pu éviter ce genre de situation gênante. De toute façon, je fréquente qui je veux.

— Bien sûr, mais ça ne signifie pas que c'est très agréable à voir.

— Alors, arrête de regarder. Est-ce qu'on peut enfin parler de Sonja ou est-ce que tu vas continuer à déterrer des détails privés ?

Maggan était hors d'elle. De quel droit l'interrogeait-il sur sa vie ? Cœur brisé, balivernes ! Elle connaissait peu d'hommes aussi séduisants que Paul et ne croyait pas un instant qu'il puisse se retrouver réduit à passer la nuit seul. Dieu savait avec combien de femmes il était sorti.

— Pourquoi tu me dévisages comme ça ? siffla-t-elle.

— Tu as plus de rondeurs qu'il y a trente-quatre ans.

Le regard de Paul s'arrêta à hauteur de ses seins.

— Merci bien, mais je n'ai pas besoin de t'entendre dire que je suis grosse.

— Grosse ? Maggan, tu es très belle. Tes nouvelles formes sont très appétissantes, renchérit-il avec un sourire tout en admirant son corps.

— Monsieur Perrot, l'avertit-elle d'un ton menaçant.

Il s'était arrêté devant elle.

— Oui ?

Sans lui laisser le temps de protester, il lui effleura la joue. Il aurait aussi bien pu lui lancer une fléchette paralysante. Elle ne pouvait plus bouger. Sa main glissa vers sa gorge et elle frémit sous ses caresses. Elle n'avait pas envie qu'il continue. Elle avait envie qu'il continue. Pas envie. Envie.

Finalement, ce fut Maggan qui l'attira à elle, ce fut elle qui l'entraîna dans la chambre à coucher et ce fut elle qui ouvrit la fermeture éclair de sa robe. Elle ressentait des pulsations dans le bas-ventre. Jamais auparavant elle n'avait éprouvé un tel désir. La langue de Paul explorait ses rondeurs et, quand elle n'y tint plus, elle le renversa sur le dos et s'étendit sur lui. C'était stupide. Ses jambes n'étaient pas assez fortes et, sans le laisser se retirer, elle bascula pour échanger leurs places.

Immobile, il l'observa. Il écarta une mèche de cheveux du front de Maggan et, les yeux rivés aux siens, il commença à se mouvoir prudemment. Leurs hanches se frôlèrent toujours plus vite et brusquement, il sourit.

— C'est comme ça qu'on recolle un cœur brisé, murmura-t-il.

51

« Suis en ville. Café ? » disait le SMS.

Susanne n'eut pas besoin d'y réfléchir à deux fois avant de répondre « Certainement pas » à Anders.

Quand elle avait compris que Michael était lui aussi un idiot, elle avait envisagé de revoir son ancien amant, mais s'était vite ravisée. S'il y avait une personne avec qui elle était en danger, c'était bien lui. De toute façon, elle en aurait bientôt fini avec Michael.

Elle se relevait rapidement après les chutes, exactement comme sa mère. Après la défection du père de Susanne, elle avait immédiatement rencontré de nouveaux compagnons. Quand le quatrième avait manifesté un peu trop d'intérêt pour les formes adolescentes de sa fille, elle lui avait montré la porte et, après cela, elle en avait « fini d'en finir ».

Elle le disait haut et fort, les hommes n'étaient absolument pas dignes de confiance.

Elle avait alors le même âge que Susanne aujourd'hui et elle avait consacré le reste de sa vie à dispenser des mises en garde. Susanne devait faire attention à ci, être prudente avec ça.

« Avec ton physique, tu vas avoir des problèmes », avait-elle prédit.

Face à l'incompréhension de Susanne, sa mère avait simplement annoncé que cela irait empirant.

Elle verrait. Ses soupirants lui promettraient monts et merveilles, mais disparaîtraient dès qu'ils auraient obtenu ce qu'ils voulaient.

Sa mère savait exactement comment les choses se passaient et, forte de sa propre expérience, elle avait inculqué à Susanne l'importance de ne jamais s'attacher.

La seule personne de la famille qui s'était montrée plus judicieuse dans le choix d'un partenaire était Patrik, le petit frère de Susanne, qui n'avait toutefois jamais subi les mêmes pressions. Non seulement il avait une épouse fantastique, mais elle lui avait donné en une fois deux filles adorables.

Pourquoi n'y avait-elle pas pensé plus tôt ? Elle embaucherait Patrik comme chef cuisinier. Ils n'avaient pas du tout parlé de Sonja Londres quand ils s'étaient vus à Noël. Son frère savait uniquement qu'elle avait démissionné et travaillait dans un hôtel pour une durée d'un an.

Susanne, requinquée par sa petite sieste sur le canapé, avait très envie de contacter Patrik tout de suite, mais un coup d'œil à l'horloge l'en dissuada. A la place, elle rassembla les projets des agences publicitaires ; plus elle les étudiait, plus l'impression produite par l'entrevue du jour se renforçait.

Elle envoya un SMS à Rebecka pour lui demander si elle était encore debout et téléphona à son amie dès qu'elle reçut, en guise de réponse, un « oui » suivi d'un point d'exclamation. Mais avant d'aborder l'objet de l'appel de Susanne, elles durent parler de la maîtresse d'Adam.

— Tu ne trouves pas que c'est terrible ? s'emporta Rebecka.

— Oui, si tu as raison. Mais je pense que tu te trompes. Il est en bons termes avec elle et son mari, et en plus, ce sont ses clients. Il ne va certainement pas lui faire des avances, tu ne crois pas ?

— Il m'a fait des avances.

— Mais tu n'es pas mariée avec un ami à lui.

Rebecka était une des femmes les plus intelligentes que connaisse Susanne, mais quand il s'agissait d'Adam, elle déraillait complètement.

— Je l'ai rencontré, poursuivit Susanne. J'ai vu de mes yeux qu'il est sincèrement amoureux de toi. Il n'est pas du genre à courir après tout ce qui bouge.

Rebecka resta intraitable. Elle avait décidé qu'Adam était un dragueur et le jugeait uniquement à cause de ses propres peurs. Elle changea de sujet pour ne plus entendre Susanne prendre sa défense.

— Parlons de choses plus drôles, de ton hôtel, par exemple.

Susanne relata les entrevues avec les agences et leurs offres, et Rebecka fut aussi de l'avis que la dernière avait saisi l'âme de la maison. De même, elle trouvait excellente l'idée de demander à Patrik de la rejoindre en Angleterre. Là où Susanne se montrait impulsive et directe, Patrik était réfléchi et prudent. Il ne prendrait pas l'avion pour Londres avant d'avoir bien pesé la question.

— C'est exactement mon avis. Il sera mon antipode parfait. Il pourra calmer le jeu si je me transforme en tornade, dit-elle en riant, consciente que les choses allaient parfois à vau-l'eau quand elle était trop impatiente.

Patrik dut s'asseoir quand Susanne lui parla de Sonja Londres, du restaurant de Maggan à Paris et de la villa de Rebecka à Majorque.

— Oh, merde alors ! Je n'avais pas la moindre idée que Sonja avait tellement de fric, souffla-t-il.

— Parce que tu crois que je le savais ? Nous avons toutes été choquées, renchérit Susanne, avant de décrire les cours qu'elle suivait pour comprendre le fonctionnement d'un hôtel. Et j'ai aussi un mentor, Charles, sans qui je ne m'en serais jamais sortie.

— Quand est-ce que tu ouvres ? On peut venir te voir ?

— C'est à ce propos que je t'appelle.

Elle savait que son frère était pondéré, mais quand le silence dura plus d'une minute, elle se demanda s'il avait raccroché.

— Allô ?

— Je suis toujours là. J'ai du mal à décider si je devrais refuser tout de suite ou en parler d'abord à Magda.

— Parles-en à Magda, l'encouragea vivement Susanne. J'ai besoin de toi, Patrik.

— N'essaie même pas. Je discute avec Magda et je te rappelle.

— Quand ?

— Quand on en aura discuté.

Elle fut très tentée d'effacer le deuxième texto d'Anders sans le lire, mais l'ouvrit tout de même afin de savoir à quoi elle n'allait pas répondre. « C'est à cause de l'autre idiot de brun que tu ne veux pas me voir ? » L'idiot de brun ? Susanne se creusa la tête sans pouvoir associer cette description à une personne de sa connaissance, et choisit d'ignorer la question. Anders pouvait croire ce qu'il voulait.

52

La sonnerie du téléphone réveilla Maggan, qui était allongée nue à côté de Paul. Lorsqu'elle vit le numéro d'Anneli, elle se dépêcha de répondre tout en cherchant sa robe de chambre.

— Tout va bien, ma chérie ? Il est arrivé quelque chose pour que tu m'appelles à une heure pareille ? s'inquiéta-t-elle.

— Oui, une chose capitale. Tu es de nouveau grand-mère, annonça Anneli d'une voix que les larmes rendaient indistincte. Elles sont minuscules et toutes belles et je ne fais que pleurer.

— Mais tout s'est bien passé ? Où est Peter ? Je peux lui parler ? dit-elle quand elle comprit que seul son gendre était en mesure de lui donner plus de détails.

— Bonjour, Maggan, Peter à l'appareil.

— Comment ça s'est déroulé ? Les petites vont bien ?

— Oui, elles sont en pleine forme. Klara est née la première et pèse deux kilos et deux cents grammes, et Isabell en second avec cent grammes de plus. Anneli pleure de joie. Enfin, je crois.

— Où est Alex ? Vous lui avez déjà annoncé la nouvelle ?

— Je lui ai parlé il y a un petit moment. Il se porte comme un charme. Il est chez ma mère, qui nous rend visite en fin de semaine.

— Je suis ravie de l'apprendre. Oh, moi aussi, il faut absolument que je vienne, mais je vais plutôt attendre qu'Astrid soit repartie. Tu sais combien de temps elle reste ?

— Non, nous n'avons pas encore décidé. Anneli fait signe qu'elle veut te parler. A la prochaine, Maggan, fit-il avant de repasser le combiné à une Anneli un peu calmée.

— Le docteur dit que ce sont les hormones et que je ne dois pas m'étonner de larmoyer quelques jours, pouffa-t-elle en se rendant compte que Maggan pleurait à son tour.

— Vous me manquez tous tellement. Promets-moi que je peux venir dès qu'Astrid sera partie. Promets-moi, Anneli.

— Je te le promets, maman. Peter t'envoie tout de suite quelques photos.

— Tout va bien ?

Paul entra dans la cuisine, nu comme Dieu l'avait fait, et découvrit Maggan en larmes. Elle lui tendit le téléphone portable.

— Je viens d'avoir deux petits-enfants de plus, expliqua-t-elle, rayonnante de bonheur.

Il contempla les photos.

— Je n'avais encore jamais vu de bébés aussi petits.

— Klara et Isabell, dit fièrement Maggan en se levant.

— Il faut fêter ça. Champagne ? suggéra-t-il en souriant.

— Quoi d'autre ?

Maggan alla prendre une bouteille et Paul, lui entourant la taille de ses bras, enfouit le nez dans son cou.

— On peut boire du champagne au lit quand on est grand-mère ?

Elle tourna les yeux vers lui.

— Seulement si on a le droit de manger du fromage avec.

— Bien sûr, répondit-il en lui embrassant le bout du nez.

Elle était très belle avec ses cheveux ébouriffés et ses joues rouges. La poitrine pleine qu'il apercevait entre les pans de la robe de chambre éveilla à nouveau son désir.

Maggan rit quand elle s'en rendit compte. Des petits-enfants, du champagne, du fromage et du sexe dans la même journée ; c'était presque trop beau pour être vrai.

Ils ne dormirent pas du reste de la nuit. Tous deux débordaient d'une énergie inhabituelle et le réveil indiquait déjà onze heures du matin lorsqu'ils s'extirpèrent du lit.

Maggan s'attendait à se reprocher son impulsion, mais elle n'éprouvait aucun regret. Au contraire, c'était l'une des meilleures décisions qu'elle ait prises. Elle ne se faisait pas d'illusions sur la durée de leur relation, mais elle avait l'intention d'en profiter autant que possible. Trente-cinq ans plus tôt, ils étaient déjà extrêmement compatibles et leur longue séparation n'y avait rien changé.

— Qui est la blonde ? demanda Paul en examinant les photographies essaimées dans l'appartement.

— Susanne. Tu ne la reconnais pas ?

— Pas du tout. Je devrais ?

— Non, justement. Elle n'était pas du voyage avec InterRail. Elle n'a rejoint notre petite bande qu'un peu après notre retour, expliqua-t-elle en s'approchant de lui. Nous avons toujours été solidaires, Sonja, Rebecka, Susanne et moi.

— Est-ce que Susanne vit en Suède ?

— Non, à Londres. Sonja y avait un hôtel et voulait que Susanne s'en occupe.

— Elle vous a vraiment éparpillées à travers l'Europe.

— C'est le moins qu'on puisse dire. Et pourtant, nous avons plus de contacts qu'avant. Nous avons besoin les unes des autres, maintenant plus que jamais.

— Tu te plais à Paris ?

— Oui, dans mes petits quartiers. Je n'ai pas encore vu grand-chose de la capitale.

— Nous allons y remédier. Qu'est-ce que tu as prévu pour le reste de la journée ?

— Rien de spécial.

— Parfait. Dans ce cas, je vais chercher ma voiture et nous irons faire un tour en ville ?

Il sourit comme un enfant devant un sapin de Noël et Maggan ne put s'empêcher d'être gagnée par son enthousiasme.

— Avec plaisir, je n'ai pas de meilleure suggestion.

53

Quand les camions de livraison arrivèrent, les meubles furent entreposés dans l'aile droite. L'agitation régnait encore dans le reste de la maison, même si le plus gros du travail avait été accompli. Les appareils électroménagers étaient en place et les salles de bains terminées. Rebecka avait permis aux ouvriers d'en utiliser une, mais avait condamné les autres. Elle ne voulait pas de traces de chaussures dans sa future oasis ni dans les pièces qu'elle réservait à ses amies.

Elle avait hâte de retirer le film de protection mais, selon Sverker, il fallait attendre encore un peu. Il manquait les moulures, les luminaires et les penderies qu'elle ne pouvait pas installer elle-même.

Sur les conseils de Maria, elle avait chargé une couturière de réaliser des rideaux dans le tissu qu'elle avait sélectionné. Elle qui n'en avait jamais mis ne pouvait plus imaginer sa nouvelle maison sans les plis du velours et les corniches qu'elle avait fait poser devant les fenêtres. La demeure ne compterait pas la moindre carpette en peau de vache, pas une seule paroi immaculée ni un placard blanc. A la place, elle avait choisi des tapis dans des tons chauds tels que jaune moutarde, rouge bordeaux et bleu marine, et les murs arboraient différentes nuances de beige. Pas de papier peint à motifs : il n'y avait pas plus beau décor que la baie vitrée donnant sur la pelouse et la mer.

Maintenant qu'elle savait à quoi elle destinait la villa, elle avait décidé de construire une piscine supplémentaire à côté de chaque aile. Evidemment, les hôtes pourraient utiliser le grand bassin au fond du jardin, mais Rebecka se disait qu'ils préféreraient se baigner séparément, surtout si la maison recevait en même temps des parents des deux sexes.

Mais peut-être, au contraire, les mères voudraient-elles rencontrer des pères ? Rebecka n'en savait trop rien, alors autant profiter des larges dimensions de la pelouse. De toute façon, elle avait dépensé des sommes astronomiques pour le reste.

Afin de limiter ses frais, elle décida de vendre son appartement à Stockholm. Elle y réfléchissait déjà depuis un moment. Il n'était pas hypothéqué et les cent trente mètres carrés à Gärdet rapporteraient sûrement près de sept millions de couronnes. Si l'envie lui prenait de revoir sa ville d'origine, elle pourrait toujours séjourner chez Maggan ou Susanne.

Elle envisageait de rentrer quelques jours, mais Andréasson lui assura qu'il pouvait s'occuper de la vente et que sa présence ne serait requise que pour la signature du contrat. Elle accepta avec gratitude, mais lui demanda de prélever ses honoraires sur son compte et pas sur l'héritage de Sonja.

« Comme vous voulez », avait répondu le notaire.

Ils étaient ensuite convenus de reprendre contact quand les offres commenceraient à arriver.

Satisfaite, Rebecka se rendit dans le quartier portuaire où elle déjeunerait avec Sofi, qu'elle n'avait pas vue depuis la réception chez Maria. Rebecka bouillait d'impatience. Il y avait chez sa nouvelle amie quelque chose de très agréable qu'elle ne parvenait pas à nommer.

Deux heures plus tard, Rebecka avait enfin compris : elle se sentait en sûreté en compagnie de Sofi.

— En arriver là ne s'est pas fait sans effort, dit Sofi en souriant.

— Comment ça ?

Rebecka était confortablement assise dans son fauteuil, une tasse de café devant elle. La conversation, qui avait démarré par les politesses habituelles, s'était faite plus sérieuse. Une fois n'est pas coutume, Rebecka ne rechignait pas à parler de sentiments, même avec une personne qu'elle ne connaissait que depuis peu.

— Je ne m'aimais pas beaucoup avant. Il m'a fallu de nombreuses années d'analyse pour m'apercevoir que je n'étais peut-être pas aussi horrible que je le croyais.

Elle prit une cuillère de glace au chocolat et soupira de plaisir.

— Oh, comme c'est bon. Ils ne font pas très bien le café ici, mais la glace… approuva-t-elle en s'essuyant la bouche de sa serviette. J'ai simplement commencé à mieux me traiter, à me complimenter plutôt qu'à me dénigrer, si tu vois ce que je veux dire.

Rebecka hocha la tête.

— Qu'est-ce que tu n'appréciais pas chez toi ?

— Presque tout. De mon apparence jusqu'à des problèmes plus préoccupants qui me persuadaient que j'étais née mauvaise, s'esclaffa-t-elle. Aujourd'hui, je peux rire de ma propre bêtise. A l'époque, je ne percevais pas la profondeur du mépris que j'éprouvais pour moi-même. Quand mon premier mari m'a quittée, cela n'a fait que me confirmer à quel point j'étais invivable et je me rabaissais au lieu de comprendre que son infidélité interdisait toute chaleur et complicité dans notre relation.

— Que s'est-il passé quand tu as rencontré Sverker ?

— Je m'étais déjà soignée, alors je lui ai mis le grappin dessus.

Rebecka se pencha vers elle.

— Tu crois que tout le monde devrait suivre une thérapie ?

Sofi éclata de rire.

— Non, pas du tout. Mais cela peut être utile quand on s'enlise dans de vieux modes de pensée qui nous mettent des bâtons dans les roues.

Etait-ce son cas ? Rebecka n'était pas bête, elle savait bien que son mariage lui avait lié les mains de bien des façons, mais s'était-elle enlisée ?

— Tu peux garder un secret ?

Sofi répondit par un signe de tête affirmatif et Rebecka lui raconta son histoire en quelques mots.

— Qu'est-ce que tu en penses ? Tu crois que j'ai besoin du soutien d'un spécialiste ?

— Impossible à dire, toi seule peux le décider. Si tu veux, je peux te donner le numéro de mon ancienne collègue. Si je t'aidais, nous ne pourrions plus être amies, et j'ai envie qu'on se revoie.

Elle ouvrit son sac à main et tendit une carte de visite à Rebecka.

— La première séance est toujours un peu effrayante, mais tu attendras les suivantes avec impatience.

54

Patrik posa mille questions avant d'accepter le poste de chef cuisinier.

— Arrête de pleurnicher. Ce n'est pas une faveur que je te fais, c'est un défi que je relève.

— Aucune importance, répliqua Susanne en sanglotant. Tu me sauves la vie.

Elle exagérait peut-être, mais c'était ce qu'elle ressentait.

Patrik n'avait pas œuvré dans un restaurant depuis trois ans. Magda était fatiguée de passer les soirées seule avec les enfants et lui-même en avait assez. En tant que chef, ce serait différent. Il choisirait lui-même ses horaires et, secondé par une brigade compétente, il pourrait déléguer une grande partie du travail. Il envisageait de recruter Benny. Celui-ci, en plus d'être un excellent cuisinier, était la personne la plus fiable de l'entourage de Patrik. Susanne n'avait pas d'objection. Elle avait au contraire une haute opinion de l'ami de son frère, qu'elle connaissait depuis son plus jeune âge.

— Il sera d'accord ?

— Je pense que oui. Sa femme et lui se sont séparés l'année dernière et, depuis, il n'arrête pas de se plaindre de sa vie monotone.

— Tu peux venir avec lui ce week-end ? proposa-t-elle. Je vous paye les billets d'avion et naturellement vous dormez chez moi.

— Pas à l'hôtel ?

— Si vous voulez, mais dans ce cas vous devrez emporter des draps, des serviettes de bain et tout ce dont vous aurez besoin. Il n'y a encore rien sur place.

— Je plaisantais, nous serons ravis de séjourner chez toi. Je vérifie avec lui et je te rappelle.

S'ils n'étaient pas convenus de se voir le soir même, Susanne aurait immédiatement téléphoné à Charles pour lui annoncer la bonne nouvelle et lui demander de chercher un appartement pour Patrik et sa famille. D'après son frère, Magda était tout feu tout flamme et s'était déjà mise en quête d'une école pour les filles. Ces dernières n'avaient pas dit ce qu'elles pensaient du déménagement à Londres, mais l'avantage avec les jumelles était qu'elles ne se retrouveraient pas seules si elles tardaient à se faire de nouveaux amis. Susanne ne s'inquiétait pas un instant pour ses nièces au tempérament extraverti. Ni pour Magda. Si elle le souhaitait, sa belle-sœur obtiendrait elle aussi un travail à l'hôtel.

Susanne n'avait en réalité aucune envie de se rendre à la réception, mais avait accepté pour faire plaisir à Charles. Elle ne s'intéressait pas du tout à l'art, qu'elle comprenait rarement. En revanche, elle se réjouissait à la perspective de passer une agréable soirée en compagnie de Charles.

— A ton avis, les gens ont une idée de ce qu'ils regardent ? lui souffla-t-elle à l'oreille une heure plus tard.

— Non, pas du tout, répondit-il. Je crois que la majorité est venue parce que l'artiste est connue pour ses aventures avec des personnalités.

Susanne ouvrit de grands yeux.

— Raconte.

Il fit un signe de tête vers la droite.

— C'est elle, au milieu des types en costume. Même si la plupart redoutent les femmes comme elle au point de se faire dessus, plus d'un serait prêt à la suivre dans ses frasques.

— Comment tu le sais ?

— Tu crois que je ne suis pas au courant de ce qui se passe dans cette ville ? riposta-t-il avec un sourire. A présent, trêve de commérages et allons saluer l'artiste.

Susanne prit le bras de Charles, mais lorsqu'ils s'approchèrent du cercle d'admirateurs, elle ressentit un malaise croissant. Ils étaient presque arrivés quand elle le lâcha brusquement.

— Demi-tour, siffla-t-elle.

Trop tard. Michael les avait aperçus.

— Respire, tout ira bien, murmura Charles.

— Tu savais qu'il serait là ? demanda-t-elle, feulant de colère.

— Non, je n'en avais aucune idée. Attention, le voilà.

— Charles, Susanne, les salua Michael en leur adressant un signe de tête.

— Michael, je suis content de te voir. Tu as acheté quelque chose ?

— Je suis simplement venu féliciter Zombat pour l'exposition, répondit-il en fixant Susanne.

Zombat. Quel nom ridicule !

— Nous ne voudrions pas te déranger, fit Susanne. Dépêche-toi, sinon tu vas perdre ta place dans la file d'attente.

— Aucun danger. Nous allons souper plus tard, alors je survivrai.

Ses yeux luisaient comme des braises et la tension était si palpable que Charles préféra les laisser seuls.

— Excusez-moi, dit-il en s'éclipsant.

— Comment va l'hôtel ? demanda Michael, l'air toujours furieux.

— Bien, merci. Et le tien ? répondit Susanne en le toisant.

Hors de question de céder du terrain.

— Très bien aussi. Et comment se porte ton fiancé ? cracha Michael.

Il paraissait prêt à se jeter sur elle, n'était la foule qui les entourait.

— Mon fiancé ? répéta-t-elle sans comprendre.

— Ne fais pas l'innocente, ça ne te va pas du tout.

— Je ne sais pas de quoi tu parles.

— Blond. Suédois. Ne te fatigue pas, je l'ai vu, alors arrête avec tes airs offensés.

— Tu l'as vu ?

— Sur ton palier.

— Sur mon palier ?

— A mon retour de New York, je me suis rendu directement chez toi et l'homme qui a ouvert s'est présenté comme ton fiancé.

— C'est ça l'opinion que tu as de moi ? Que je cache un fiancé dans ma maison pendant que je m'amuse dans la tienne ?

Elle inspira profondément pour ne pas lui hurler dessus.

— Tu peux te mettre tes bobards là où je pense. Je vous souhaite beaucoup de bonheur, à toi et au Zombie, répliqua-t-elle en tournant les talons.

Malgré ses longues jambes, elle n'alla pas très loin. Avant qu'elle ait le temps de comprendre ce qui s'était passé, Michael lui barrait la route.

— Dis-moi qui c'est ?

— Tu es jaloux ? riposta-t-elle avec colère.

— Oui.

Elle le considéra avec étonnement.

— Je n'en sais rien, puisque je n'ai pas de fiancé, soupira-t-elle.

— Mais qui était l'homme qui m'a ouvert ? Tu ne crois tout de même pas que je mens ?

— C'est toi qui penses que je mens.

Cette fois, il ne la suivit pas, mais il ne la quitta pas des yeux tandis qu'elle se dirigeait vers la sortie du local.

55

Maggan avait annoncé à Björn qu'ils ne pouvaient plus se voir, et bien loin de s'en affliger, il lui souhaita bonne chance et la remercia pour son agréable compagnie de ces derniers mois.

Ce n'était pas son genre de fréquenter deux hommes en même temps et, de toute manière, Paul l'accaparait entièrement. Quand ils ne s'occupaient pas de leur restaurant, ils étaient chez elle, ou elle suivait Paul, qui avait décidé de lui montrer sa ville. Leur relation était simple, mais lorsqu'il proposa de l'accompagner en Suède, elle refusa tout net.

— Non. Je vais voir Mike à Londres avec toi, ensuite je rends visite à Anneli pendant que tu retournes à notre Sonja.

Ces deux perspectives la rendaient très impatiente.

Susanne ressentait la même hâte. Elle avait tellement entendu parler de ce fameux voyage avec InterRail qu'elle avait l'impression de déjà connaître Paul. Quand Rebecka apprit que le couple était en route pour Londres, elle décida de les y rejoindre.

Maggan dormirait chez Susanne avec Rebecka, il n'y avait rien à discuter, avait-elle répondu face aux protestations de Paul.

— D'accord, mais tu passes la dernière nuit avec moi, compris ? Tu rentres en Suède juste après et nous ne nous verrons pas pendant deux semaines.

Il n'avait toujours pas digéré l'opposition de Maggan.

— Oui, bien sûr que je passerai la dernière nuit avec toi, lui affirma Maggan en se serrant contre lui.

Elle ne savait pas encore comment elle parlerait de Paul à Anneli, mais elle essayerait. Ça ne serait pas facile et elle devrait mentir, ce qui ne la mettait pas très à l'aise. Elle cachait très peu de choses à sa fille, et si elle le faisait, c'était pour ne pas la blesser. Voilà du moins ce dont Maggan s'était persuadée au fil des années. Quand elle comprit qu'en réalité c'était elle-même qu'elle protégeait, elle chassa cette pensée de son esprit.

Susanne avait acheté des bouquets de fleurs sur ordre de Benjamin. Il lui avait demandé de se montrer exigeante pour mettre à l'épreuve le fleuriste qu'il comptait choisir, et Susanne avait joué les clientes difficiles.

Ce n'était pas dans ses habitudes et elle avait dû se forcer à se plaindre même des plus beaux. A présent, sa maison regorgeait de fleurs envoyées en dédommagement et, satisfaite, elle en plaça dans toutes les chambres d'amis.

Elle allait à la fenêtre toutes les cinq minutes pour guetter l'arrivée de ses camarades, alla jusqu'à entrebâiller la porte en apercevant un taxi.

C'est à cet instant qu'elle comprit.

Anders.

On avait sonné chez elle pendant qu'il était là et elle avait demandé à ses amies d'ouvrir, étant elle-même empêchée de le faire. Plus tard, Anders avait prétendu que le visiteur s'était trompé d'adresse et Susanne ne s'en était plus souciée. Elle s'était plutôt inquiétée de le faire partir.

Anders. Quel fumier !

Michael ne valait pas mieux. Il avait gobé les mensonges d'Anders et s'était jeté dans les bras du Zombie.

Susanne était fidèle à cent pour cent aux hommes qu'elle fréquentait, peu importe leur propre attitude, et partait du principe que tout le monde le comprenait.

Mais pas Michael, de toute évidence. Sinon, il aurait fait en sorte d'apprendre la vérité au lieu de l'expulser presque littéralement de son hôtel quand elle était venue demander une explication à son étrange comportement.

Elle décida une nouvelle fois de ne plus penser à lui. Il pouvait continuer à exsuder sa testostérone par tous les pores si ça lui chantait. Elle serait impassible si jamais elle le croisait.

Satisfaite de cette résolution, elle se précipita vers le taxi qui s'arrêtait devant chez elle pour aider Rebecka à porter sa valise.

— Si tu savais comme je suis contente de te voir, dit-elle en se jetant au cou de son amie.

— Et moi donc. Maggan est là ?

— Nan, mais elle ne va plus tarder. J'ai déjà aéré une bouteille de vin et j'ai des centaines de choses à raconter.

Maggan était impatiente de présenter Paul à Susanne. Et Mike, par la même occasion.

Il plairait beaucoup à Susanne, mais d'un autre côté, il était peut-être un peu trop réservé pour oser aborder l'ancienne hôtesse de l'air. Maggan avait eu du mal à le reconnaître. L'adolescent dégingandé qu'elle avait rencontré en 1975 était devenu un homme d'âge mûr très élégant.

Maggan était quasi certaine que Susanne aimerait son allure. Elle n'avait pas eu le temps de se faire une opinion de sa personnalité avant de s'engouffrer dans un taxi, mais elle se rattraperait ce soir pendant le dîner. Le principal était que Susanne apprécie Paul.

Le premier et dernier homme dont Maggan était tombée amoureuse.

56

C'est de bonne humeur que les trois femmes entrèrent dans le restaurant et, débarrassées de leurs manteaux, se dirigèrent vers le bar.

— Ton cher Paul peut arriver maintenant. Je meurs de curiosité, dit Susanne, qui avait préféré un verre d'eau à un cocktail.

— Il va venir, sois tranquille. Il est fou de Maggan et ne manquera pas une occasion de la voir, lui assura Rebecka avec un grand sourire en passant le bras autour des épaules de leur amie. Exactement comme il y a trente-cinq ans. Ils sont restés accrochés l'un à l'autre pendant tout le séjour à Paris. Pas vrai ?

— Oui, tu as raison.

— C'est bizarre que vous n'ayez pas gardé le contact, s'étonna Susanne.

— Je suis tombée enceinte. C'est aussi simple que ça, répondit Maggan avec un sourire en jetant un coup d'œil à sa montre.

— J'ai le temps d'aller aux toilettes ? fit Susanne en descendant de son tabouret.

Quand Paul entra avec Mike sur ses talons, Rebecka mit quelques instants à le reconnaître.

— Mike, comme tu as grandi !

Elle dut se dresser sur les orteils pour lui faire la bise et il la souleva du sol.

— Et toi, tu es toujours la même, répliqua-t-il en la reposant sur ses pieds.

Rebecka enlaça ensuite Paul et lui souffla à l'oreille qu'elle était très contente que Maggan et lui se soient enfin retrouvés. L'expression rayonnante de Paul suffisait à dire son bonheur.

Au retour de Susanne, le petit groupe avait disparu et le barman l'informa que ses amis étaient passés à table. Il désigna le fond du local, où Maggan lui faisait signe.

Susanne les rejoignit avec un sourire et tendit la main en se présentant, mais Paul se leva et la serra dans ses bras.

— Tu es célèbre, fit-il. Je t'ai vue sur de nombreuses photos.

— Moi aussi, je t'ai vu. Les images datent un peu, mais je dois reconnaître que tu n'as pas changé, répliqua-t-elle avec un clin d'œil à Maggan.

Puis elle se tourna pour saluer Mike et son sourire s'effaça.

C'était une plaisanterie ? Ses amies s'étaient liguées contre elle ? Qu'est-ce qu'il faisait là ? Et où était Mike ?

— Susanne, voici Mike, annonça Rebecka.

Susanne comprit qu'elles ne soupçonnaient pas une seconde que leur compagnon était l'homme dont elles avaient parlé quelques heures plus tôt.

Michael ne semblait pas plus amusé. Il lançait des regards furibonds à Paul qui, occupé à roucouler avec Maggan, ne remarquait rien.

Susanne se ressaisit et tendit la main.

— Susanne, dit-elle d'une voix suave. Ravie de faire enfin ta connaissance.

— Mike, répondit-il, succinct.

Seule Rebecka perçut l'atmosphère crispée. Elle se sentit brusquement nerveuse. Que se passait-il encore ?

— Assieds-toi, suggéra-t-elle en désignant la chaise à côté de Michael. Je crois que vous avez beaucoup en commun. Mike travaille dans le milieu hôtelier.

— Ça alors, vraiment ! lâcha Susanne. Comme c'est intéressant. Raconte-moi tout. J'ai tellement de choses à apprendre.

Rebecka se demanda si Susanne avait trop bu, mais décida d'ignorer l'attitude étrange de son amie et se pencha pour interroger Paul sur la marche du restaurant.

Michael fixa Susanne, qui lui rendit son regard sombre.

— Le monde est petit, souffla-t-il.

— On dirait, murmura-t-elle.

— Tu n'étais pas au courant ?

— Non. Et toi ?

Il secoua la tête.

— Tout va bien avec le Zombie ?

Il lui jeta un coup d'œil interloqué.

— L'artiste.

— Zombat. Pourquoi ça ?

— Simple curiosité.

— Tu es jalouse ?

C'était la question qu'elle lui avait posée. Susanne se morigéna d'être tombée dans le piège. Elle se tut.

— Tu m'as dit que tu répondais toujours honnêtement aux questions directes. Tu es jalouse ?

Susanne évita son regard.

— Je n'ai pas envie de répondre à celle-là. Merci, mais je prendrai de l'eau, dit-elle au serveur qui s'apprêtait à remplir son verre de vin, avant de se tourner vers Paul. Puisque tu es restaurateur, je te laisse commander pour moi.

Elle n'avait plus faim, mais, comme Rebecka, elle devenait désagréable si elle ne mangeait pas et elle décida de se forcer à finir son assiette.

— Avec joie. Viande ou poisson ?

— Poisson, s'il te plaît, répondit Susanne.

Au même instant, elle sentit la main de Michael sur sa cuisse.

— Qu'est-ce que tu fais ? feula-t-elle en le repoussant.

— J'ai essayé de retenir ta serviette de table, mais tu m'en as empêché. Elle est tombée par terre.

Susanne grogna, mais ramassa sa serviette sans rien dire. Quand elle se redressa, Rebecka la dévisageait.

— Susanne, tu ne veux pas me montrer où sont les toilettes ? lança-t-elle d'un ton éloquent.

Susanne comprenait parfaitement l'intention de Rebecka, mais n'avait aucune envie de coopérer. Elle se contenta de tendre l'index et resta assise quand Rebecka quitta la table.

— Alors ? Combien de temps devons-nous sauver les apparences ? J'ai tout raconté à mes amies sur Michael. Mais si c'est trop embarrassant pour toi, je peux continuer à jouer ton jeu.

— Mon jeu ? Je n'ai rien planifié, je peux te l'assurer.

Il grommela quelques mots incompréhensibles.

— Qu'est-ce que tu as dit ?

— Que si j'avais tout manigancé, les choses ne se seraient certainement pas déroulées de cette façon.

— Ah non ?

— De quoi parlez-vous ? les interrompit Maggan.

— J'ai proposé à Susanne d'aller prendre l'air, mentit Michael.

— Et j'ai accepté.

Ils se levèrent d'un même mouvement.

— Mais les assiettes arrivent ! s'étonna Paul.

— Nous serons vite de retour, répondit Michael en agrippant fermement le coude de Susanne.

Sortir par ce temps froid était une idée stupide. Susanne grelottait.

— Qui es-tu, Susanne ? Je ne te comprends pas. Tu es un jour la personne la plus chaleureuse que j'aie jamais rencontrée, l'autre, un vrai serpent, dit Michael en lui posant sa veste sur les épaules.

— Je suis tout à fait charmante quand les gens me font confiance au lieu de me mettre à la porte, rétorqua-t-elle. J'ai compris qui tu as vu sur mon palier, et si tu avais eu une once de bon sens, tu m'aurais demandé qui il était. Mais tu as choisi de croire un idiot, ce qui en dit long sur l'opinion que tu as de moi.

Elle riva son regard au sien.

— Je ne suis ni la plus douce ni la plus teigneuse des femmes. En revanche, il n'y a pas plus fiable que moi, lança-t-elle en lui rendant sa veste. Tu m'as fait de la peine, conclut-elle en retournant dans le restaurant.

57

— Ce n'est pas possible ?

Maggan et Rebecka furent choquées en apprenant que Susanne connaissait déjà leur camarade d'autrefois.

— Il faut croire que si.

Susanne avait abandonné sa théorie de la conspiration. Comment ses amies auraient-elles pu savoir ?

— Mais Paul est un amour, poursuivit Susanne, fatiguée de parler de Michael.

Le lendemain matin, Susanne servit le petit déjeuner au lit à ses invitées. C'était l'unique repas qu'elle était capable de préparer et elle ne fit pas les choses à moitié : œufs brouillés, bacon, craque-pain, une grande tasse de café Gevalia et un morceau du chocolat au lait Marabou rapporté de Suède par son petit frère.

Maggan, qui ne voulait pas manger seule dans sa chambre, se glissa sous la couverture de Rebecka. Blottie dans le fauteuil, Susanne se dit que, dans leurs pyjamas, ses amies avaient l'air de fillettes de dix ans.

— Vous portez toujours autant de vêtements la nuit ?

— Pas la peine de nous expliquer que tu dors toute nue, articula Rebecka, la bouche pleine.

— Je mets un pyjama par pure politesse, mais j'avoue qu'il m'arrivait de mourir de chaud. Par moments, c'était mes bouffées de chaleur qui m'achevaient, soupira Maggan.

— Comment se porte la libido après la ménopause ? demanda Susanne sans plus de façon.

Elle avait entendu des histoires toutes plus extravagantes les unes que les autres, et qui était mieux placé que Maggan pour répondre ? Des trois, c'était probablement elle qui avait eu l'expérience la plus récente.

— Très bien, merci. Oublie tout ce qu'on t'a raconté. Il y a d'excellents remèdes. Un bon partenaire, par exemple.

Elle sourit quand Rebecka lui donna une tape.

— On pourrait prendre le petit déjeuner sans parler de sexe ? se plaignit cette dernière.

— Naaan, chantonnèrent Susanne et Maggan à l'unisson.

Quand Maggan proposa une visite de Sonja Londres, ses amies comprirent immédiatement ce qu'elle avait en tête. Susanne relata la visite de Patrik le week-end précédent et ajouta que, depuis la Suède, il réfléchissait à la meilleure manière de tirer parti de la cuisine. D'après lui, même si le réfectoire n'était pas très spacieux, les possibilités étaient nombreuses.

Maggan s'arma de l'appareil photo qu'elle avait déjà rentabilisé et demanda à Susanne de lui prêter un passe-partout pour entrer dans les chambres. Quand elle rejoignit ses amies dans le foyer, Rebecka et Susanne étaient en grande conversation avec Madeleine, qui leur apprit qu'Apollo avait inclus l'hôtel à son programme. Elle était très pressée de mettre sur pied le site Internet et Susanne la rassura. La publicitaire s'était attelée à la tâche à l'instant où elle lui avait confié cette mission et, aux dernières nouvelles, le travail avançait à pas de géant. Madeleine et elle avaient un rendez-vous avec l'agence la semaine suivante.

Maggan salua Madeleine et s'assit pour s'expliquer quand l'employée voulut savoir à quoi serviraient les photos.

— Je vais écrire un livre – ne me demande pas pourquoi – et j'ai eu l'idée de parler de Sonja.

Elle espérait une réaction et ne fut pas déçue par la mine abasourdie de ses amies.

— Pour faire simple, je vais aborder tout ce que Sonja aimait : manger, boire, l'art et les gens. Mais je veux aussi raconter sa vie, du début à la fin. Il y a une histoire fascinante de ce côté. Et puisque nous avons récemment appris beaucoup de choses, je souhaite présenter nos trois établissements, Sonja Paris, Sonja Londres et Sonja Majorque.

Elle observa ses camarades. Si Susanne n'applaudissait pas, elle abandonnerait l'entreprise. Son amie fit plus encore. Après les ovations, elle planta un bécot sur la bouche de Maggan.

— Tout simplement génial. C'est une merveilleuse idée. Qu'est-ce que tu en penses, Rebecka ?

Celle-ci avait les larmes aux yeux, mais aucune intention d'imiter Susanne, même si elle était suffisamment enthousiaste pour ça.

— Je ne peux pas imaginer un plus bel hommage à Sonja. C'est un projet énorme, est-ce que nous pouvons t'aider ?

— Pas pour le moment, mais je veux naturellement que vous ouvriez vos portes à un photographe professionnel dès que vos activités seront lancées. Jusqu'ici, je n'ai pas eu de problème pour écrire, et les photos et les lettres que nous avons trouvées dans l'appartement de Sonja me seront très utiles.

Madeleine, qui ignorait tout de Sonja, se montra soudain curieuse.

— Je ne sais pas de qui vous parlez, mais si l'hôtel apparaît dans un livre, nous allons bien sûr le mentionner dans notre matériel publicitaire.

— Il faut d'abord que j'arrive à appâter un éditeur et je doute que le manuscrit soit terminé cette année. Si je l'envoie à différentes maisons en 2011, il ne sortira pas avant 2012 dans le meilleur des cas, et j'espère que d'ici là l'hôtel fonctionnera depuis un bon moment.

— Ah ? Ça prend tellement de temps ? s'étonna Madeleine, déçue, avant de s'éloigner.

— Je n'arriverai pas à faire semblant de ne rien savoir, s'excusa Maggan lorsqu'elles se séparèrent sur le palier de Susanne.

— Je comprends, lui assura son amie. Je compte sur toi pour en dire le moins possible.

— Embrasse Anneli de ma part, dit Rebecka en tendant le sac de Maggan au chauffeur de taxi. Et Mike et Paul.

— D'accord, fit Maggan en enlaçant ses amies.

— Et passe le bonjour à Paul et Anneli de la mienne, renchérit Susanne avec un sourire oblique.

Elle n'éprouvait aucun besoin d'adresser d'autres saluts.

58

La vue de Paul qui l'attendait devant la maison de Michael réchauffa le cœur de Maggan. Elle espérait qu'un jour il lui pardonnerait ses erreurs passées et, peut-être, qu'il comprendrait pourquoi elle avait agi de la sorte. Elle avait décidé de tout lui avouer à son retour à Paris. Pour l'instant, elle voulait juste profiter d'une dernière soirée en sa compagnie.

— Tu m'as manqué, dit-il quand ils s'enlacèrent étroitement.

— Tu m'as manqué aussi.

Sous ses baisers, elle sentit poindre le désir qu'il avait le don d'éveiller, et quand il murmura que Michael était absent, elle sut avec certitude ce qu'ils allaient faire les heures suivantes.

Avec Paul, elle ne ressentait aucune timidité, et c'est même avec fierté qu'elle se déshabilla. Ses seins lourds pendaient sur sa poitrine et ses fesses n'étaient plus à la bonne hauteur. Elle avait presque un triple ventre et les nombreuses cicatrices de son accident étaient impossibles à cacher. Pourtant, elle ne s'était jamais sentie plus belle.

Quand elle l'aida à déboucler sa ceinture, elle ne put s'empêcher de caresser son sexe durci.

— Dépêche-toi, l'exhorta-t-elle.

Sans lui laisser le temps d'enlever son pantalon, elle l'attira entre ses cuisses.

— Ohé, vous êtes là ? appela Michael en entrant. Oups, pardon, dit-il en reculant prudemment, les yeux clos, avant de refermer la porte.

Ils l'entendirent redescendre l'escalier d'un pas lourd et ils s'extirpèrent du lit en riant.

— Tu veux bien présenter des excuses à notre hôte pendant que je prends une douche ? demanda Maggan. Et est-ce que tu peux m'apporter ma valise ? ajouta-t-elle avec un regard en biais.

Assis au bord du lit, Paul la contemplait avec tendresse. Il connaissait par cœur toutes ces sensations et pourtant, tout lui paraissait nouveau. Son amour n'était décidément pas récent et lui avait causé, au cours des années, plus de peine que de joie. Fréquenter Sonja avait été fantastique, mais lui avait sans cesse rappelé ce qu'il avait perdu. Il était triste que Sonja ne fût plus en vie pour les voir réunis.

— Tu crois que Sonja a fait exprès de nous rapprocher ? demanda-t-il.

— Oui, j'en suis convaincue.

— Et Mike et Susanne ?

— C'est plus délicat. Elle ne pouvait tout de même pas deviner que Susanne ferait un apprentissage chez lui ?

— Ah non ? Je ne serais pas surpris que Sonja ait tiré les ficelles ici aussi. Je suppose que nous ne connaîtrons jamais la vérité, mais l'idée me plaît. De cette manière, elle est toujours un peu avec nous.

— C'est vrai. Et ma valise dans tout ça ? fit-elle en se tournant vers lui.

Il prit dans l'armoire une robe de chambre ornée du logo de Hyatt.

— Je sais que c'est chipé, mais il faudra faire avec, dit-il en l'embrassant sur la joue.

Michael se mit à rire quand Paul entra dans la cuisine.

— Tu crois vraiment que les personnes âgées devraient faire ce genre de choses en pleine journée ?

— Non, pas les personnes âgées. Ça serait épouvantable. Tout simplement écœurant. Qu'est-ce que tu nous mijotes ?

Michael lui tendit une coupelle d'olives vertes.

— Je m'apprêtais à me faire un cocktail. Tu en veux un ?

— Oui, merci. Je vais juste monter les affaires de Maggan. Ne le fais pas trop fort, ajouta Paul en ressortant.

Michael n'était absolument pas jaloux de son ami, mais aurait aimé connaître le même bonheur. Ils avaient parlé de Maggan des centaines de fois par le passé et rien de ce qu'avait dit Michael n'avait pu convaincre Paul de l'oublier. C'était Maggan ou personne, y compris pendant sa brève union.

Michael aussi avait été marié un temps. A la différence de Paul, il était très épris de sa femme, mais l'amour n'était malheureusement pas réciproque. Quand il avait découvert que ce qu'elle nommait « jogging » se pratiquait sans vêtements de sport, il n'avait pas eu d'autre choix que la quitter. Par la suite, il avait eu de nombreuses relations, mais aucune qu'il avait voulu rendre définitive. A la place, il avait convolé avec son travail. Mis à part le contact physique, son activité lui apportait tout ce dont il avait besoin.

Il était en train de remplir à ras bord de tonic deux grands verres quand Paul revint. Michael lui en tendit un et leva le sien.

— Au sexe en milieu d'après-midi.

— Tant qu'on peut, ajouta Paul.

Quand Paul avait remarqué que son corps ne réalisait plus ses performances habituelles, son médecin lui avait prescrit un traitement contre l'impuissance. A cinquante-quatre ans, il pouvait s'estimer heureux que ce soit sa seule défaillance physique. Par ailleurs, même s'il n'atteignait pas une forme olympique, il était en excellente santé. Il n'avait toujours pas utilisé les médicaments. Son sexe semblait se souvenir des années 1970 et avait repris vie sans la moindre objection quand il avait retrouvé Maggan.

— Qu'est-ce qui te fait sourire ? demanda Michael.

— Tout et rien.

Ils entendirent Maggan descendre les marches et Michael alla à sa rencontre.

— Nous n'avions pas l'intention de mal nous conduire dans ta maison, dit-elle avec un sourire en l'enlaçant.

— Vous m'avez déjà fait une belle frayeur en 1975, alors je survivrai, s'esclaffa Michael.

— Tu avais quel âge à l'époque ?

— Dix-sept ans.

— Pas étonnant que je trouve que tu as grandi, fit Maggan en lui pinçant la joue.

— Ohé, vous comptez rester dans le couloir ? lança Paul.

— Non, répondit Michael. Je vous invite à dîner.

Trois gin tonics plus tard, une excellente atmosphère régnait dans la cuisine. Paul coupait des légumes et Michael s'affairait aux fourneaux tandis que Maggan avait reçu pour consigne de les honorer de sa compagnie. Perchée sur un tabouret, elle observait les hommes à l'œuvre.

Il était visible qu'ils étaient de vieux amis. Ils se connaissaient depuis leurs années d'écoliers par le biais de leurs parents, racontèrent-ils en cuisinant. Alors que Paul avait quinze ans, sa famille s'était installée à Paris parce que sa mère avait le mal du pays, mais était restée en contact avec celle de Michael. Paul avait quelques années de plus, mais leur différence d'âge n'avait jamais compté.

— J'ai toujours été très mûr, déclara Michael avec un petit sourire.

— Sauf avec Susanne, lâcha Maggan.

Elle regretta immédiatement ses paroles. Elle n'avalerait pas une goutte d'alcool de plus.

Posant sa spatule, Michael lui fit face.

— Ah oui ?

— Oublie ce que je viens de dire. Occupe-toi plutôt des biftecks, je crois que c'est exactement ce dont j'ai besoin, se rattrapa-t-elle en agitant l'index en direction de la poêle.

Michael l'ignora.

— Crache le morceau, Maggan. Qu'est-ce que Susanne t'a raconté ?

Paul gémit. Il savait que Michael ne céderait pas. Maggan pouvait aussi bien passer tout de suite aux aveux.

— Prends le relais, Paul. Je dois parler à la femme de ta vie.

Il s'essuya les mains et s'assit sur un tabouret en face d'elle.

— Vide ton sac.

Elle regarda en l'air avec un soupir résigné.

— Tu peux faire les gros yeux ou une tête de trois pieds de long, pour ce que j'en ai à faire. Parle maintenant, femme, ordonna-t-il en la fixant.

Maggan n'arriverait pas à s'esquiver.

— Eh bien, je trouve que ton attitude envers Susanne n'est pas mûre du tout. Elle a travaillé pour toi plusieurs semaines et elle a montré quel genre de personne elle est. Quelqu'un de mûr aurait discuté avec elle avant de l'accuser de légèreté.

— Mais ce n'est pas ce que j'ai fait.

— Ah bon ? dit Maggan, surprise.

— Non.

— Dans ce cas, je te demande pardon. C'est comme ça que j'avais compris les choses, expliqua Maggan, qui avait cru le récit de Susanne sans poser de questions.

La version de Michael était différente. Il raconta à quel point il avait été fasciné par le caractère franc et direct de Susanne ; qu'elle s'était parfaitement intégrée au personnel de l'hôtel et qu'il s'était mis à penser de plus en plus souvent à la belle Suédoise blonde. Après leur nuit ensemble, il était tombé fou amoureux d'elle, mais quand il était rentré de New York en avance pour la surprendre, il avait été désespéré de découvrir qu'elle avait déjà un homme dans sa vie.

— Je me porte témoin, intervint Paul, qui avait régulièrement eu son ami au téléphone.

— Alors quand tu l'as mise à la porte du Hyatt, ça n'était pas une question de morale ?

— Absolument pas. Je crevais de jalousie et je ne voulais plus la voir, murmura-t-il.

Il n'était pas difficile de se rendre compte à quel point la dispute lui pesait.

— Elle n'a personne d'autre, lui assura Maggan.

— Je sais, mais maintenant c'est elle qui ne veut plus me voir, conclut-il avec un sourire lugubre.

59

Sofi avait raison, seule la première séance était intimidante. En ressortant de sa quatrième visite chez Karin, Rebecka avait le cœur léger. Loin d'être aussi horrible qu'elle le croyait, parler de soi était en fait plutôt agréable. La thérapeute ne l'interrogeait pas au sujet de Robert, mais des sentiments que Rebecka éprouvait alors pour lui, de leur union, de la façon dont la trahison de son mari l'avait influencée. Elles avaient même évoqué son enfance. Rebecka ne voyait pas le rapport avec sa situation actuelle, mais Karine avait répondu en souriant que cela serait peut-être plus clair lors de la séance suivante.

Le soleil de mars était suffisamment chaud et Rebecka retira son gilet avant de s'asseoir au volant de sa voiture pour se rendre à l'aéroport. Le bulletin météorologique disait qu'il neigeait toujours à Stockholm et elle emportait un manteau dans son bagage à main. Elle survivrait trois jours dans son ancienne ville, mais pas plus.

L'appartement avait été vendu en moins de deux et Rebecka avait décidé de le vider, même si le nouveau propriétaire n'avait pas l'intention d'y emménager avant un mois. Elle entreposerait ce qu'elle gardait dans l'atelier de Sonja, qui était de toute façon inoccupé. Elle en profiterait pour emporter quelques tableaux de son amie, qu'elle voulait accrocher dans sa maison à Majorque. Susanne l'avait priée de sélectionner quelques peintures pour l'hôtel et Rebecka avait accepté cette mission avec plaisir.

Son cœur débordait de joie à l'idée d'emménager dans sa villa dans deux mois. Elle avait encore beaucoup à faire, mais les principaux travaux étaient achevés.

Elle comptait organiser une pendaison de crémaillère la dernière semaine de juillet et avait dressé une liste d'invités de plus de cinquante personnes. En plus des incontournables, elle pensait recevoir tous ceux qui, de près ou de loin, avaient apporté leur pierre à l'édifice. Elle y convierait également l'équipe d'Andréasson, qui l'avait assistée avec savoir-faire tout au long du processus. Evidemment, ils avaient demandé l'aide d'un notaire espagnol, mais pas une seule fois Rebecka n'avait dû se tourner vers une autre étude que celle de Stockholm.

Avec l'arrivée du printemps, les vols directs avaient repris, et elle n'avait pas besoin de passer par Barcelone. Quand elle se rendit à l'enregistrement, un coup d'œil à sa montre lui apprit qu'elle serait à Stockholm dans quatre heures.

Elle s'installa près de la porte d'embarquement et ouvrit le dernier numéro de *House & Garden*.

— Rebecka ? Toi aussi, tu rentres ?

Etonnée, elle leva la tête pour découvrir Sylvia.

— En voilà une surprise, poursuivit la maîtresse d'Adam en s'asseyant. Ça fait plaisir d'avoir de la compagnie pour le voyage.

Rebecka ne savait que répondre, mais le sentiment n'était pas partagé. Elle se demanda si Sylvia rendait visite à Adam, mais garda le silence. Elle s'efforça de sourire.

— Alors comme ça, tu rentres chez toi ?

— Oui. J'y suis retournée plusieurs fois ces derniers temps. Je peux te confier un secret ? Je suis enceinte, annonça Sylvia, rayonnante.

— Mais c'est génial. Félicitations, lâcha Rebecka sans le moindre enthousiasme.

Elle avait le cœur au bord des lèvres.

— Ça tient presque du miracle, continua Sylvia avec un sourire. Avant l'accident de Tom, nous pensions qu'avoir des enfants se ferait tout seul, mais naturellement cela n'a pas été si facile. Finalement, après trois essais de fécondation in vitro, cela a fonctionné. Il y a deux semaines, le test a confirmé que nous allons être parents.

Rebecka l'observa avec étonnement. Fécondation in vitro ?

— Dans notre situation, nous sommes d'autant plus heureux, comme tu t'en doutes. Je n'ai encore rien dit à Adam, je compte lui apprendre la bonne nouvelle quand je serai rentrée. Il sera ravi de voir sa famille s'agrandir.

Rebecka ne comprenait pas. Que voulait-elle dire par « sa famille » ?

— Ah, tu ne savais pas qu'Adam et moi étions parents ? Eloignés, certes, car je suis la fille de son cousin, mais la famille reste la famille, pas vrai ?

L'amoureuse d'Adam était donc une petite-cousine. Rebecka sentit l'embarras l'envahir. L'architecte était coupable de n'avoir rien raconté, mais la pauvre Sylvia avait été la cible innocente du mépris de Rebecka. Le rouge de la honte lui monta aux joues.

— Je suis très heureuse pour toi et Tom, dit-elle avec un sourire gêné en posant sa main sur celle de la jeune femme.

Rebecka ne savait pas pourquoi elle avait été certaine que Stockholm serait différent à son retour. Peut-être parce qu'elle-même avait changé ? Mais tout était comme avant. L'après-midi gris, la neige boueuse et les gens qui se hâtaient de rentrer après une journée de travail.

Quand le taxi arriva à destination, elle leva les yeux vers son appartement. Elle avait vécu toute sa vie à Gärdet et dix-sept ans à cette adresse. En entrant, elle eut l'impression de pénétrer chez quelqu'un d'autre. Pourquoi avait-elle laissé tous ces murs blancs ? Elle grelottait. Les pièces paraissaient froides malgré les meubles choisis avec soin. Elle alluma les lampes pour essayer de réchauffer l'atmosphère. Elle passerait la soirée à regarder la télévision suédoise, la seule chose qui lui manquait dans sa nouvelle vie. Les déménageurs arriveraient le lendemain matin. Elle se lèverait tôt pour emballer les quelques affaires qu'elle voulait rapporter à Majorque et décider quoi jeter. Sa photo de mariage, toujours accrochée au mur de la chambre à coucher, partirait la première.

C'est le cœur serré que Rebecka ouvrit la porte de l'appartement de Sonja. La plupart des objets qui avaient défini son amie avaient disparu. Les piles de papiers, les lampes kitsch, les tapis en lirette et le canapé au tissu usé où elles s'étaient assises tant de fois au cours des années.

Mais, surtout, Sonja lui manquait, avec son rire bruyant et rauque qui l'accueillait toujours sur le seuil.

Elle s'essuya les yeux du dos de la main et se dirigea vers l'atelier. Il devait y avoir près de cinquante tableaux alignés le long des murs. Rebecka ne les avait pas examinés en détail lors de sa visite précédente ; elle s'était contentée d'en choisir trois qu'elle avait emportés à Gärdet, mais à présent, en les étudiant l'un après l'autre, elle s'apercevait qu'ils étaient tous très beaux.

Elle recula de quelques mètres pour mieux les observer et se cogna au bureau, le dernier meuble qui se dressait dans la pièce. Les lettres que ses amies et elle n'avaient pas encore lues étaient toujours dessus. Elle regarda la date au verso de la première. 1985. Postée à Londres. Elle sourit. Aujourd'hui, le courrier manuscrit se faisait rare. C'était un peu triste, se dit-elle en ouvrant l'enveloppe.

Le texte était bref. L'auteur exprimait sa gratitude après un agréable week-end et sa hâte de se revoir bientôt. Le message était signé Michael, Paul et Adam.

60

Maggan ne trouvait pas d'occasion favorable pour parler de Paul à Anneli. Ses adorables petites-filles étaient en permanence accrochées à la poitrine de leur mère.

De plus, Anneli était gentiment égocentrique. Allaitement par-ci, nuits blanches par-là. Et hors de question d'utiliser un biberon pour faciliter le travail, Anneli préférait ressembler à un zombie toute la journée.

Alex trouvait ses petites sœurs mignonnes mais pas très amusantes et se passait depuis longtemps de sa maman. Il était grand maintenant, il arrivait à écrire Alexander en commençant par la fin et en traçant les lettres à l'envers, et surtout, il était amoureux. Seule ombre au tableau, Joakim ne voulait pas lui faire de bisous.

— Il est bête. Hein, mamie, qu'on peut faire des bisous aux filles et aux garçons ? fit-il, mécontent.

— Oui. En tout cas, c'est mon avis, lui assura Maggan, mais seulement si l'autre garçon est d'accord.

Maggan emmenait et allait chercher Alex à la maternelle tous les jours, et pendant qu'il était en classe préparait des viennoiseries, lavait les vêtements que les jumelles avaient salis et faisait le ménage.

— Tu es une excellente maîtresse de maison, remarqua Anneli. Et belle comme tout, en plus. Paris te va bien, maman. Si je ne te connaissais pas si bien, je dirais presque que tu es amoureuse, ajouta-t-elle en plissant les yeux.

Maggan ne répondit pas. Isabell allait bientôt se mettre à pleurer et la conversation serait immédiatement oubliée.

Quand Rebecka téléphona depuis l'appartement de Sonja, Maggan s'isola dans sa chambre. Elle fut aussi choquée que son amie en apprenant que le nom d'Adam figurait sur une lettre datant des années 1980.

— Je sais que ce n'est pas forcément la même personne, mais ça ne m'étonnerait pas du tout. On dirait que chaque jour apporte son lot de surprises, déclara Rebecka avant de raconter que celle qu'elle prenait pour la femme d'Adam était en réalité sa cousine.

— Quand je rentrerai à Paris, je demanderai à Paul s'il connaît Adam.

— Oui, s'il te plaît. Il n'a jamais laissé entendre qu'il était en contact avec Sonja, et pourtant j'ai parlé d'elle plus d'une fois. Je dois me tromper, non ? poursuivit Rebecka, qui voulait la confirmation des nombreux défauts d'Adam.

— En effet, c'est bizarre, répondit Maggan à l'instant où Anneli l'appelait. Je te recontacte plus tard, dit-elle avant de rejoindre sa fille, toujours installée sur le canapé avec un nourrisson endormi au creux de chaque bras.

— Tu peux prendre Klara ? souffla-t-elle.

Maggan ne savait pas comment Anneli s'en sortirait après son départ, mais celle-ci lui assura qu'il n'y aurait aucun problème, car sa belle-sœur arrivait le même jour.

— Je suis surprise que tu supportes d'avoir sans cesse des visiteurs ! s'exclama Maggan, inquiète.

— Tu plaisantes ? Jusqu'ici, nos invités ont été exemplaires. Tout le monde me plaint et obéit au doigt et à l'œil, je n'aurais pas rêvé mieux, expliqua Anneli en bâillant. Ça ne t'embête pas si je vais me coucher avec les filles ? Avec un peu de chance, j'arriverai à dormir un quart d'heure.

Tandis qu'Anneli essayait de se reposer, Maggan décida de résoudre les mots croisés du *Courrier d'Östersund* et se mit en quête d'un stylo. N'en trouvant pas sur le bureau, elle ouvrit le premier tiroir et découvrit, non pas des crayons, mais une lettre de l'étude d'Andréasson.

Bizarre. Pourquoi avait-il contacté Anneli ? Les doigts de Maggan la démangeaient, mais son bon sens l'emporta. Non, même si elle en mourait d'envie, elle ne pouvait pas lire un courrier qui ne lui était pas adressé. Elle referma vivement le tiroir pour résister à la tentation, mais elle avait tout de même vu la date sur l'enveloppe. Elle avait été postée le jour où Susanne, Rebecka et elle s'étaient rendues pour la première fois à l'étude d'Andréasson, après le décès de Sonja.

Comme c'était étrange qu'Anneli n'en ait pas parlé. Elle regarda de nouveau le bureau.

Non, elle n'avait pas le droit. Qui était-elle pour reprocher à sa fille d'avoir des secrets ? Elle secoua la tête pour se défaire de son malaise. Avant de tout raconter à Anneli, elle devait d'abord avouer la vérité à une autre personne. Cette perspective la réjouissait tout aussi peu. A cet instant, elle n'aurait rien eu contre un petit miracle.

Alexander était en larmes et mamie n'en menait pas plus large.

— Tu m'appelleras, mamie ?

— Tu sais bien que oui, mon ange, répondit-elle en le serrant fort dans ses bras. Quel jour veux-tu que je téléphone ?

— Demain.

— Dans ce cas, je te le promets.

Les cheveux d'Alex sentaient l'après-shampooing et la transpiration. Ils dessinaient des boucles sur sa nuque, comme ceux d'Anneli quand elle était petite.

— Avant *Babar* ? demanda-t-il, la tête appuyée contre l'épaule de Maggan.

— Ça te convient mieux ?

— Oui.

Il s'écarta légèrement et l'observa de ses grands yeux bruns. Soudain, il sourit.

— On se verra en Espagne. On va prendre l'avion. Comme ça.

Il étendit les bras et se mit à courir en cercles dans le hall du terminal.

Paul l'attendait, bras tendus lui aussi. Il déclara que ces deux semaines avaient été les plus longues de sa vie et avant qu'elle ait pu esquisser un geste, il la renversa en arrière et l'embrassa sous les yeux des autres voyageurs. Maggan rougit. Elle se moquait que les gens regardent, mais elle n'avait pas souvenir d'avoir jamais suscité une telle joie chez quelqu'un. Il battait même les effusions d'Alexander.

— La prochaine fois, je viens aussi, dit-il d'un ton sans appel tandis qu'ils se dirigeaient vers la voiture.

— D'abord, nous devons parler, fit Maggan.

— Ça n'augure rien de bon, plaisanta-t-il.

— Non, marmonna Maggan. J'en ai peur.

61

Jens hurlait dans le combiné.

— Charles a eu une attaque, l'ambulance vient de l'emmener. Susanne, qu'est-ce que je dois faire ? Aide-moi !

Susanne sentit un grand froid la saisir. Charles ?

— Calme-toi, Jens. Dis-moi à quel hôpital ils vont et on se retrouve là-bas.

Son cerveau désactiva les sentiments et l'hôtesse de l'air en elle s'installa aux commandes, formée à faire face à toutes les situations de crise.

— A Saint Thomas.

Jens était maintenant en larmes et Susanne comprit que le choc le submergeait.

— Ressaisis-toi et prends immédiatement un taxi. A tout de suite.

Susanne trépignait à l'entrée de l'hôpital quand Jens arriva.

— Que s'est-il passé ? s'enquit-elle en lui entourant les épaules d'un bras tandis qu'ils franchissaient les portes.

— Je ne sais pas. Il m'a réveillé en disant qu'il avait une douleur dans la poitrine et m'a demandé d'appeler une ambulance.

Jens frissonnait violemment, visiblement secoué.

— Il était conscient tout le temps ? l'interrogea-t-elle en l'étreignant fermement.

— Oui, mais il avait du mal à parler. Il va s'en sortir, hein, Susanne ? Il a seulement cinquante-deux ans. A cet âge, on s'en sort, non ?

— J'en suis certaine, répondit Susanne avec assurance. Maintenant, nous n'avons plus qu'à le localiser.

Susanne n'avait pas eu le temps d'échanger son survêtement en velours rose contre des habits plus présentables, mais parvint tout de même à paraître imposante lorsqu'elle déclara qu'ils avaient besoin d'informations sur l'état de Charles McDougall.

Une infirmière leur indiqua la direction du service des urgences et, sur place, une autre les pria de s'asseoir dans la salle d'attente. Elle les informa que Charles passait des examens en ce moment et qu'un médecin leur en dirait plus dès que possible.

Demander à Susanne de patienter avait autant d'effet qu'ordonner à un cheval affolé de se calmer. Elle jeta son manteau sur une chaise, installa Jens, toujours choqué, à côté et se mit à faire les cent pas dans la pièce. De petits groupes épars s'y trouvaient déjà, pour les mêmes motifs qu'eux : apprendre comment se portait un proche. Certains pleuraient, d'autres fixaient le sol. Susanne était la seule debout.

Elle remplit deux gobelets à la fontaine à eau et en tendit un à Jens, puis elle lui caressa les cheveux.

— Tout ira bien, ne t'inquiète pas, lui dit-elle avant de reprendre ses déambulations.

Elle se demanda soudain si Charles s'était écroulé à cause de Sonja Londres. Ils subissaient tous deux une énorme pression. A seulement quelques semaines de l'inauguration privée, il l'assistait en tout, des problèmes concrets aux nuits blanches où elle avait besoin de son soutien, et naturellement, il était aussi éreinté qu'elle. Elle se laissa tomber lourdement sur la chaise à côté de Jens.

— C'est ma faute. Ça ne serait jamais arrivé si nous n'avions pas travaillé autant.

Jens ne répondit pas, mais prit sa main. Quand le médecin s'approcha, il avait posé la tête sur l'épaule de Susanne.

— Nous avons emmené Charles au bloc opératoire. Nous pensons qu'il a besoin d'un stent, dit-il après avoir expliqué que Charles avait eu un infarctus sévère.

— Vous allez lui ouvrir la poitrine ? demanda Jens, désespéré.

— Non, nous allons essayer d'atteindre l'artère coronaire en passant par un vaisseau sanguin dans l'aine. C'est la procédure habituelle, alors vous pouvez être tranquille. Si vous voulez bien me suivre, je vais vous emmener à l'unité de soins intensifs de cardiologie, conclut-il en se levant.

Susanne quitta l'hôpital sept heures plus tard. Elle avait échangé quelques mots avec Charles, qui se remettait étonnamment vite et se rétablirait parfaitement avec Jens à son côté.

Dans le meilleur des cas, Charles pourrait l'aider à mi-temps dans quelques mois, mais jusque-là, elle serait seule avec l'ensemble du travail. Dieu merci, ses employés avaient accompli des exploits dignes de titans, se dit-elle en déverrouillant sa porte.

Il n'était que sept heures du matin, mais inutile de songer à dormir. Elle devait contacter les connaissances de Charles pour leur annoncer son infarctus et les empêcher d'épuiser le convalescent en le bombardant de questions. A partir de maintenant, ils devraient se tourner vers Susanne ou résoudre eux-mêmes leurs problèmes.

A neuf heures et quart, la sonnette retentit et Susanne, étonnée par cette visite inopinée, alla ouvrir.

— Avant que tu me claques la porte au nez, laisse-moi te dire que je fais ça à la demande de Charles, déclara Michael en franchissant le seuil.

Il balaya la pièce d'un regard appréciateur.

— Ta maison est superbe, approuva-t-il en retirant son blouson de sport. Tu me fais faire le tour du propriétaire ?

Susanne n'en avait pas la moindre envie, et si elle n'avait pas craint de provoquer une nouvelle crise cardiaque, elle aurait immédiatement appelé Charles pour lui dire ce qu'elle pensait de son initiative.

— Tu n'as pas un hôtel à diriger ? lança-t-elle d'un ton maussade.

— Pas aujourd'hui, répondit-il en jetant un regard curieux dans la chambre à coucher. Waouh, cool ! s'exclama-t-il avec un clin d'œil.

Elle ferma précipitamment la porte, puis tendit le doigt vers la cuisine.

— Par là.

Il fit semblant d'être abattu, mais un sourire flottait sur ses lèvres.

— Cruelle, protesta-t-il avant d'obtempérer.

— Et enlève tes chaussures.

Il haussa les sourcils.

— Pour de vrai ?

— Pour de vrai.

Tout en mettant en marche la cafetière, elle demanda ce qu'avait dit Charles. Michael répondit que, d'après ce dernier, Susanne aurait besoin d'aide parce qu'il avait de petits problèmes de santé.

— De petits problèmes de santé ? Il a eu un infarctus sévère et il est en soins intensifs à Saint Thomas.

— Oh, je ne savais pas. Comment va-t-il ? Sa voix était un peu faible au téléphone, mais j'ignorais qu'il avait été hospitalisé.

Michael omit de préciser qu'il s'était précipité au volant de sa voiture sans prendre de nouvelles de Charles. Il aurait dû avoir honte de sa conduite, mais n'en éprouvait aucune. Il était bien trop heureux de revoir enfin Susanne.

— Ils ont élargi un vaisseau sanguin avec un genre de ressort. Je ne sais pas exactement comment ça fonctionne, mais en tout cas, ils ont supprimé le caillot. Il était épuisé quand je suis repartie il y a quelques heures. Tu veux du lait ?

— Oui, merci.

Elle versa le café dans de grandes tasses.

— Fatiguée ? demanda-t-il en désignant du menton le mug rempli à ras bord.

— Vannée, avoua-t-elle en posant un paquet de biscuits sur la table.

Vannée ou pas, Michael la trouvait plus exquise que jamais. Le survêtement rose pâle mettait en valeur ses courbes et il ne se souvenait pas l'avoir déjà vue aussi belle qu'en cet instant, alors qu'elle n'avait pas une trace de maquillage. Il réprima le désir de la toucher, de masser ses épaules lasses, de la déshabiller et de la porter nue jusqu'au lit.

— Ohé, tu m'écoutes ? lança-t-elle.

Michael semblait avoir l'esprit ailleurs.

— Pardon. Tu disais ?

— Qu'il sera certainement absent deux mois.

— Je vais t'aider.

— Et comment comptes-tu t'y prendre ?

— Pour le moment, je l'ignore, mais je sais que nous sommes capables de travailler ensemble. Nous l'avons déjà fait.

— Mais c'était avant que…

Elle s'interrompit.

— Avant que tu me séduises, compléta-t-il en souriant.

— Avant que tu te comportes comme un idiot jaloux.

Gêné, il baissa un instant les yeux vers la table, puis croisa le regard de Susanne.

— Comment puis-je me faire pardonner ? demanda-t-il, tourmenté. Je sais parfaitement que je me suis laissé embobiner. Crois-moi, je le regrette au plus haut point. Tu as entièrement raison, j'aurais dû avoir confiance en toi.

Il soupira.

Susanne était sans voix. Elle n'avait pas l'habitude d'entendre les hommes lui présenter leurs excuses, ils tendaient plutôt à rejeter sur elle la responsabilité de leurs erreurs. Ce qu'elle n'acceptait pas. Elle finissait invariablement par les mettre à la porte. Celui-ci se révélait différent. Restait à voir à quel degré.

— Je ne sais pas quelle aide tu peux m'apporter, mais je veux bien faire la paix. Je n'ai ni le temps ni l'envie de me disputer, j'ai mieux à faire en ce moment, déclara-t-elle en tendant la main au-dessus de la table. Amis ?

— Amis, répondit-il avec un sourire. Je peux voir ta maison, maintenant ?

62

Maggan se demandait si elle reverrait jamais Paul. Son expression était passée du bonheur à la peine, puis à la colère, et il s'était rué hors de l'appartement.

Elle s'était préparée à sa réaction en imaginant tous les scénarios possibles, y compris celui-ci. Mais tout occupée qu'elle était à anticiper la réponse de Paul, elle avait négligé la sienne. Quand la porte claqua, elle se mit à pleurer de désespoir.

Elle venait de mettre fin à trente-cinq ans de mensonge, mais elle n'en éprouvait aucun soulagement, seulement du chagrin. Chagrin à l'idée de ce qu'elle avait perdu par sa propre lâcheté. Son immaturité d'autrefois n'excusait rien. Elle aurait pu réparer les dégâts quand elle avait compris ce qu'elle avait fait, mais elle avait refusé d'y penser. Dès que quelqu'un abordait le sujet, et en particulier si la question venait d'Anneli, elle se dérobait en prétextant que c'était de l'histoire ancienne, qu'elle avait oublié ou qu'elle ne savait pas.

A présent, elle payait le prix de sa couardise. Elle osait à peine imaginer la colère de sa fille, mais elle ne pouvait plus revenir en arrière. Elle devait tout avouer à Anneli, le plus vite possible.

Pas maintenant. Demain, quand elle aurait parlé avec Alex. Elle remplit un verre de vin et le but d'une traite. Elle fit subir le même sort au deuxième. Une fois la bouteille vide, elle s'endormit sur son canapé.

Elle fut tirée de son sommeil par la sonnerie du téléphone.

— Bonjour, Rebecka, dit-elle à voix basse.

— Bonjour, Paris, comment ça va ?

— Je ne sais pas trop, je viens de me réveiller.

Elle jeta un coup d'œil à l'horloge. Neuf heures du matin. Elle avait dormi dix heures.

— Tu as la voix rauque.

— J'ai la gueule de bois.

— Oh. Eh bien, j'espère que vous avez passé une bonne soirée. Qu'est-ce que vous avez fait ?

Maggan décida de tout raconter à Rebecka. Pendant la nuit, l'angoisse qui lui pesait sur le cœur s'était un peu atténuée, mais à présent elle enflait à nouveau, lui serrant la gorge. D'une voix hachée, elle relata la vérité qu'elle n'avait jamais avouée à quiconque avant la veille et pria les puissances supérieures que Rebecka ne l'abandonne pas à son tour.

— Mais, ma chérie, tu as gardé ça pour toi pendant tout ce temps ? Je conçois la souffrance de Paul, bien sûr, moi aussi j'aurais été déçue à sa place, mais je ne te juge pas. Je comprends parfaitement pourquoi tu as agi ainsi.

— C'est vrai ?

— Evidemment. Tu étais extrêmement jeune. Le fait que tu portes maintenant un regard différent sur le passé ne change rien. Je ne crois pas que tu aurais pu savoir à quoi tu t'exposais.

Rebecka ne ressentait qu'une immense empathie pour son amie qui avait dû prendre une décision si lourde de conséquences à seulement dix-neuf ans.

Maggan sanglotait. Elle avait peur, terriblement peur. Elle pouvait se débrouiller sans Paul, elle avait passé toute sa vie d'adulte loin de lui, mais elle redoutait la réaction d'Anneli.

— Eh bien, laisse-la être en colère, dit Rebecka.

— Elle ne voudra plus jamais me voir, gémit Maggan, en pleurs.

— Je suis convaincue du contraire, mais elle aura peut-être besoin de réfléchir un moment et tu devras le lui accorder. Elle peut m'appeler si elle a envie de parler. Si tu expliques la situation à Susanne, elle aussi sera disponible pour Anneli. Fais confiance à ta fille, elle est merveilleuse.

Maggan essayait d'assimiler les paroles de Rebecka. S'éloigner de sa fille quand celle-ci était triste ou meurtrie comptait parmi les choses les plus pénibles auxquelles Maggan avait été confrontée, mais Rebecka avait raison. Elle était la méchante de l'histoire et il était peu vraisemblable qu'Anneli recherche son soutien.

— Merci, Rebecka. Je ne sais pas ce que j'aurais fait sans toi.

— Merci de m'avoir raconté.

Elles raccrochèrent sans aborder l'objet de l'appel de Rebecka, demander si Paul et Adam étaient amis. Ce serait pour la prochaine fois.

Susanne eut la même attitude que Rebecka. Pas un mot de reproche ni de colère en apprenant la vérité si longtemps dissimulée, seulement chaleur et soutien. Maggan aurait voulu avoir ses amies à ses côtés pour tout avouer à Anneli, mais elle savait qu'il lui fallait affronter cette épreuve seule. Elles ne pouvaient pas parler de Paul à la jeune femme, Maggan devait le faire elle-même.

Ce soir-là, à six heures moins le quart, elle composa le numéro d'Östersund et Alex lui répondit. Après avoir bavardé un moment, Maggan le pria de lui passer Anneli.

— Tu as de la chance, les filles sont toutes les deux endormies, dit cette dernière en gloussant.

Maggan prit une grande inspiration et se lança. Elle raconta tout du début à la fin, en terminant par la réaction de Paul et son départ précipité de l'appartement. Anneli l'écouta en silence. Maggan l'entendit respirer plus fort par moments, mais rien d'autre.

— Je sais qui c'est, annonça Anneli. Après la mort de Sonja, j'ai reçu une photo de lui. Un message au dos disait de te demander qui était cet homme au bout de un an, pas avant.

— C'est Sonja qui t'a envoyé la photo ? fit Maggan sans comprendre.

— Andréasson, mais c'était l'écriture de Sonja. Pourquoi est-ce que tu en as parlé à Sonja et pas à moi ?

— Mais je ne lui en ai pas parlé, je n'ai rien raconté à qui que ce soit. C'était un secret, mais elle a tout deviné.

— Je lui ressemble, souffla Anneli.

— Oui. Enormément, fit Maggan avec tendresse.

Les larmes coulaient le long de ses joues.

— Et s'il ne veut pas me rencontrer ?

Maggan sentit son cœur se serrer lorsqu'elle entendit la peur dans la voix de sa fille.

— Il voudra te rencontrer. Paul est un homme bon, mais il est blessé que je t'aie tenue loin de lui toute ta vie.

— C'était cruel de ta part, maman. Je ne t'en aurais pas crue capable.

— Je sais. Je suis terriblement désolée de t'avoir fait souffrir. Tu méritais de connaître ton père.

— Et il méritait de me connaître.

— Oui.

— Je ne veux pas que tu me contactes avant d'avoir tout arrangé avec Paul. Tu me dois bien ça, déclara Anneli en haussant soudain le ton. Et pendant que nous y sommes, je peux t'apprendre que c'est Sonja qui a trouvé la maison à Östersund et le boulot plus intéressant chez SkiStar. Nous avons reçu la proposition en même temps que la photo de mon père. J'ai failli refuser parce que je pensais à toi. Et toi, est-ce que tu as pensé à moi, maman ? Tu n'as jamais réfléchi à ce que je ressentais quand mes camarades de classe choisissaient des cadeaux pour la fête des Pères, ou quand ils racontaient ce qu'ils avaient fait ensemble pendant le week-end ? Tu ne m'as jamais demandé ce que ça faisait de grandir sans son papa. Je sais que le tien n'était pas là non plus, mais tu n'as jamais compris que je ne suis pas comme toi. Tu m'entends ? Je ne suis pas comme toi.

Elle respira profondément.

— Et maintenant, je crois que je vais appeler tante Rebecka.

63

Rebecka avait changé d'avis. Au lieu de vider l'appartement, elle photographia tout ce qui pouvait se vendre à bon prix, c'est-à-dire la plus grande partie de ses affaires, et diffusa des annonces sur le site consacré, Blocket. Avec l'argent, elle achèterait un minibus qu'elle mettrait à la disposition des familles qui séjourneraient dans la villa à Majorque.

Afin d'écouler le plus de meubles possible, elle n'éleva pas trop les prix et, au bout de deux jours, elle avait remporté près de deux cent mille couronnes. Les six lits Hästens avaient rapporté trente mille couronnes, de même que les quatre fauteuils Le Corbusier. Elle vendit son service de vaisselle Nobel quinze mille couronnes et céda sa voiture pour cinquante mille. Elle avait d'abord prévu de ne rester que quelques jours, mais se trouva retenue après avoir posté les annonces. Une fois les derniers cartons déposés chez Sonja ou expédiés à Majorque, une semaine s'était écoulée. Elle se sentait satisfaite en quittant l'hôtel. Pour le moment, elle en avait fini avec Stockholm, du moins avec son ancienne vie.

Après le divorce, Robert n'avait rien emporté, car il voulait « repartir de zéro », mais il avait exigé que Rebecka lui rembourse les meubles qu'il abandonnait et elle avait payé sans broncher. Elle ne protesta pas non plus quand il réclama la moitié de la valeur marchande de l'appartement, souhaitant ardemment qu'il revienne si elle se montrait gentille.

Quelle stupidité ! Il pouvait aller au diable.

Parfois, il faut prendre garde à ce qu'on souhaite, songea Rebecka lorsqu'elle se retrouva face à Robert à l'aéroport d'Arlanda.

Il souriait, surpris de la rencontrer, et il l'enlaça si soudainement qu'elle n'eut pas le temps d'esquiver.

— Que dirais-tu d'un café en souvenir du bon vieux temps ? proposa-t-il chaleureusement.

— Non, certainement pas, répliqua-t-elle. J'ai relégué le bon vieux temps aux oubliettes et je n'ai pas envie de prendre un café avec toi.

Robert, qui ne s'attendait pas à cette repartie, la regarda d'un air ahuri.

— Ah oui, vraiment ? Dans ce cas, je te souhaite un bon voyage.

— Merci, toi aussi, répondit-elle d'un ton détaché.

Il lui était complètement indifférent.

Voilà donc ce que ça fait d'oublier quelqu'un, se dit-elle en déposant son sac à main dans un panier au point sûreté. Et voilà ce que ça fait de ne pas y arriver, constata-t-elle en apercevant Adam. Son diaphragme se contracta douloureusement, la pliant presque en deux. Elle chercha des yeux une cachette, mais la plus proche était un Pocketshop dix mètres plus loin. Elle pria en silence pour qu'Adam ne se retourne pas.

Haletante, elle parcourut les rayonnages de livres sans voir un seul titre. La porte numéro un était juste en face de la boutique. Elle serait en sécurité tant qu'il ne se rendait pas à Majorque. Elle jeta un coup d'œil prudent dehors pour s'apercevoir que l'embarquement venait de commencer.

Et zut. Tant pis pour la sécurité.

Dieu merci, je suis prévenue, pensa-t-elle lorsqu'elle entendit sa voix dans son dos.

Elle se retourna.

— Bonjour, Adam.

— Tu rentres chez toi ?

Elle hocha la tête.

— Ta maison est presque terminée.

Ce n'était pas une question, et Rebecka comprit que Sverker l'avait tenu au courant des progrès. Elle éprouva une étrange joie face à l'intérêt qu'il témoignait toujours pour son projet.

— Passe la voir, puisque tu es à Majorque, suggéra-t-elle sans réfléchir.

— Tu es sûre que ça ne te gêne pas ? s'inquiéta-t-il tout en présentant sa carte d'embarquement et son passeport.

— 18B, dit l'employée en lui rendant les documents. 18D, annonça-t-elle ensuite à Rebecka.

Adam sourit. Lorsqu'elle comprit qu'ils ne seraient séparés que par l'allée centrale, Rebecka se demanda si quelqu'un s'acharnait sur elle.

— Bien sûr que non, ça ne me gêne pas, répondit-elle. Sverker aura sûrement envie de te montrer comment il a mis en application nos idées.

— Et pas toi ?

Si, elle voulait lui montrer comme la villa était belle. Le magnifique jardin avec tous les mimosas en fleur. Les palmiers, les oliviers, les figuiers de Barbarie et les cyprès plantés exactement là où Adam les avait imaginés, et le gazon qui bordait enfin chaque côté de l'allée dallée menant à la piscine. Elle voulait lui montrer les grands pots en pierre débordant d'une profusion de fleurs variées et la splendeur de la terrasse partiellement couverte.

— Non, c'est inutile, Sverker s'en chargera très bien lui-même, répondit-elle malgré tout en posant son sac dans un compartiment à bagages.

Debout derrière elle, il l'aida à tasser ses affaires dans le casier et elle ne put s'empêcher de remarquer l'odeur de son after-shave.

— Merci, fit-elle en prenant place.

Elle espéra qu'il n'avait pas vu la fâcheuse rougeur de son visage. Elle resserra lentement sa ceinture et s'appuya contre le dossier.

Quand la majorité des passagers fut assise, Adam se pencha vers elle.

— Rebecka, souffla-t-il.

Elle se tourna vers lui et il lui fit signe de l'index de s'approcher un peu plus près. Lorsque leurs regards se croisèrent, elle se dit qu'elle aurait bien besoin de mettre son masque à oxygène.

— Nous sommes faits l'un pour l'autre, quand vas-tu le comprendre ?

Elle se rejeta de nouveau en arrière et fixa le siège devant elle pendant le reste du voyage.

Cette stratégie lui permit de l'ignorer, mais le problème se posa à nouveau lorsqu'ils atterrirent à Majorque. Cette fois, non content de se tenir derrière elle pour l'aider à reprendre son sac, il appuya légèrement son torse contre le dos de Rebecka.

— Je n'aurais rien contre rester comme ça un moment, lui murmura-t-il à l'oreille en laissant exprès ses mains au bord du casier.

Rebecka ne répondit rien. Elle avait assez à faire avec son corps qui réagissait malgré elle. Ce n'est que quand les autres passagers s'impatientèrent dans l'allée centrale obstruée qu'il abandonna.

Elle lui arracha son bagage à main avant de se diriger vers la porte.

64

Deux semaines avant l'inauguration privée de Sonja Londres, l'ensemble du personnel était sur place et Susanne convoqua tous ses employés à une assemblée générale.

Elle avait préparé avec l'aide de l'agence publicitaire une présentation qui, espérait-elle, véhiculait les valeurs de l'hôtel et l'atmosphère qu'elle voulait créer avec eux.

La première photographie montrait Sonja. Susanne l'avait prise un soir d'automne, quelques années plus tôt, dans l'appartement de son amie. Sonja, assise sur son canapé d'un âge vénérable, était vêtue d'un manteau vert lui arrivant aux chevilles, brodé de motifs qui serpentaient des épaules à l'ourlet. En dessous, elle portait une robe rouge bordeaux de la même longueur, qui ne seyait qu'à elle. Le décolleté dévoilait sa poitrine généreuse sous plusieurs rangs de collier. Elle associait babioles et articles de qualité comme nulle autre. Elle avait noué un foulard autour de ses épais cheveux roux et sa bouche était de la même nuance que la robe.

Les lèvres maquillées étaient la signature de Sonja. Quelle que soit la saison, la mode ou l'occasion, elle appliquait soigneusement sa couleur fétiche. Elle arborait un large sourire, son autre signe distinctif. Susanne avait réalisé de nombreux clichés de Sonja au cours des ans et aucun ne l'avait immortalisée sans ce fameux sourire. Depuis sa disparition, Susanne s'était souvent demandé si son amie était aussi heureuse qu'elle le paraissait. Sa grave maladie avait certainement été un lourd fardeau.

Susanne se racla la gorge.

— Voici Sonja, et nous allons administrer ensemble une partie de son héritage, commença-t-elle.

Au cours du déjeuner quelques heures plus tard, elle put souhaiter la bienvenue à son personnel. Patrik et son équipe servirent un buffet suédois et les employés mangèrent en bavardant bruyamment. Certains se connaissaient déjà, d'autres avaient obtenu là leur premier travail.

Susanne se joignit à une tablée et fut immédiatement bombardée de questions sur Sonja, l'hôtel et sa propre personne. Elle leva les mains en riant et les pria de ne pas parler tous en même temps.

— Tu t'es fait lifter ? demanda avec aplomb une des jeunes femmes.

— Mon Dieu, non. Tu croyais que c'était le cas ?

— C'est que tu es tellement belle. Ma mère a le même âge que toi, mais est complètement différente. Elle aurait bien besoin d'un petit lifting.

Les autres éclatèrent de rire.

— J'ai juste eu de la chance du côté génétique. Regarde Patrik.

Son frère apportait un nouveau plat au buffet et les compagnons de table de Susanne se retournèrent pour l'observer.

— Plutôt bel homme, constata l'audacieuse. Il est libre ?

— Sa femme est assise là-bas, répondit Susanne en désignant une table un peu plus loin.

— Et toi, tu as quelqu'un dans ta vie ?

La voisine de la jeune effrontée lui donna une tape sur le bras en lui lançant un regard courroucé, mais Susanne ne s'offusqua pas. Elle trouvait les conversations avec des interlocuteurs directs très rafraîchissantes.

— Non.

— Avec ton physique ?

— Eh oui, c'est affreux, n'est-ce pas ?

Susanne se leva de table en riant et emporta son assiette. Dans la cuisine, elle la rinça à l'eau claire avant de la mettre dans le lave-vaisselle.

— Vous avez besoin d'un coup de main ? demanda-t-elle à Patrik.

— Oui, ça serait sympa de nous aider à débarrasser le couvert.

Après le déjeuner, Susanne, submergée par l'épuisement, prit le chemin de la suite Sonja, clé électronique en poche. Elle avait l'intention de s'étendre avant de déballer les tableaux que Rebecka avait envoyés de Stockholm.

Un coup à la porte la réveilla et elle souleva la tête, l'esprit encore embrumé, en se demandant qui cela pouvait bien être. Au deuxième coup, elle alla ouvrir en traînant les pieds.

— Oh, pardon, je te dérange ? s'excusa Michael en voyant ses yeux fatigués.

— Ce n'est rien, entre.

Il embaumait comme s'il sortait de la douche.

— En voilà une belle suite, dit-il en la précédant dans la chambre à coucher. Je comprends pourquoi tu l'as baptisée Sonja. Je ne lui ai jamais rendu visite à Stockholm, mais c'est tout à fait comme ça que je me représente sa maison. Le lit est confortable ?

— Très confortable.

— Je peux l'essayer ?

— Je t'en prie.

Il s'allongea à la place que Susanne avait occupée.

— Viens, mon amie, fit-il en tapotant la couverture à côté de lui.

— Pour quoi faire ?

— Je veux entendre comment s'est passée ta journée.

— Et tu ne peux pas faire ça debout ?

— Si, mais je n'ai pas envie. Approche.

Susanne obéit. C'était agréable de laisser une autre personne prendre les commandes pour une fois. Mais elle avait bien l'intention de rester à distance respectable du lit, elle n'était pas très sûre d'elle quand il s'agissait de cet homme.

Il se mit sur le côté pour la regarder.

— Tu vas finir par avoir des crampes si tu croises les bras comme ça.

— Et toi, tu vas avoir des crampes dans les joues si tu continues à sourire comme ça.

Il lui enfonça l'index dans l'estomac et Susanne riposta d'un coup d'oreiller sur la tête.

C'était le signal tant espéré.

Il l'attira contre lui avec un grognement et la réaction de Susanne ne se fit pas attendre. Elle écarta les lèvres et gémit quand leurs langues se trouvèrent. Ils se serrèrent l'un contre l'autre. Son sexe était dur, très dur. Susanne sentit des pulsations dans son bas-ventre. Elle ôta son tee-shirt et son soutien-gorge et soupira d'aise lorsqu'il effleura doucement ses mamelons raidis avant de les pincer entre ses lèvres avec volupté. C'était divin. Lentement, lentement, il embrassa ses deux seins et explora son corps de sa langue. Susanne se cambra, émoustillée, et quand il atteignit son nombril, elle l'aida à lui retirer son jean.

Agenouillé sur le lit, il enleva sa chemise et quand il déboutonna son pantalon, elle se redressa pour lui prodiguer des baisers tout en lui prêtant main-forte.

— Allonge-toi, murmura-t-elle avant de le déshabiller d'un geste.

Il n'y avait aucun doute sur le fait que Michael était prêt et quand Susanne referma sa bouche sur lui, il lui souffla d'être prudente. Elle l'était. Elle le chatouilla pour l'aiguillonner ensuite, elle le taquina du bout de la langue, le faisant haleter.

— Attends, attends, dit-il. Je n'en peux plus.

La saisissant par la taille, il la déposa doucement sur le dos, sous lui.

— Tu aimes bien m'asticoter, murmura-t-il tandis que ses mains effleuraient son corps. Maintenant, c'est à toi de subir.

— Dépêche-toi, s'il te plaît, implora-t-elle.

Il la regarda tout en descendant vers son bas-ventre.

— Bientôt, mon amour, bientôt.

Elle ignorait s'il la caressait de sa langue ou de ses doigts, mais ça n'avait aucune importance. Elle était en feu. Les mains enfouies dans les cheveux de Michael, elle se laissa aller au gré des vagues de plaisir lorsqu'il la pénétra. Il s'introduisit et se retira vigoureusement, et elle eut un deuxième orgasme avant que le premier s'apaise. Quand il jouit, la moitié de l'hôtel les entendit sans doute.

Il resta ensuite étendu sur elle.

— Je suis à bout de souffle.

Il s'appuya sur un coude et la regarda tendrement.

— Tu es une bonne copine, déclara-t-il en essuyant une larme sur la joue de Susanne.

— Merci. Toi aussi, tu es plutôt sympa.

— Qu'allons-nous faire le reste de la journée ?

— Je ne sais pas ce que tu as prévu, mais je compte accrocher des tableaux.

— Alors je vais t'aider, décida-t-il en se levant. Debout. Nous devons être propres pour nous occuper des tableaux. Que dirais-tu d'une douche entre copains ?

65

Maggan avait téléphoné à Paul chaque jour pendant une semaine, mais il n'avait pas décroché. Au restaurant, on lui avait dit qu'il était débordé. Elle s'y était rendue une fois, mais il était alors absent, bien qu'elle eût remarqué sa voiture garée devant.

Rebecka et Susanne lui suggérèrent de lui laisser un peu de temps, mais c'était incroyablement difficile. Anneli refusait de lui parler. Le cœur de Maggan se brisait à chaque fois que Peter ou Alex répondait à sa place.

Pour se distraire, elle travaillait au livre sur Sonja. En s'occupant, elle parvenait à occulter la douleur qui était constante pendant les heures d'oisiveté.

Elle discutait tous les jours avec ses amies et pourtant, elle se sentait seule pour la première fois. Sa maison à Farsta lui manquait. Elle aurait même aimé revoir les murs couverts de lambris en pin du sous-sol aménagé en salon.

— Viens chez moi, proposa Susanne. Tu peux parfaitement écrire ici. Si tu veux, tu pourras aussi le faire depuis l'hôtel. Patrik sera ravi que tu prépares tes délicieux petits pains.

Rebecka trouvait également l'idée excellente.

— Je peux arriver quelques jours avant l'inauguration, et toi et moi, nous irons nous balader à Londres pendant que Susanne bosse.

Elle compatissait avec Maggan, dont la mésaventure lui rappelait l'époque où Robert l'avait quittée. Elle avait tout fait pour s'isoler. Sans ses amies qui l'avaient traînée hors de chez elle, elle ne savait pas ce qu'elle serait devenue.

Maggan voulait d'abord réfléchir. Elle ferait une dernière tentative auprès de Paul avant d'abandonner. Elle ne le forcerait pas à les accepter, elle et leur enfant.

Cette fois, Susanne l'attendit à l'aéroport. Elle n'était pas seule, Michael avait insisté pour qu'ils prennent sa voiture.

« C'est aussi mon amie », avait-il argué.

Quand elle les vit ensemble, Maggan éclata en sanglots. Les larmes ne tarissaient pas. Elle s'était efforcée de les retenir pendant son voyage, et ne s'était réfugiée qu'un bref instant aux toilettes. La vue de ses vieux camarades l'un à côté de l'autre, griffes rentrées, la touchait profondément.

Michael la serra dans ses bras et embrassa ses cheveux.

— Il va s'en remettre, je te le promets. C'est mon meilleur ami et il est têtu comme une mule, mais je le connais. Et puis, il est fou de toi, alors il voudra rencontrer sa fille.

Maggan comprit que Susanne lui avait tout raconté.

— Elle t'a dit aussi que je l'ai appelé des centaines de fois ?

— Non, c'est Paul qui me l'a raconté, Susanne n'a rien révélé.

— Tu as discuté avec lui ?

— Deux fois par jour depuis que tu lui as avoué la vérité.

— Qu'est-ce qu'il a dit ?

— Qu'il est en colère, déboussolé et qu'il ne sait pas quoi faire.

— Il n'y a rien de drôle là-dedans, protesta Maggan en voyant Michael sourire jusqu'aux oreilles.

— Si, parce qu'il est toujours comme ça quand il lui arrive quelque chose d'important. Il parle et il parle et soudain, le problème est résolu.

Susanne les interrompit.

— Ohé, je pourrais avoir un peu d'attention ? cria-t-elle.

Michael et Maggan se tournèrent vers elle.

— Moi aussi, je veux un câlin.

Bras dessus bras dessous, Susanne et Maggan se dirigèrent vers la voiture. Michael les suivait, quelques pas en arrière, ce qui lui plaisait énormément. Le regard rivé aux fesses de Susanne, il n'était absolument pas pressé. S'ils avaient été seuls, il lui aurait proposé un petit coup vite fait dans le garage. Ils avaient failli s'arrêter sur le chemin de l'aéroport parce qu'ils étaient incapables de garder leurs mains pour eux. Il savait qu'elle ne portait rien sous son jean et maintenant, elle balançait la croupe juste pour le tenter.

Quand il la dépassa pour déverrouiller la portière, il lui agrippa fermement une fesse.

— Si tu les remues encore une fois… lui souffla-t-il à l'oreille.

Elle oscilla lentement des hanches et quand il resserra sa poigne, elle se dégagea dans un rire.

— Je m'assois à l'arrière avec Maggan, tu es trop dangereux.

Michael les déposa devant chez Susanne. Il devait travailler quelques heures et repasserait plus tard s'il le pouvait. Tandis que Maggan défaisait ses bagages, Susanne déboucha une bouteille de vin et alluma quelques bougies.

— Elle est aussi têtue que son père. Elle a toujours été obstinée à ce point ? demanda Susanne après avoir expliqué qu'elle avait parlé à Anneli.

— Oui, quand il s'agit de choses très importantes. Mais elle ne m'a jamais exclue de cette façon. Elle t'a dit que Sonja lui avait envoyé une photo de Paul ?

— Oui. Alors Sonja connaissait la vérité ?

— Elle a dû tout deviner. Anneli ressemble énormément à Paul et Sonja était en contact avec lui pendant toutes ces années sans que nous le sachions.

— Mais tout de même, pourquoi Sonja s'en est-elle mêlée ?

— Elle se mêlait de tout. Elle a fait en sorte qu'Anneli quitte Stockholm en lui offrant une maison dans une autre région. C'est clair comme de l'eau de roche qu'elle cherchait à nous réunir, Paul et moi, et je suis certaine qu'elle t'a poussée dans les bras de Michael.

— Tu crois ? Nan, ce n'est pas possible. C'est Charles qui nous a présentés.

— Oui, mais s'il ne l'avait pas fait, tu l'aurais rencontré par notre biais, à Paul et moi. J'en suis convaincue. En plus, elle connaissait Adam d'une façon ou d'une autre, ce qui veut dire qu'elle essayait même de trouver un nouvel amoureux pour Rebecka.

Susanne ne put se retenir davantage. Ce n'était pas très poli quand son amie était triste, mais elle ne pouvait plus lutter et éclata finalement de rire. Les larmes coulèrent, elle n'arrivait plus à s'arrêter.

— Tu racontes des bêtises, haleta-t-elle. Elle aurait pu leur demander à tous les trois de venir à Stockholm au lieu de manigancer un truc aussi énorme.

— Ça n'aurait pas fonctionné. Tu ne vois pas ? Sonja avait compris depuis longtemps que nous devons découvrir nous-mêmes ce qui nous convient le mieux, qu'il s'agisse des hommes ou pas. Si elle nous avait présenté la solution sur un plateau, nous n'en aurions pas voulu.

— Mais elle joue les apprentis sorciers ou quoi ?

Susanne ne riait plus. Elle abattit le poing sur la table.

— Sonja agite sa baguette magique et nous dansons sa danse.

— Ça ne te dérange pas de danser avec Mike à ce que je vois, fit Maggan amusée.

— Michael ? Ah, mais nous sommes juste amis, répondit Susanne en lui rendant son sourire.

66

Tête contre tête, ils étudièrent de nouveau la liste des invités. Charles, qui participait par téléphone, émettait des grognements à chaque refus et des cris de joie aux confirmations. L'hôtel ne recevrait pas de clients le soir de l'inauguration, car il était capital de pouvoir montrer toutes les chambres. Charles avait été inflexible sur ce point. Ceux qui venaient de loin pourraient séjourner au Hyatt ou là où bon leur semblerait. Sonja Londres accueillerait uniquement festivités et visites.

Patrik avait insisté pour proposer des spécialités suédoises comme de la viande d'élan, du caviar d'ablette et le craque-pain de Maggan au buffet du lendemain. Susanne l'aurait laissé servir des spaghettis à la bolognaise s'il l'avait voulu. Elle avait pour mission de s'assurer que tous passaient un agréable moment et se faisaient une idée de l'établissement. Charles avait offert de lui fournir des photos des critiques les plus importants pour qu'elle sache à qui graisser la patte, mais avait abandonné en entendant son exclamation de dédain. Chez elle, tous les clients étaient importants, et si Charles ne le voyait pas ainsi, il n'était pas au bon endroit.

— Désolée, Charles. J'ai oublié ton cœur fragile, s'excusa Susanne en riant.

Il lui pardonna immédiatement. Il n'y avait pas meilleur remède que d'être traité comme d'habitude et Charles était heureux que Susanne l'ait compris d'elle-même.

Après avoir remercié Charles, Michael et Susanne se levèrent en même temps. Il devait retourner à son propre hôtel et Susanne déjeunait avec Maggan. Tandis qu'ils se rhabillaient, il lui demanda si elle participait souvent nue à des conférences téléphoniques. Ses yeux étincelèrent quand Susanne répondit que cela se produisait de temps à autre.

— Et tu arrives à chaque fois à conclure ce que tu as commencé ? poursuivit-il.

Elle fit un pas vers lui.

— Je ne vois pas de quoi tu parles, dit-elle en laissant son soutien-gorge dégrafé.

— Oh, il y a plein d'exemples. Quand tu te lèches les babines. Tes mains baladeuses. Ou encore ta façon de te plaquer contre moi, fit-il en mettant les mains en coupe sous ses seins lourds.

— Je termine toujours ce genre de choses, déclara-t-elle en s'humectant les lèvres tandis qu'il décrivait des cercles avec les pouces autour de ses tétons.

Avec un soupir, il lâcha sa poitrine pour prendre le visage de Susanne entre ses paumes. Lui effleurant la joue, il lui déposa un baiser sur le front.

— Je suis un homme très important qui a un hôtel à gérer. Tu crois que je pourrais obtenir la suite un peu plus tard ?

— Pas question.

— Alors c'est maintenant ou jamais ?

— Oui.

Elle caressa son torse couvert de poils bruns.

— Tu es une femme dangereuse, mais terriblement éblouissante, murmura-t-il en l'embrassant quand elle recula vers le lit.

Susanne était restée chez elle tandis que Rebecka et Maggan cherchaient une tenue adéquate chez Selfridges pour l'inauguration. Elle devrait se rendre à l'hôtel quelques heures avant ses amies et n'avait pas l'intention d'enfiler sa robe de soirée avant d'avoir mis la touche finale aux préparatifs.

Elle avait prié les employés qui pouvaient se libérer de venir afin d'accorder toute leur attention aux hôtes. La plupart étaient déjà là quand elle était partie, un peu plus tôt, et elle avait été profondément émue à la vue des nouveaux uniformes ornés du nom Sonja Londres sur la poche de poitrine.

Tout le monde portait la même tenue, quel que soit le poste occupé. Pendant les entretiens d'embauche, Susanne avait annoncé clairement que quiconque refusait de faire le ménage parce qu'il était engagé comme réceptionniste n'avait pas sa place chez Sonja Londres. Plusieurs postulants avaient retiré leur candidature, mais Susanne ne les regrettait pas. Le succès du Sonja dépendait de la volonté du personnel de travailler dans une équipe où tous étaient égaux et, par conséquent, recevaient à peu d'exceptions près le même salaire.

La robe longue et moulante de chez Yves Saint Laurent avait déjà quelques années, mais était toujours aussi ravissante. Susanne caressa la soie gris et noir avant de la ranger dans une housse. Elle porterait des chaussures vert sombre à talons démesurés et des pendants d'oreilles en émeraude qu'elle possédait depuis longtemps. Les pierres précieuses lui avaient coûté un bras. Elle les avait achetées dans une bijouterie suédoise de Grande Canarie après avoir économisé plus de douze mois.

Tout en préparant les affaires dont elle aurait besoin pour être renversante, elle songea à Adam et Paul. Aucun d'eux n'avait répondu à son invitation et elle avait beau apprécier les deux hommes, elle trouvait cela très grossier. Et dommage. Rebecka paraissait soulagée qu'Adam ne vienne pas, mais Maggan aurait aimé mener un semblant de conversation avec Paul.

— Je ne peux pas ne pas m'en faire, parce que je ne pourrai pas retrouver Anneli sans lui, expliqua Maggan quand Rebecka lui demanda pourquoi elle ne souhaitait pas simplement bon vent à Paul.

Maggan palpa une toilette bleu ciel qu'elle aurait normalement trouvée trop chère pour la regarder, et bien trop décolletée. Ses seins ne resteraient pas en place.

— Essaie-la, suggéra Rebecka avec un sourire. Rien ne t'oblige à l'acheter.

Elle-même avait déniché une robe rouge. Elle n'en avait jamais mis de cette couleur, mais le printemps majorquais lui avait donné un joli hâle et elle se trouvait une allure rafraîchissante quand elle portait des teintes vives. La jupe ample lui arrivait aux genoux et le corsage drapé soulignait ses courbes. Une paire de sandales élégantes, et elle serait fin prête pour l'inauguration.

— Leur système de taille est bizarre, ici, observa Maggan, à la recherche d'un 42.

— Prends une taille 12. Tiens.

— Merci. Tu m'accompagnes ?

Maggan ne s'était toujours pas habituée à ses nouvelles mensurations. Elle s'apercevait elle-même qu'elle avait minci, entre autres parce que sa peau était plus lâche, et elle possédait maintenant plusieurs tenues vraiment moulantes. Le truc était d'enfiler une combinaison bien ajustée, lui avait recommandé Susanne, qui savait de quoi elle parlait. Avant leur sortie, Susanne avait rappelé à Maggan de mettre une bonne gaine pour les essayages. Maggan fut très reconnaissante pour ce conseil lorsqu'elle passa sans difficulté la robe bleu ciel. Elle-même se rendait compte qu'elle lui allait comme un gant. Le décolleté était audacieux sans être vulgaire. Elle jeta un coup d'œil à l'étiquette, sachant pourtant déjà quel prix elle affichait. Quatre cent cinquante livres. Une somme délirante.

— Arrête ça, ordonna Rebecka. Tu en as les moyens.

Elle avait dégoté un petit sac à main qu'elle montra à Maggan, mais son amie secoua la tête. Si elle prenait la robe, elle aurait besoin de nouvelles chaussures, ce qui était bien suffisant. Son propre sac était vieux, mais lui convenait parfaitement.

— On va déjeuner ?

Rebecka était affamée et Maggan devait ménager ses jambes. A peine sorties de la boutique, elles attendaient leurs assiettes de pâtes, attablées devant un verre de vin dans un petit restaurant italien d'une rue transversale d'Oxford Street.

— Qu'est-ce que tu vas faire si Adam débarque ?

— Sans doute sourire avant d'aller me cacher, répondit Rebecka. Mais je ne pense pas qu'il viendra. Il est retenu par un autre projet à Majorque.

— Il est passé voir la villa comme tu l'avais suggéré ?

— Je ne sais pas. Sverker n'a rien dit et je n'ai pas demandé.

— Le malheureux n'a commis qu'une seule erreur : tomber amoureux de toi. Combien de temps vas-tu le punir ?

Rebecka leva la tête.

— Tu crois que c'est ce que je fais ?

— Oui.

— Il faudra que j'en parle à ma thérapeute. Ma meilleure amie trouve que je suis punitive.

— Tu as commencé une thérapie ? A Majorque ?

— Oui. Tu te rends compte ? répondit Rebecka avec un sourire.

— Et qu'est-ce que tu en penses ?

— C'est à la fois agréable et énervant. Je m'attendais à ce qu'elle m'explique que ma façon de penser est erronée, mais ça ne fonctionne pas du tout comme ça.

— Et Adam… ?

— N'a pas été mentionné, compléta Rebecka. En revanche, j'ai compris que j'avais vraiment peur, comme Susanne et toi me l'avez répété. C'est bizarre, non ? Au travail, je me sentais bien, j'étais énergique et pleine d'assurance, mais à la maison…

Elle n'acheva pas sa phrase.

— Etre quittée, ce n'est peut-être pas la fin du monde, tout compte fait, reprit-elle, songeuse. Après tout, j'ai survécu, n'est-ce pas ?

67

Debout dans un coin du foyer, il la regardait aller d'un invité à l'autre pour leur souhaiter la bienvenue. Cela sautait aux yeux, la plupart étaient pris de court par sa beauté, mais l'oubliaient tout aussi vite, conquis par ses manières naturelles. Lui-même avait chaviré plus de six mois auparavant et n'avait pas l'intention de s'en relever.

— Pourquoi tu te caches ? Viens grignoter avec moi.

— D'accord. Tu es splendide.

Rebecka le remercia pour le compliment.

— Tu devrais voir Maggan. Elle est éblouissante.

— Où est-elle ?

— Dans les environs de la cuisine, je crois.

Ils se dirigèrent ensemble vers la salle à manger et Michael caressa le dos de Susanne en passant à côté d'elle.

— Rejoins-nous quand tu arriveras à te libérer, souffla-t-il.

Les hôtes se pressaient autour du buffet et les serveurs couraient d'une table à l'autre pour retirer le couvert sale.

— Tu dois absolument goûter le craque-pain de Maggan, déclara Rebecka en en déposant un morceau sur l'assiette de Michael.

— Ce truc-là ? lança Michael en haussant les sourcils.

— Ne fais pas cette tête sceptique. Si tu veux continuer à fréquenter Susanne, tu ferais bien d'essayer les spécialités suédoises.

— J'en ai bien l'intention. Tu penses que j'ai une chance ?

L'incertitude dans sa voix surprit Rebecka.

— Tu ne lui as pas demandé ?

— Je n'ose pas, avoua-t-il avec un grand sourire.

— Elle n'est pas dangereuse.

— Si, pour moi et ma tranquillité d'esprit.

Rebecka apprécia sa franchise.

— Comment connais-tu Adam ? l'interrogea-t-elle quand ils s'assirent.

— Adam ?

— Adam Ericsson, mon architecte.

Il écarquilla les yeux.

— Adam Ericsson est ton architecte ?

— Oui, et je crois savoir que vous êtes amis.

— Bien sûr, depuis des années. Sonja le connaissait aussi.

— C'est ça qui est bizarre. Il n'a pas réagi quand j'ai mentionné Sonja.

Michael se mit à rire.

— Alors quand je vous ai réservé des chambres au Miramar, c'était Adam qui vous accompagnait, Susanne et toi ?

Rebecka rougit. Michael l'observa.

— Il y a quelque chose que tu ne me dis pas. Vide ton sac.

— Bah, c'est stupide.

— Vide ton sac, j'ai dit.

— Il prétend qu'il a des sentiments pour moi, confessa-t-elle en baissant les yeux.

Michael la regarda en silence.

— Et il me rend nerveuse, ajouta-t-elle à voix basse.

— Parce que c'est réciproque ?

— Parce qu'il me trouble, reconnut-elle, résignée. Nous nous sommes d'abord croisés plusieurs fois à Stockholm et soudain, il débarque chez moi à Palma et annonce qu'il va m'aider avec la villa.

Les paroles jaillirent et elle n'occulta aucun détail de l'histoire, pas même ses soupçons sur le fait qu'Adam puisse être marié, qui avaient conduit à une rencontre très embarrassante avec sa petite-cousine.

— On dirait qu'il a enfin réussi à aller de l'avant, murmura Michael.

— Comment ça ?

— Tu savais que sa femme était morte d'un cancer il y a quelques années ? Je crois que seulement trois mois se sont écoulés entre le début de sa maladie et son décès. Adam était anéanti, bien sûr.

— Je n'en avais aucune idée. Nous n'avons jamais parlé de nos vies passées.

— Il voulait peut-être en commencer une nouvelle ? suggéra Michael avec un clin d'œil. Adam et Rebecka. Eh bien, ça alors !

Susanne, qui avait prêté main-forte aux serveurs, s'approcha de leur table pour s'assurer qu'ils étaient satisfaits.

— Très. Mais Maggan a disparu. Tu l'as vue ?

— Voui, Paul et elle sont allés s'enfermer dans une chambre. Dieu sait ce qu'ils fabriquent.

Ils ne prirent pas la peine d'échanger des politesses. « Où est-ce qu'on peut discuter ? » avait-il demandé en s'approchant à grands pas.

Elle avait lancé un coup d'œil à Susanne.

« Dans la suite Maggan. Mais verrouillez la porte, par pitié. »

Dans l'ascenseur, il lui tourna le dos et s'obstina encore dans la chambre.

— Je n'arrive pas à être fâché contre toi quand tu es si belle. Excuse-moi si je préfère ne pas te regarder.

Elle ne répondit pas. Son cœur battait la chamade. Elle parvenait tout juste à respirer. Paul se tenait le dos droit, inaccessible, et il parlait en agitant les bras. Elle entendait à peine ce qu'il disait. Quelque chose au sujet d'Anneli, qu'il aimerait rencontrer, ainsi que sa famille, et que si Maggan s'y opposait, alors il…

Elle se jeta à son cou.

— Bien sûr que tu peux rencontrer Anneli. Elle ne demande que ça.

Il écarta les mains de Maggan et se retourna.

— Tu lui as raconté ? Qu'est-ce qu'elle a dit ?

— En dehors de sa colère légitime, elle ne me parlera pas tant que je n'aurai pas tout arrangé.

— Nous avons beaucoup de choses à clarifier, toi et moi.

— Oui.

— Je ne sais pas si j'arriverai à te pardonner.

— Je comprends.

— Je vais avoir besoin de temps.

— Tu peux prendre tout le temps qu'il te faut, mais surtout, ne punis pas Anneli.

— Je peux prendre le reste de ma vie ?

Elle le fixa. Il ne lui pardonnerait donc jamais.

Paul se rendit compte que Maggan luttait contre les larmes. Seigneur, comme il chérissait cette fichue traîtresse.

— Epouse-moi, Maggan, dit-il en serrant ses mains dans les siennes. Je ne peux pas vivre un autre jour sans toi. Je vais être en colère. Je vais pleurer parce que tu m'as caché ma fille. Mais je vais aussi t'aimer à la folie, comme je t'aime déjà.

Il prit la pochette de sa veste et essuya doucement les larmes qui coulaient sur les joues de Maggan.

Elle ne répondit pas. Son sourire apprit à Paul tout ce qu'il avait besoin d'entendre.

68

Pour Sverker, la satisfaction liée à son travail n'atteignait son paroxysme que lorsqu'il observait l'expression de ses clients : quand ces derniers déverrouillaient les portes d'entrée, apercevaient les murs fraîchement peints, découvraient les petits détails, testaient les interrupteurs, tiraient la chasse d'eau, ouvraient les penderies, passaient la main sur le sol.

Rebecka avait choisi elle-même chaque élément de la villa et pourtant, elle réagit comme tout le monde une fois les travaux achevés. Elle ne se lassait pas de tout examiner. La maison était prête à accueillir les meubles, mais Rebecka souhaitait prolonger son exploration. Sverker la laissa à sa contemplation et alla boire son café sur la terrasse. Il se sentait très content. Même s'il avait été impliqué dans le projet parce que Adam voulait le quitter, il ne pouvait s'empêcher de ressentir une grande fierté à la vue du résultat.

Rebecka l'avait profondément impressionné. En dépit de son corps fluet et de ses cinquante-six ans fraîchement révolus, elle débordait d'énergie. Aucun détail n'échappait à son regard vigilant et quand il lui avait dit que rien n'était infaisable, elle lui avait demandé de réfléchir encore un peu. Il rit à ce souvenir. Elle avait souvent eu raison. Il y avait une solution à tout. Il déplia le transat de quelques crans. Rebecka risquait d'en avoir pour un moment et il serait bête de ne pas en profiter pour faire une sieste avant de transporter les meubles.

Rebecka s'était assise par terre au milieu de la salle de séjour. Elle avait la cuisine ouverte dans le dos et le jardin en face d'elle. L'auvent de la terrasse masquait le soleil, mais la chaleur inondait la pièce par les portes de la baie vitrée. Sonja était morte depuis plus d'un an.

Les trois membres restants du quatuor s'étaient téléphoné le matin même. Elles avaient versé des larmes. Elles avaient déploré le vide. Elles avaient ri. Tout était à la fois étonnant et naturel.

Rebecka n'était pas la seule à avoir trouvé sa place, il en allait de même pour Maggan et Susanne. Dans le cas de Rebecka, il ne s'agissait pas tant de son installation à Majorque que du calme intérieur qu'elle ressentait pour la première fois depuis des années. Elle n'éprouvait plus le besoin de savoir de quoi le lendemain serait fait, il lui suffisait de se laisser porter par le courant. Avant, elle devait se fixer des objectifs, mais plus maintenant. Le présent était assez. Oui, elle voulait voir sa maison occupée par les Remarkable Single Parents, mais ça ne signifiait pas qu'elle n'appréciait pas chaque jour qui la séparait de la réalisation de ce projet. Autrefois, elle avançait à tâtons, les yeux fermés, mais à présent, ils étaient grands ouverts.

Elle caressa encore une fois le sol et se leva.

— Sverker, appela-t-elle par les portes vitrées. Je suis prête.

L'hôtel était complet, mais Susanne était certaine que ses employés se débrouilleraient sans elle une semaine. Pour des raisons compréhensibles, elle travaillait plus dur que tous les autres et ne s'absentait que la nuit. A long terme, elle ne pourrait pas continuer à ce rythme, et quelques jours de congé lui seraient bénéfiques, à elle comme au personnel.

Le chauffeur de taxi jeta un coup d'œil au couple aux débordements embarrassants. Des adultes ? Il bascula le rétroviseur pour ne pas devoir assister à l'affligeant spectacle.

L'avion de Paris pour Palma décolla avec du retard. Difficile de dire qui, de Maggan ou Paul, était le plus tendu. Paul marchait de long en large dans le hall de départ et sursautait à chaque annonce. Maggan était assise sur l'un des sièges inconfortables près de la porte, sa béquille à côté d'elle. De temps en temps, il venait lui donner un baiser sonore pour bien montrer qu'elle lui appartenait, au cas où l'un des hommes présents se mettrait une idée en tête. Ils avaient un enfant. Une fille qu'ils allaient bientôt voir ensemble pour la première fois.

Voyager avec deux petites braillardes et un curieux de six ans n'était pas si facile. Ils avaient à peine embarqué qu'Anneli transpirait déjà. Comme par miracle, les jumelles s'endormirent presque immédiatement, ce qui lui permit de se reposer aussi. Peter, en époux attentionné, se consacra entièrement à Alex. Anneli lui lança un regard reconnaissant en glissant sa main dans la sienne. Sans lui, elle aurait été dans un état lamentable.

Rebecka eut l'occasion d'inaugurer le minibus en allant chercher Anneli et sa tribu à l'aéroport. Le véhicule à sept places – dont trois équipées de sièges-autos – était parfait, songeait Rebecka en prenant la route familière en direction de l'est. Elle avait hâte de retrouver Anneli. Elle ne l'avait pas vue depuis plus d'un an et ne connaissait les deux nourrissons qu'en images. D'une certaine façon, Anneli était également sa fille. Elle l'avait étroitement soutenue depuis sa naissance, et quand l'adolescente voulait s'échapper parce que Maggan se comportait en mère intraitable, elle s'était réfugiée à tour de rôle chez Rebecka, Susanne ou Sonja. A présent, elle était une adulte et avait trois enfants.

Rebecka secoua la tête. Il était peut-être temps qu'Anneli arrête de l'appeler tata ?

Anneli faillit se frotter les yeux et quand elle se tourna vers Peter, lequel était bouche bée.

Ce n'était pas une villa, c'était un paradis.

— Je peux me baigner ? Je peux me baigner ? Maintenant je vais me baigner ! cria Alex en s'extrayant de ses vêtements.

Il se précipita tout nu vers la piscine bien qu'il ne sache pas nager. Peter attrapa son fils juste avant que le garçonnet ne se jette à l'eau et le ramena fermement vers la maison.

— Il y a des flotteurs et des brassards dans le placard près de la porte de l'aile gauche, indiqua Rebecka en pouffant.

— Tu viens te baigner avec moi ? demanda Alex avec un regard en biais.

— Oui, ça sera très amusant, répondit Rebecka. Profitez-en pour vous installer, ajouta-t-elle à l'intention d'Anneli et de Peter. Si vous avez faim, vous trouverez de quoi nourrir un régiment dans le frigo.

Alex et elle coururent en riant vers la piscine entourée de dalles et étaient en plein jeu quand Susanne et Michael firent leur apparition. Une minute plus tard, Susanne les avait rejoints.

— Faites connaissance, moi je vais jouer avec Alex, lança-t-elle en sautant dans le bassin.

Alex cria de joie. Deux tatas pour lui tenir compagnie. C'était presque trop beau.

— Ravi de te rencontrer enfin, dit Michael à Anneli en souriant, avant de serrer la main de Peter. Je peux ? ajouta-t-il en désignant Isabell dans les bras de son papa.

— Je t'en prie, répondit Peter en lui tendant la petite.

— Tu n'es pas nerveuse à l'idée de voir Paul ? demanda Michael en se tournant vers Anneli, tandis qu'Isabell l'observait de ses grands yeux.

— Je suis terrifiée, avoua-t-elle.

Michael la détailla.

— Tu lui ressembles beaucoup.

— Oui, c'est ce que répète maman, approuva Anneli en souriant.

Quand elle avait appris que Maggan et Paul s'étaient réconciliés, elle avait repris le contact avec sa mère, et depuis, elles se parlaient tous les jours, avec prudence. Anneli avait pu poser toutes les questions qu'elle voulait et Maggan y avait répondu du mieux qu'elle pouvait. Anneli aurait besoin de temps pour lui pardonner tout à fait, ce qui, sans Susanne et Rebecka – qui connaissaient sa mère à l'époque où elle avait renoncé à Paul –, aurait été tout simplement inimaginable.

Elle se tourna vers la piscine en écoutant les rires joyeux.

— Prends bien soin de tante Susanne, recommanda-t-elle à Michael d'un ton sérieux. Elle compte beaucoup pour moi.

— Dans ce cas, nous avons un point commun, lui assura-t-il. Et si nous allions leur tenir compagnie ?

Paul n'émit pas le moindre son pendant le trajet depuis l'aéroport. Il était paralysé par la terreur. Maggan serra sa main moite et essaya de le rassurer, sans effet. Il était convaincu qu'Anneli le détesterait et qu'il serait forcé de remonter dans l'avion en direction de Paris.

Anneli ouvrit la porte. Elle était magnifique, en robe d'été toute simple et pieds nus.

Quand elle sourit, Paul sentit son cœur se dilater. Pleurant à chaudes larmes, il écarta les bras pour serrer sa fille éblouissante contre lui.

Maggan les contourna en sanglotant. Cet instant leur appartenait. Elle leur ferait des câlins plus tard.

— Mamie est arrivée, mamie est arrivée ! cria Alex.

L'instant d'après, Maggan étreignait le petit corps dégoulinant d'eau.

Rebecka savourait la vue de l'assemblée. Paul et Anneli ne s'étaient pas quittés de la soirée.

— Mon papi ne parle pas avec moi, s'inquiéta Alex.

— Ah non ? fit Rebecka.

— Non, il ne comprend pas ce que je dis.

— Tu pourrais peut-être lui montrer ce que tu veux ? Prends-lui la main et tends le doigt et tu verras qu'il comprend, suggéra-t-elle.

Alex réfléchit un moment avant d'aller chercher son ballon de foot pour l'apporter à son grand-père. Quand Paul se leva, Alex constata que cela avait fonctionné.

Mais il avait du mal à comprendre pourquoi papi était triste. Lorsqu'il posa la question, mamie expliqua que, parfois, on pleurait de joie, du moins quand on était adulte.

Alex essaya de sécher les larmes de Paul, mais cela ne fit qu'en amener plus, alors il laissa son grand-père pleurer. Du moment qu'il jouait avec lui, ce n'était pas grave.

69

Rebecka se réveilla tôt. Elle bâilla et attrapa son peignoir. Si elle avait été seule, elle aurait pris le plus court, en soie, mais préféra le mi-long en tissu éponge. Elle ouvrit ses fenêtres pour laisser entrer l'air. Non pas qu'on le voie réellement bouger, mais l'air était l'air.

Avec autant d'invités, la climatisation était allumée dans toute la maison, alors qu'elle ne la mettait normalement en route que dans sa chambre à coucher. Les pires désagréments de la ménopause s'étaient atténués avec le temps, mais se manifestaient parfois sous la forme de bouffées de chaleur nocturnes. Rebecka avait donc impérativement besoin de températures fraîches.

Tout en mettant ses lentilles, elle pensa à la fête qui aurait lieu le soir même. Elle réunirait un incroyable pot-pourri composé d'ouvriers, de notaires, d'amis, d'amis des amis et de parents. Elle hébergeait son frère et sa belle-sœur, arrivés de Stockholm la veille, dans son appartement à Palma. Ils restaient une semaine, et la ville leur convenait parfaitement. Me Andréasson et sa fille possédaient leur propre résidence dans l'île, et Rebecka n'avait pas à s'inquiéter de leur logement.

Susanne fut réveillée par les ronflements de Michael. Elle essaya de se glisser doucement hors du lit, mais s'était à peine écartée qu'il la rattrapa.

— Où est-ce que tu vas ? demanda-t-il d'une voix pâteuse.

— Voir si Rebecka est debout.

— Tu reviens ?

— Oui.

— Et tu n'enfiles pas trois tonnes de vêtements ?

— Si, mais je pourrai les retirer.

— Bien, approuva-t-il en se redressant sur un coude. Tu peux dire à Rebecka que j'ai un appétit insatiable.

— Je ne peux pas faire ça, elle tomberait dans les pommes.

Il pouffa.

— Bon, tant que tu sais que je ne me lasserai jamais de toi, ça me suffit. Fais vite, ajouta-t-il en se rallongeant.

Susanne se dirigea vers la cuisine en fredonnant. A la différence de Rebecka, porter une robe de chambre en soie ne l'embarrassait pas le moins du monde. Seul Michael s'intéressait à ce que cachait l'étoffe et il pourrait s'en remplir les yeux plus tard.

— Mmm, ça sent bon. Tu aurais une tasse pour moi ? réclama-t-elle en s'installant au bar.

— Tiens, dit Rebecka avec un sourire en posant un mug de café devant Susanne.

Elle s'assit ensuite à côté de son amie.

— Tu es dans ton élément, déclara Susanne en regardant autour d'elle. Cette maison a quelque chose d'unique.

Elle ne retrouvait en rien l'austérité de l'appartement de Rebecka à Stockholm, au contraire.

— C'est la table que nous avons vue à Barcelone ? demanda-t-elle en indiquant l'ensemble repas dans la salle de séjour.

— Oui. Elle est belle, hein ?

Adam et elle avaient sauté de joie en la découvrant chez un des fournisseurs qu'il avait contactés. La grande table pouvait accueillir douze couverts et Adam avait lancé en plaisantant qu'ils pourraient faire la fête tous les week-ends. Il avait employé le pluriel comme s'ils allaient recevoir ensemble.

— Tu penses souvent à lui ? l'interrogea Susanne.

— Oui. J'ai choisi chaque meuble avec lui, alors je ne peux pas m'en empêcher.

Elle but une gorgée de café et se laissa glisser de son siège.

— J'ai envie de piquer une tête. Tu viens ?

— Non, je retourne faire l'amour avec Michael.

Rebecka lui jeta un regard courroucé avant de sourire. La villa avait besoin d'amour et, si cela devait impliquer des relations physiques, alors qu'il en soit ainsi.

Quand Susanne revint dans la chambre, Michael était occupé à se brosser les dents face au lavabo. Elle se pressa contre son dos. Elle voulait sentir sa présence et sa chaleur.

Ils couchaient souvent ensemble, un regard suffisait bien des fois à éveiller le désir, et pourtant, c'était son amitié et sa proximité que Susanne estimait. Ces émotions étaient toujours nouvelles pour elle, et incomparables avec tout ce qu'elle avait vécu auparavant.

Il se retourna et l'enlaça.

— Tu as envie de me goûter maintenant que je me suis lavé les dents ? fit-il en souriant.

— Non, merci, j'ai juste envie de rester dans tes bras.

Il resserra son étreinte.

— Je t'aime, Susanne. Je peux avoir des sentiments pour toi même si nous sommes amis ?

— Moi aussi, je t'aime, répondit-elle dans un souffle presque inaudible.

— Et nous ne devrons jamais nous marier ?

— Jamais.

— Et tu n'as pas l'intention de te marier avec quelqu'un d'autre ?

— Jamais.

Il dénoua le déshabillé en soie.

— On a déjà fait l'amour sur un tapis de salle de bains ?

Les larmes coulèrent ensuite. Elle pleurait encore, comme chaque fois.

Rebecka ignorait combien de personnes occupaient la pelouse, car au dernier moment elle avait eu l'idée d'inviter ses voisins. Soixante-dix, peut-être ?

Le traiteur était débordé, mais se débrouillait parfaitement. Le champagne était bien frais et les serveurs circulaient sans cesse parmi les convives, remplissant les coupes sans qu'il y ait besoin de réclamer.

Rebecka but surtout de l'eau. Elle ne voulait pas rater une seconde de sa propre soirée.

Le ciel commençait à s'assombrir et elle alluma l'éclairage extérieur. Le disc-jockey s'était mis au travail et plusieurs personnes dansaient déjà.

Quand il joua un air moins rapide, ses meilleurs amis se dirigèrent vers la piste. Michael et Susanne, Maggan et Paul. Elle était heureuse pour eux tous, et enchantée de les voir faire la fête chez elle.

Appuyée au montant de la porte, elle contemplait avec bonheur son jardin surpeuplé.

— Tu danses ?

Rebecka sentit une chaleur emplir sa poitrine et son cœur battit si fort qu'elle redouta que ses jambes ne la lâchent. Elle se tourna lentement vers Adam.

— Tu es venu.

— Oui, je suis venu.

Il ouvrit grands les bras et Rebecka s'y glissa. Ils ne bougèrent pas. La musique et les invités avaient disparu.

Il était là. Il était de retour.

— Ne me quitte pas.

— Je ne te quitterai jamais.

Il la conduisit doucement vers la salle de séjour. Elle observa le visage familier tandis qu'il lui caressait la joue du pouce.

— Je t'aime, Adam.

— Je sais, dit-il en souriant tendrement. Je sais.

Le soleil était déjà levé quand tout le monde fut couché. Rebecka verrouilla les portes derrière Adam et elle. Aucun d'eux n'avait eu de relation physique depuis des années et ils partageaient la même crainte et la même passion. Cela ne devait pas nécessairement arriver aujourd'hui, ni le lendemain. Un jour, ils seraient prêts à s'unir, mais ils n'étaient pas pressés.

Trois heures plus tard, Rebecka répétait son nom sans interruption en haletant. Le désir était si intense qu'il était incontrôlable.

Elle s'était défaite de sa honte en même temps que de ses vêtements qui jonchaient le sol et était entièrement absorbée par le bel homme, ce qu'il lui faisait et ce qu'elle osait faire avec lui.

Ils restèrent étendus l'un contre l'autre, humides de sueur, jambes entremêlées. Elle essuya une goutte de transpiration sur le front d'Adam.

— Quand est-ce que tu emménages ?

Elle suivait du doigt les lignes familières de son visage.

— Chérie, c'est déjà fait.

70

Rebecka fut la dernière à s'avancer, pieds nus et à pas de loup, sur l'allée de dalles en direction de la terrasse. Maggan et Susanne sourirent en la voyant s'approcher.

— A votre avis, est-ce que Sonja nous observe ? demanda Rebecka en s'asseyant.

— Je l'espère, répondit Susanne. Tous ses secrets ont été percés et nous allons bien. Je pense qu'elle est satisfaite.

— Je ne crois pas, la contredit Maggan. Il y a plus.

Susanne poussa une plainte.

— Ce n'est pas possible. D'où est-ce que tu tiens ça ?

— Des recherches que j'ai effectuées pendant le black-out de Paul et Anneli. Désolée, mesdames, mais ce n'est pas terminé.

Rebecka, qui venait à peine de se mettre en ménage, secoua la tête.

— Pas maintenant, Maggan. S'il te plaît.

— Cette fois, ce n'est pas nous que ça concerne, mais elle.

— Mais elle est morte. Elle n'a pas le droit d'être en paix ? soupira Susanne.

— Bien sûr, mais ça ne m'empêche pas d'être curieuse, puisque j'écris un livre sur elle. Il ne me manque plus qu'une pièce du puzzle et je n'ai pas l'intention de m'arrêter avant d'avoir découvert de quoi il s'agit.

Bien malgré elles, Susanne et Rebecka sentirent leur intérêt s'éveiller.

— D'accord, raconte-nous ce que tu as trouvé jusqu'ici, dit Rebecka.

Susanne agita les bras.

— Stop. On ne pourrait pas simplement profiter un moment de notre réunion ?

Elle se racla la gorge avant de poursuivre :

— Pendant les mois passés, s'il y a une chose que j'ai apprise, c'est que je ne m'en serais pas sortie sans vous. Vous êtes des amies fantastiques. Je crois que j'ai réellement appris cette année le sens de ce mot. Il n'y a rien que je ne ferais pas pour vous deux.

Elle posa la main sur celle de Rebecka et Maggan y ajouta la sienne.

— Pour l'éternité, amen. Alors, qu'est-ce que tu voulais nous raconter sur Sonja ?

Remerciements

C'est un travail très solitaire que de rester assis sur un divan avec tous les mots dont personne d'autre ne peut prendre soin. Cette situation est sans doute bien plus solitaire pour l'entourage. En particulier dans une petite famille composée de deux personnes et d'un chat.

Voilà pourquoi mes premiers et plus vifs remerciements vont à mon fils. Jonathan, tu ne t'es pas plaint une seule fois quand j'étais inaccessible. Au contraire, tu t'es réjoui avec moi et m'as offert tes vifs encouragements tout au long du processus.

Quand j'écrivais mon manuscrit dans ma chambre, tu produisais de la musique dans la tienne. Je sais que tout ira bien pour toi. Comme pour tous ceux qui sont dotés d'un cœur généreux. Je t'aime.

Les femmes d'âge moyen dans un livre n'ont, Dieu merci, pas grand-chose à voir avec un adolescent de dix-sept ans. Pas plus qu'avec la façon dont une mère s'exprime à l'écrit.

Celle qui s'y est intéressée et s'est consacrée corps et âme à me piloter pendant la rédaction, c'est toi, Petite Mère. Merci. Infiniment. Merci. Ton aide a été très précieuse.

Je te remercie également, Erik, éditeur, qui as lu en premier mon manuscrit et m'as écrit que tu étais « fou amoureux ».

Cela m'a permis de tenir une semaine jusqu'à ce que toi, Eva, tu me dises : « Suis bien plus que follement amoureuse, il est fantastique. » Je crois que j'ai dansé de joie. Je ne sais plus si Jonathan m'a imitée ou s'il était seulement obligé de regarder. Merci, Eva, tu sais à quel point ça m'a rendue heureuse.

Et merci à toi, Eva, ma nouvelle éditrice, qui as trouvé le manuscrit sur ton bureau quand tu as commencé ton nouveau travail et m'as contactée directement pour m'assurer que tout était en ordre. Merci.

Merci à toi, Walter, pour la couverture et, comme toujours, pour les conversations amusantes.

Merci à toute l'équipe des éditions Bra Böcker.

Merci à vous, mes anciennes camarades hôtesses et amies, Helene et Marianne, dont j'ai emprunté les noms pour le roman. Merci en particulier à toi, Helene, qui, depuis notre premier vol ensemble il y a vingt-six ans, m'as soutenue dans… toutes les situations.

Merci à toi, Jein, qui m'appelles et me cries des encouragements même quand, plongée dans l'écriture comme dans le coma, j'oublie de te rappeler parce que je ne sais plus quel jour, mois ou année nous sommes. Merci pour ces trente-sept ans d'amitié.

Merci à mes clients. Malgré mon envie, je ne peux malheureusement pas écrire vos noms ici. Vous êtes, chacun d'entre vous, uniques, parfaits, fantastiques et stimulants. Merci d'avoir enrichi ma vie.

Merci aux lecteurs de mon blog : Adela, Sanna, Gafflan, Sus, Snäckan, Nilla, Maj Korner, Joanna, Tanja, Annelie, Anneli, Suzan, Tove Kungsholmen, Spader, Ebba, Shamrock, Malin, Malin Barcelona, Fruntimret, Kaxig Quinna, Märta, Mia's, Pennelina, Annika, Agneta, Agneta, Anne, Karina, Liz et Frida, pour ne nommer que quelques-unes des personnes qui viennent me parler sur le blog.

Merci, Pernilla, Simona et Susanne B, qui m'inspirent, passent me dire bonjour et m'arrachent de temps à autre à mon divan.

Merci à lavin-estates.se qui m'a assistée avec de merveilleuses villas à Port d'Andratx quand j'ai eu besoin de coins d'écriture mentaux.

Merci, Misse. Tu t'es plaint quand l'ordinateur prenait ta place sur mes genoux, mais tu as eu le bon sens de me mordiller la main quand cela durait trop longtemps. Tu es un membre intelligent et affectueux de notre famille.

Merci, mon petit frère Sverker et ma belle-sœur Sofie, de m'avoir prêté vos prénoms. Et de toujours m'avoir rendue plus stable. Et d'être ceux que vous êtes.

Jörel. Merci d'être ma mère. Je t'aime.

Et enfin, à toi qui m'as lue jusqu'ici : merci, mille mercis.

Les personnages n'ont aucune ressemblance avec des personnes de ma connaissance, en revanche, je me suis partiellement inspirée de ma vie. J'étais hôtesse de l'air comme Susanne, mère célibataire comme Maggan et j'ai connu la même peur que Rebecka face à l'amour.

Le reste est entièrement issu de mon imagination, même si, bien sûr, cela aurait pu arriver à n'importe qui.

Les éventuelles erreurs dans *Amusez-vous en pensant à moi* relèvent de mon entière responsabilité. Si tu veux me hurler dessus ou me serrer dans tes bras, retrouve-moi sur :

hellbergcoaching.blogspot.com

Åsa Hellberg
A Farsta, février 2012

Composition et mise en pages : Facompo, Lisieux

Cet ouvrage a été imprimé par
CPI Firmin Didot à Mesnil-sur-l'Estrée
pour le compte de France Loisirs
en décembre 2015

Dépôt légal : décembre 2015
N° d'édition : 83705 – N° d'impression : 132790
Imprimé en France

